P9-DIH-341

LE POUVOIR INTELLECTUEL
EN FRANCE

Ouvrages du même auteur

RÉVOLUTION DANS LA RÉVOLUTION?, Cahiers libres, François Maspero, 1967.

ESSAIS SUR L'AMÉRIQUE LATINE, Cahiers libres, François Maspero, 1967.

LA FRONTIÈRE, avec UN JEUNE HOMME A LA PAGE, Ecrire, Editions du Seuil, 1967.

RÉVOLUTION DANS LA RÉVOLUTION?, et autres essais, Petite Collection Maspero, 1969.

ENTRETIENS AVEC ALLENDE SUR LA SITUATION AU CHILI, Cahiers libres, François Maspero, 1971.

LA CRITIQUE DES ARMES, I. Combats, Editions du Seuil, 1974.

LES EPREUVES DU FEU, (Critique des armes, 2), Combats, 1974.

LA GUÉRILLA DU CHE, Histoire immédiate, Editions du Seuil, 1974.

L'INDÉSIRABLE, Editions du Seuil, 1975.

LES RENDEZ-VOUS MANQUÉS (pour Pierre Goldman), Combats, Editions du Seuil, 1975.

JOURNAL D'UN PETIT BOURGEOIS ENTRE DEUX FEUX ET QUATRE MURS, Editions du Seuil, 1976.

LA NEIGE BRULE, Grasset, 1977.

LETTRE OUVERTE AUX COMMUNISTES FRANÇAIS, Combats, Editions du Seuil, 1978.

MODESTE CONTRIBUTION AUX DISCOURS ET CÉRÉMONIES OFFICIELLES DU DIXIÈME ANNIVERSAIRE, Cahiers libres, François Maspero, 1978.

Régis Debray

LE POUVOIR
INTELLECTUEL
EN FRANCE

WITHDRAWN

Éditions Ramsay
27, rue de Fleurus, 75006 PARIS

HT
690
·F8
D4

© Éditions Ramsay Paris 1979
ISBN 2-85956-100-5

JUN 5   1984

AVERTISSEMENT

Ce texte complétait à l'origine un travail théorique plus ample, intitulé *Traité de médiologie*, en instance de publication. Le premier volume s'attachera à cerner la fonction symbolique dans les sociétés occidentales, à retracer l'histoire de ses vecteurs, à élucider son rapport organique au pouvoir d'Etat. Le second tentera d'analyser, en même temps que la notion de *médium*, la nouvelle technologie politique et culturelle induite par les *mass média* modernes. L'analyse concrète ici présentée résulte de l'application du champ conceptuel ainsi dégagé à une situation concrète, celle de l'intelligentsia française moderne. On a choisi de la publier séparément parce qu'elle forme un tout, à l'image de son objet. Quant à la méthode et aux enjeux *ultimes* de l'observation, ils ne pourront apparaître qu'avec la mise en place systématique des notions d'intellectuel, de media, d'Etat. Je demande donc au lecteur, si lecteur il y a, de bien vouloir m'ouvrir, à cet égard, un crédit suspensif et limité jusqu'à la parution du *Traité*.

Un mot pourtant sur l'enjeu immédiat, qui ne manque pas d'actualité. Son caractère numériquement infime et apparemment marginal ne peut plus longtemps voiler le rôle stratégique joué par la haute intelligentsia française dans les rapports politiques de classe, nationaux et internationaux. L'alliance qu'elle a passée avec la *nouvelle médiocratie* (de *media*, « moyens de communication de masse » — ou moyens de production des opinions sur une base de masse — et de *kratein*, gouverner), avec laquelle elle tend à la fusion pure et simple, lui assure le monopole de la production et de la circulation des événements et des valeurs, des faits et des normes symboliques à l'intérieur d'enceintes de plus en plus vastes : en France d'abord, du haut en bas et d'est en ouest; à la périphérie de l'Occident aussi, avec ses nations et ses cultures normalisées, rabotées, homogénéisées depuis les hauteurs dominantes du Centre. Cette intégration aux grands moyens de diffusion par laquelle la haute intelligentsia a acheté sa suprématie sociale s'est payée d'une considérable dégradation de la fonction intellectuelle. Rarement la lutte pour la culture n'a été comme maintenant confondue avec la lutte pour l'émancipation : de même que le maintien des traditions cultu- relles conditionne les capacités d'innovation historique, le sort et l'indépendance d'un peuple ne font qu'un avec le sort et l'indépendance de ses « élites » intellectuelles. Rarement aussi — ceci expliquant cela — la direction des esprits et la conduite des affaires n'ont été à ce point confondues. « Gou- verner, c'est faire croire », disait déjà Machiavel. En France, aujourd'hui, ceux qui ont le monopole du gouvernement de l'opinion siègent, parfois à leur insu, au gouvernement de la République, lequel ne se soutient plus que de « l'opinion » des citoyens. Il sera donc impossible de renverser la coalition d'intérêts qui spolie et domine la majorité des hommes, dans notre hexagone comme à la surface du globe, sans déposer ou renverser la puissance sociale grâce à laquelle ce désordre de fait s'installe chaque jour dans nos têtes comme fondé en droit et en liberté. Il y a différentes façons d'occuper une nation et de réduire la souveraineté d'un peuple; la moins fla- grante n'est pas la moins performante. La médiocratie régnante constitue en France le pilier principal de la domination bour- geoise. La séparation, devenue ritournelle, de la « société civile » et de « l'Etat » (distinction méthodique dans l'analyse métamorphosée en dissociation réelle dans l'objet) ne pro- cède plus seulement d'un colossal contresens théorique sur la nature du pouvoir politique; elle est devenue un alibi pratique dont le cynisme permet à nombre d' « intellectuels » de se présenter en héros de la société civile, quand ils sont en fait les hommes d'Etat les plus efficaces dont dispose notre sys- tème de domination. En ce siècle de dupes, et pour ce qui nous revient de l'ample comédie aux cent masques divers, l'élite de notre « parti intellectuel » s'est réservé le meilleur rôle : tous les avantages de l'autorité, sans aucun des inconvé- nients du pouvoir.

Notre propos n'est pas d'humeur, d'indignation ou de res- sentiment : mais d'analyse. Si la situation polémique est le ressort de la pensée, le pamphlet est à nos yeux un genre avilissant, contraire à toute éthique de la connaissance. Une technique rationnelle comme la médiologie (qui se veut, à charge pour elle de le démontrer, discipline rigoureuse) peut faciliter des outils pour rendre une réalité intelligible, et des armes pour la transformer; elle peut aussi, en contribuant à maintenir le réel en état, jouer à l'avantage de ceux qui en tirent avantage. Les noms propres qui nous serviront de repères doivent s'appréhender comme de simples supports de rapports génériques, dont seule la logique interne, en sa nécessité, nous intéresse. Qu'on ne s'étonne pas, dès lors, de ne pas trouver d'allusion, évidemment autocritique, à un vécu personnel. L'exploration d'une logique objective ne serait-elle pas plus urgente qu'un nième battage de coulpe? Il est clair que, du « pouvoir intellectuel » ici objectivé, l'auteur de ces lignes a naguère usé et abusé. Sur cette scène en trompe-l'œil il a gigoté comme un autre, en figurant. Sans avoir siégé au Conseil d'administration de l'intelligence nationale, il a parfois, en faisant ici et là les couloirs et les poches, chipé quelques jetons de présence aux titulaires. Il a donc connu l'ivresse des célébrations journalistiques, des polémiques de connivence et des bravoures publicitaires. Une fois, en 1975, il s'est même rendu à la télévision, pour papoter avec ses pairs à « Apostrophes ». Arguer qu'il ignorait encore que la télévision est une idéologie, et qu'il n'avait pas évalué la somme d'abdications, d'usurpations et de confiscations qu'opère un travailleur intellectuel qui accepte d'emplir de sa notoriété le petit écran, à l'invitation de ceux qui nous gouvernent, c'est simplement avouer qu'il n'avait pas intérêt à cette prise de conscience, ou encore qu'il a préféré, à la conscience, son intérêt d'auteur en quête de personnage. Compromissions rédhibitoires pour un prétendu parangon de vertu. Notre seule ambition personnelle : sur le terrain des mœurs, transformer une inconscience en expérience. Et la chance de voir se fermer les portes de la légitimité intellectuelle, en volonté de démonter les mécanismes qui font que ces portes s'ouvrent ou non, à qui, sur quoi, sous quelles conditions. « On ne possède, disait Goethe, que ce qu'on renonce. » Connaître c'est refuser; mais comment refuser ce que l'on n'a pas d'abord pénétré? Celui qui n'aurait pas fait partie de « la société de pensée » ici décrite, que connaîtrait-il de ses lois de fonctionnement? Le

récit à la première personne de cette « traversée de Paris »,
n'aurait-elle duré que quatre ans ou cinq ans (1973-1978), pro-
mettrait bien du divertissement. Objectiver sa trajectoire personnelle est une chose, enfiler anecdotes et confidences en est
une autre. Chaque chose en son temps. Dans un moment et
un pays bourrés d'« auto » jusqu'à la gueule, où les vitrines
dégorgent d'autobiographies, la télé d'autoportraits, les tribunes d'autogestions, les gazettes d'autodafés, et les rues
d'automobiles, il a semblé qu'une « auto » de plus, fût-elle
critique, pouvait attendre.

Dernière précision : la démarcation ou l'intersection, en la
même personne et dans le même groupe social, de l'artiste,
de l'intellectuel et du savant, soulevait trop de problèmes (qui
ne sont pas des difficultés mais un ensemble cohérent de définitions et de faits, abordés ailleurs) pour figurer dans ce
volume. Cette problématique qui nous conduira à affiner notre
grille de lecture, permettrait de rendre compte, en l'appréciant
à son extrême valeur, de ce phénomène captivant que constituent, pour chaque époque, les transfuges de la haute-intelligentsia, catégorie qui exclut ceux qui s'en excluent. Et de ce
que la hauteur en l'occurrence ne désigne pas la valeur (intellectuelle) mais la position (sociale). L'appartenance à sa classe
n'est jamais pour un créateur une fatalité, mais une résigna-
tion, et il est toujours possible, à un individu, de faire faux
bond à son destin. Rappelons-nous Genet, Michaux, Char,
Leiris, Beckett, Chris Marker, Rezvani et tant d'autres résistants, dont les noms pointeront au hasard des pages (faute que
leur visage paraisse à la télévision). Tous exemplaires d'une
certaine absence à l'air du temps. Trous noirs dans la fluores-
cente redondance du grand spectacle occidental par où jaillira
demain l'image des inventeurs du temps présent.

Je remercie très sincèrement ceux qui ont bien voulu faire
bénéficier ce manuscrit de leurs observations : Claude Durand,
Clara Malraux, Christian Baudelot, Daniel Lindenberg et Bernard Cassen, Gérard-Humbert Goury et Erik Orsenna; ainsi
que Michel Serres et Pierre Bourdieu, qui ont aussi pris sur
leur temps pour soulager mes scrupules scientifiques. En

matière économique, les suggestions de Michel Gutelman m'ont été précieuses. Je remercie également ceux qui ont bien voulu répondre aux questions d'un enquêteur avide de précisions : M. Michel Peynet, sur le travail et les critères de l'AGESSA (Association pour la gestion de la sécurité sociale des auteurs); Alain Desrosières, Laurent Thévenot et encore Christian Baudelot pour les données statistiques de l'INSEE et leur déchiffrement; Bernard Pingaud, sur l'histoire de l'Union des écrivains; Marie Cardinal, sur les raisons d'être du Syndicat des écrivains de langue française. Et Colette Ledannois pour son constant concours.

BALZAC OU LES ACTUALITES ZOOLOGIQUES

Les animaux n'ont pas d'histoire : à quoi bon une histoire des intellectuels? La tentation zoologique donne le vertige. Dérision ou prophétie? Et comment ne pas reculer devant l'ombre narquoise des trois grands animaliers du XIXᵉ siècle qui nous guettent ici? Le plus décourageant n'est pas de devoir à Hegel, Balzac et Nietzsche les plus exactes radioscopies de ce qui ne s'appelait pas encore l' « intellectuel » — c'est qu'elles demeurent d'une actualité proprement obscène : l'analyse de l'être a précédé d'un bon siècle le devenir de l'espèce. Il n'est pas indifférent de se rappeler au seuil d'un bref essai d'histoire sociale que les secrets des hommes de culture s'éclairent à la nature plus qu'à l'histoire, ou que les naturalistes de l'esprit humain les ont percés à jour avant les historiens des sociétés. Bien avant Nietzsche, ses « ruminants de l'enseignement supérieur » et ses « chameaux de la culture », c'est dès 1807 que nous voyons surgir dans la *Phénoménologie de l'esprit*, avec le « Règne animal de l'esprit », la figure cohérente de l'intellectuel comme l' « individualité qui se sait elle-même réelle en soi et pour soi-même ». Et pas n'importe où : au plus crucial du développement de l'Idée — entre le monde de la Raison et celui de l'Esprit, c'est-à-dire à la charnière des formes théoriques abstraites et de l'histoire concrète où l'Esprit s'incarnera. Cette « figure de la conscience », station provisoire mais nécessaire dans « le calvaire de l'Esprit », est connue sous le sobriquet d' « animal intellectuel » [1]. Balzac n'avait pas lu Hegel mais c'est encore un *animal* très spécial

---

1. Voir la *Phénoménologie de l'esprit*, tome I, p. 322, Ed. Aubier. Le commentaire de Jean Hyppolite in *Genèse et Structure...* (Aubier), ainsi que celui de Roger Establet, *Le conflit des consciences et l'œuvre commune* (diplôme d'études supérieures, 1964).

— ou une *espèce sociale* très particulière — qu'il nous présente, dûment répertoriée sous l'étiquette « l'ordre gende-lettre », avec un tableau classificateur rassemblant ses genres, sous-genres et variétés. Cette étude zoologique, extraite de l'*Histoire naturelle du Bimane en société*, s'intitule *Monographie de la presse parisienne* et date de 1843 [1]. Comme on pourra le voir d'après le tableau synoptique, la taxinomie emprunte, ici, plus à Linné qu'à Cuvier (« l'ordre », intermédiaire entre la classe et la famille), car Balzac n'a pas toujours eu recours dans son œuvre à une terminologie unique. Constante par contre est la filiation avec Buffon, dont il reprend l'idée classique de l' « unité du plan naturel » et la fidélité aux thèses déjà écologiques de Geoffroy Saint-Hilaire (« l'unité de composition ») — le même qui allait forger en 1854 le terme d' « éthologie » pour désigner l'étude des mœurs des animaux. Ces critères de classement ont cessé de faire autorité, mais ce qui a soustrait jusqu'à aujourd'hui la micrographie balzacienne à l'attention des éditeurs n'est sans doute pas son anachronisme mais une bien embarrassante modernité. Pas un spécimen, ou une variété ici décrite (le ténor, le critique blond, le maître-jacques, le prophète, le guerillero, etc.) en regard duquel le lecteur d'aujourd'hui ne puisse épingler un nom propre et un visage — la morphologie du mammifère n'ayant pas plus varié, semble-t-il, que sa physiologie. Qui observe ces daguerréotypes feuillettera notre album de famille. Faut-il se rallier au dogme de la fixité des espèces vivantes?

La découverte de l'écriture a transcendé l'immobilité d'une espèce naturelle en une histoire humaine, et l'empaillage des scribes pour expédition au Muséum d'histoire naturelle paraîtra inadmissible. On a raison de se révolter. L'hypothèse naturaliste expose en effet à deux bévues, symétriques l'une de l'autre : l'innéité et les curiosités (au sens magasin ou cabinet). Dans le premier cas, on dissoudra le jeu infini des individus dans la continuité génétiquement programmée de l'espèce, et la phylogenèse absorbera toutes les richesses de l'histoire sociale. Dans l'autre, un bric-à-brac de qualités secondes escamotera l'unité essentielle d'une classe, et une rhapsodie bio-

1. Publiée dans le tome II de *La grande ville, nouveau tableau de Paris, comique, critique et philosophique*, par MM. Paul de Kock, Balzac, Dumas... avec des illustrations de Gavarni, Daumier, Henri Monnier, etc. (Balzac, *Œuvres diverses*, t. I, librairie Ollendorf, 1907, tableau p. 227). Voir p. 23.

graphique d'ontogenèses juxtaposera des « phénomènes » plus ou moins excentriques mais sans conséquences, car sans principe. Prolifération pathologique où nulle norme centrale n'apparaîtra sous le scintillement des apparences, nulle nécessité fonctionnelle derrière le défilé sans fin des « neveu de Rameau » de tous lieux et âges. La biologie conclura au « rien de nouveau sous le soleil »; la tératologie au « partout du pittoresque »; et les deux se retrouveront finalement dans un réconfortant « ç'a-toujours-été-comme ça », où l'Ecclésiaste, une fois de plus, pourra serrer la main de M. Prudhomme. Fausse route au terme de laquelle chacun n'aura retrouvé que son image de départ, ainsi qu'il arrive aux touristes dans les voyages organisés en pays « exotique » : le gendelettre comme classique figure du répertoire propre à une comédie mondaine sans date, à la fois d'intrigues, de mœurs et de caractères. Rivarol supplantera Hegel, et Offenbach Balzac. Eternelle frivolité des « intellectuels bourgeois » : pourquoi revenir une fois de plus sur leur lâcheté, vanité, vénalité, etc.? Refrain connu. C'est précisément celui que récite en aparté, tous les jours que Dieu fait, chaque auteur, professeur ou journaliste à propos du cher confrère et ami qu'il vient à peine de quitter — lequel pense justement la même chose du premier. La banale satire de mœurs fait partie des mœurs mêmes de l'espèce. La botanique des caractères ne peut tenir lieu ici de sociologie, elle est elle-même un objet sociologique. Mais la sociologie du milieu intellectuel ne livrera son sens que dans la gravité du sérieux philosophique. Oui, il faut récuser d'entrée le banal argument de mode, les sarcasmes sur le « prêt-à-penser », qui font eux-mêmes partie de la mode d'aujourd'hui et qui ne servent qu'à voiler aux acteurs la signification de la pièce qu'ils jouent, en éludant la question fondamentale : que faut-il donc que soit « la vie intellectuelle » pour qu'elle soit soumise à des phénomènes de mode? Et pourquoi cette mode-ci, aujourd'hui, plutôt que telle autre? Il faut prendre au sérieux le grotesque de la « vie parisienne ». Prendre au sérieux le sérieux avec lequel Balzac analyse et réfléchit la bouffonnerie littéraire et journalistique de son temps. Lucien Chardon, bientôt dit de Rubempré — emblème de l' « intellectuel » — est peut-être la figure la plus tragique de la Comédie humaine — sa longue « Bildung » s'achève à la Conciergerie, dans le suicide. Comédie, peut-être, mais qui finit mal.

Le monde intellectuel est un monde cellulaire, où planent le malheur et la solitude : séparation de soi d'avec les autres, séparation de soi d'avec la Cause, ou l'Idéal. Cela que Hegel appelle la Chose elle-même *(die Sache selbst)*, dans ce chapitre de la *Phénoménologie* qui raconte elle aussi les illusions perdues de la conscience de soi. L'animal intellectuel — figure de l'individualisme absolu — débouche sur l'échec de « la solution la plus individuelle ». Il voulait faire de sa propre personne son œuvre véritable — attribuant l'essentialité non à ses œuvres (littéraires ou scientifiques) mais à sa faculté subjective de créer, donc à son talent ou génie personnel. Il prétendait mettre ses « opérations » au service d'une Cause objective, dont au fond il se moque et qu'il manque systématiquement. En quoi l'intellectuel est celui qui se trompe en trompant les autres. Il n'a pas d'œuvre, et son « opérer » est vide. En somme, après cette fausse sortie, la conscience malheureuse devra faire retour sur elle-même. Odyssée ratée, là encore. L'animal intellectuel souffre et peine pour rentrer chez lui en son être propre, mais chez lui c'était nulle part. L'intellectuel, pour Hegel et Balzac : un néant individuel qui commence par se prendre pour quelqu'un avant de se découvrir à la fin comme néant. Pour avoir enraciné ses descriptions romanesques dans une certaine loi de variations empruntée à Geoffroy Saint-Hilaire, Balzac a échappé radicalement à la trivialité naturaliste. Il a pris à la lettre — sur le fait — les règles de méthode exposées dans l'*Avant-propos de La Comédie humaine :* « L'animal est un principe qui prend sa forme extérieure, ou pour parler plus exactement, les différences de sa forme dans les milieux où il est appelé à se développer. Les espèces zoologiques résultent de ces différences. » Principe qui doit expliquer pourquoi nous nous sentons toujours contemporains d'un bel animal comme Rubempré et de toute la horde décrite dans ce que Balzac a lui-même appelé « l'œuvre capitale dans l'œuvre » — *Les illusions perdues ou un grand homme de province à Paris.* Ou comment un obscur poète manqué monte d'Angoulême à Paris, « l'immense arène », et se hisse au premier rang de la réussite en devenant un grand journaliste à la mode. En apparence : premier acte d'un mélodrame d'époque. En fait : premier précis de décomposition des rouages matériels de l'hégémonie. Ses contemporains rangaient Balzac dans le même « sous-genre » qu'Eugène Sue.

Le genre *Mystères de Paris* dévoile en l'occurrence les mystères noués de la pensée comme comportement social (cent ans avant les notes de Brecht) et de la politique comme destin de la pensée (cent ans avant les notes de Gramsci). Eternels jeux de l'amour et de la gloire? Si le pouvoir n'a pas d'histoire, pas plus que l'amour, l'intellectuel comme bête de pouvoir nous sera toujours aussi présent que les grands animaux politiques de l'Antiquité : « le vieux train du monde » qui déprimait le vieux Chateaubriand n'est pas près de vieillir. Combien de milliers de Rubempré depuis l'original? Ils ne partent pas d'Angoulême; l'éditeur « fashionable » ne s'appelle plus Dauriat, le rédacteur en chef à se concilier n'est plus celui du Journal des Débats, la grande signature à décrocher, celle qui vaudra l'« accroche à la une » (comme on dit au *Monde*) ou « l'ouverture du culturel » (comme on dit à l'*Obs*), n'est plus celle de Janin; la voie toujours décevante, fastidieuse et obscure du militantisme — celle dont il faut s'écarter pour sortir au plus vite de l'anonymat — ne conduit plus à un « cénacle » saint-simonien; et le Rocher de Cancale n'est plus le « bistrot marrant » où côtoyer ministres et vedettes. Mais les mécanismes de promotion/corruption des « bonnes natures » par la classe au pouvoir n'ont pas substantiellement changé. C'est parce que le *milieu* est resté le même, quant à son intime logique fonctionnelle, que l'on ne peut se sentir dépaysé dans le dédale des intrigues et la galerie des portraits balzaciens. Tout y est, jusqu'aux dernières recettes du succès médiatique, avec les astuces des attachés de presse et les harcèlements de leurs protégés, nos amis : le besoin de susciter une polémique autour « du » livre, « un grand débat intellectuel » comme impératif commercial absolu; la lutte contre la montre pour « faire réagir la presse » à temps (due à la rotation accélérée des stocks en librairie); la nécessité de faire la cour, juste avant publication, aux trois ou quatre journalistes qui « décident »; le prix exorbitant des « annonces », tempéré par l'espoir de publicités rédactionnelles non payantes, dont chacun sait qu'elles valent infiniment mieux. Et par-delà ces détails — symptômes d'un mal profond et contagieux — déjà la nouvelle donne avec ses jeux et ses enjeux : la naissante suprématie de la presse sur la littérature, des « journalistes » sur les « auteurs »; le carrefour, déjà bien tracé, auquel arrive tôt ou tard le jeune talent inconnu, entre, sur sa gauche, la carrière longue qui est celle de l'intellectuel-militant et du chercheur-universitaire, et, sur sa droite, la carrière ultra-courte que lui offre, par le truchement du journalisme et de l'arrivisme social, la classe qui dispose des moyens matériels objectifs de la réalisation individuelle, la gardienne des clefs de la gloire et de l'argent. La balance des comptes du métier d'intellectuel (facilités et difficultés comparées) a changé d'indices et d'échelle — mais le tableau de 1839 recoupe le Paris de 1979. Pas d'histoire sans une nature donnée — mais cette nature a elle-même une histoire. Et Balzac se trouvait situé à l'orée d'une plage de l'histoire culturelle française sur laquelle, tout en en voyant la fin, nous continuons d'ahaner. D'où la familiarité.

Il y avait avant cette date des gens de lettres, il n'y avait pas le « gendelettre ». Balzac a assisté en historien à l'éclosion d'une espèce dont l'extinction n'est pas pour demain et qui est de nos jours venue à maturité. Ses conditions d'existence sont en effet liées, malgré les apparences, à la révolution industrielle, qui a donné à l'ordre, en même temps que ses lettres de noblesse, sa pleine fonction politique et sa base sociale. Il y aura bien d'autres révolutions « scientifique et technique » par la suite, et chacune a déterminé à la fois une restructuration interne et une montée en puissance de l'intelligentsia politico-littéraire (et non seulement scientifique, comme le voudrait le sens commun). Mais c'est le début de l'âge industriel en Occident qui a marqué le début de la consommation littéraire de masse, en même temps qu'une concentration de type monopoliste dans la production. Popularisation de l'imprimé, élargissement du public (par l'expansion de l'enseignement primaire, puis secondaire) et subordination des écrivains à la bourgeoisie dominante vont de pair et font d'emblée boule de neige. Le chemin de fer, en abolissant les bases matérielles du colportage, liquide la « littérature bleue » et lève les barrières qui séparaient abruptement culture populaire et culture des élites, le « roman pour femme de chambre » et le « roman des salons » — opposition quasi officielle dont se plaignait tant Stendhal qui voulut avec *Le Rouge et le Noir* les réconcilier [1]. Il donne aux journaux parisiens des possi-

---

1. Voir *Projet d'article sur Le Rouge et le Noir*, envoyé par Stendhal au comte Salvagnoli le 18 octobre 1832 (Pléiade, I, p. 700).

bilités de circulation nationale. La réclame devient la « mère nourricière de la presse ». En 1836, Emile de Girardin (fondateur de cette lignée qui produira un siècle plus tard les Prouvost, les Lazareff ou les Hersant), pour la première fois, fait entrer la recette publicitaire dans la gestion d'un journal, et lance *La Presse* avec un capital souscrit grâce à la publicité. D'où une baisse sur le prix de vente et un succès fulgurant. Les grands journaux de la Restauration tiraient, pour *Le Constitutionnel* à 16 000, et le *Journal des Débats* à 13 000. *La Presse* obtient tout de suite 40 000 abonnés, marquant ainsi le début d'une courbe ascendante qui atteindra le million d'exemplaires en 1885, avec *Le Petit Journal* à un sou, fondé en 1863. En s'accrochant à la locomotive du journalisme par le truchement du roman-feuilleton (et Balzac fut le premier feuilletoniste de Girardin), grâce à une critique littéraire passée professionnelle, la littérature connaît la même envolée brusque, qui la fera monter, dans la même période, des mille ou deux mille exemplaires de 1830 — tirage alors considéré comme excellent — aux cent mille atteints par Zola en 1880 avec *Nana*[1]. Ce qui rend notre époque si proche de la Monarchie de Juillet (et, dans le même sens, du Second Empire), c'est ce double mouvement de mutation économique accélérée jointe à une évidente dépression symbolique. Ainsi, en même temps que cette dernière provoque une rentrée en force de l'intelligentsia sur la scène politique (par appel d'air), le capital financier, par le biais de l'édition et de la presse, fait directement irruption dans la production intellectuelle. Avec la bourgeoisie d'affaires orléaniste, la presse se transforme dans le principal régulateur du marché intellectuel : les données de la distribution, donc de la production intellectuelle, s'en trouvent bouleversées. Hier comme aujourd'hui, le pouvoir de la haute banque peut se passer de valeurs morales mais il ne peut s'empêcher, par sa logique même, et dans la foulée, d'indexer la circulation des valeurs symboliques sur son échelle de valeurs économiques. Des journaux comme *La Presse* et *Le Siècle* offrent aux romanciers (particulièrement) la perspective non seulement de gains nouveaux consi-

---

1. En Angleterre — où la révolution industrielle a près d'un demi-siècle d'avance sur la France — le cap des cent mille avait été atteint cinquante ans plus tôt, avec Byron et Walter Scott. Voir Robert Escarpit, *Sociologie de la littérature* (Que sais-je?). Et sa thèse sur *Lord Byron, un tempérament littéraire* (Le Cercle du Livre, 1955).

dérables mais d'une influence idéologique et morale d'une largeur sans précédent (voir le cas d'Eugène Sue). Auparavant, les écrivains vendaient, ou ne vendaient pas, leurs livres. Désormais, ce sont les journaux qui font vendre les livres parce qu'ils se vendent eux-mêmes beaucoup plus. En d'autres termes : les écrivains vendent dans la mesure et à la condition de se faire eux-mêmes acheter par les journaux. Mais qui possède les journaux, et dans quel but « fait »-on un journal? Ainsi, dès 1836, Balzac décèle *in nuce* mais *in vivo* — le syllogisme en pointillé que la suite des temps se chargera de remplir, noir sur blanc : la littérature passe sous la dépendance de la presse; or la presse est elle-même sous la dépendance des grands détenteurs de capitaux; donc le littérateur deviendra, peu ou prou, avec ou sans masque, un domestique du capital. Moyen terme et médiation : le médium.

Balzac est un artiste, et le propre d'un artiste n'est pas de proposer des réponses mais de poser les questions. L'étonnant est que celle-ci aient été aussi bien posées, juste à temps, c'est-à-dire avant leur temps et à contre-courant. Sans doute parce que Balzac ne se prenait pas pour ce qu'il était, mais pour un notaire ou un zoographe. Les esthètes qui, à la même époque, posaient leur voix et exhibaient le blason n'ont su produire, en la matière, que de l'idéologie, c'est-à-dire de l'idée d'Epinal. Mythe mystifiant de l' « artiste » — paria, incompris et phtisique : le *Chatterton* de Vigny, en attendant les héros de Murger. On connaissait aussi — autre image rassurante — la traditionnelle satire des coteries artistiques et le pittoresque de la bohème littéraire : Théophile Gautier (préface à *Mlle de Maupin*, 1835), Scribe (*La Camaraderie ou La Courte Echelle*, 1837). Balzac rejette la gangue et s'attaque au noyau dur : « les mœurs horriblement comiques de la Presse, les seules originales de notre siècle. » Ce n'est pas un hasard si son œuvre est la seule qui n'ait pas vieilli — tout a changé dans la presse, comme dans le capitalisme, sauf sa logique interne. Cet admirable journaliste fut le premier ennemi lucide de « la grande presse ». Les dédaigneuses fulminations de Rousseau contre le journal regardent le passé parce qu'elles procédaient d'une bévue [1]. Clairvoyantes, les analyses de

1. « Qu'est-ce qu'un livre périodique? Un ouvrage éphémère sans mérite et sans utilité dont la lecture négligée et méprisée des gens lettrés ne sert qu'à donner aux femmes et aux sots de la vanité sans instruction » (1775, Rousseau).

Balzac, légitimiste et « réactionnaire », anticipaient sur notre avenir, où il n'est pas, lui, entré à reculons. On ne comprend que ce qu'on refuse. N'ayant rien à attendre des journalistes de son temps, et encore moins de quoi les remercier, mais ayant la chance d'avoir traité personnellement ceux qui n'eurent de cesse de le maltraiter, il fut à même de prendre sur son présent un recul suffisant, comme Cuvier se penchant sur un fossile en morceaux, pour pouvoir reconstituer la subordination de ses organes et la corrélation de ses formes essentielles. Ainsi put-il mettre au jour ce qui allait devenir la colonne vertébrale du mammifère « gendelettre » — espèce à vocation nationale encore en formation — « la grande plaie de ce siècle, le cancer qui dévorera peut-être le pays ». Pronostiquait-il en 1839 de cette dérisoire tumeur bénigne qu'était alors le journalisme. Le fait est, cent cinquante ans après, qu'elle n'a pas seulement dévoré le pays en domestiquant son peuple : elle a aussi permis à la classe dominante de ce pays, après une longue cuisson, de dévorer son intelligentsia.

Liminaire mais nullement littéraire, cet hommage s'imposait pour introduire au plus vif de notre sujet : le médium comme maillon intermédiaire entre l'argent et le pouvoir. La donne a changé, non les règles du jeu. Sans doute la guerre de *L'Encyclopédie*, qui dura vingt-cinq ans, avait-elle permis à Diderot d'explorer pratiquement un triangle fondamental de la médiologie, à une époque où il n'avait pas encore pris sa véritable dimension sociale. Ce n'est pas un hasard si le génie trilatéral de Diderot — ce portrait de Balzac en démocrate, son alter ego du côté gauche — a atteint ses sommets dans ce qu'un anachronisme cohérent appellera une mise en place du « pouvoir politique » (*L'Essai sur les règnes de Claude et de Néron*), une mise en scène de « l'intellectuel » (*Le Neveu de Rameau*) et une mise à jour sur la question des « média » (*Lettre sur le Commerce de la Librairie* [1]). Reste que le romancier apparaît comme le premier observateur du monde moderne qui ait su régler ses lentilles sur les trois côtés de

1. Auquel font écho, chez Balzac, peut-être à l'insu de l'auteur, l'*Etat actuel de la Librairie* (3-10 mars 1830), et la *Lettre aux écrivains français* (1834). Une Société des gens de lettres s'était réunie pour soutenir l'effort éditorial de Diderot. Des efforts judiciaires et professionnels de Balzac est née l'actuelle « Société des gens de lettres ».

notre problème. A savoir : 1) les conditions d'existence matérielle de la pensée (papeterie, fonderie, typographie, imprimerie); 2) le produit du travail intellectuel comme marchandise, soumis aux contraintes d'un marché; et 3) le rapport
organique du producteur intellectuel au champ politique —
dernier aspect qui fit de cet écrivain un véritable expert militaire de la vie culturelle (d'où ses constantes métaphores :
« l'armée de la presse », « la guerre littéraire », « l'arène de
Paris », etc.) *Les Illusions perdues*, ou comment un livre se
fabrique; comment il se vend; comment il se bat. Imprimerie,
journalisme, politique. Trois maillons de la chaîne culturelle,
trois romans successifs dans le roman, trois degrés dans
l'initiation de Lucien au néant. Leur addition décompose la
« sphère culturelle » comme une pyramide de pouvoir à base
matérielle, s'exprimant concrètement à la fois dans le système
de rapports hiérarchiques qui font l'unité interne de l'intelligentsia dominante et dans l'ascension individuelle au sein de
cette hiérarchie comme voie d'accès au pouvoir d'Etat. L'ana-
lyste procède à la coupe « synchronique », le romancier au
parcours « diachronique ». Et « l'œuvre capitale dans l'œuvre »
fond la première dans le second.

Focalisation prophétique. Balzac a observé tout ce que Marx
n'a pas vu. On conçoit que le second ait rêvé de consacrer la
fin de sa vie à l'étude du premier. La zoologie du pouvoir
intellectuel ne contredit pas mais complète l'analyse du mode
de production capitaliste (ou la dépasse en l'assumant).

Si Denis Diderot en est le grand-oncle, Honoré de Balzac
est bien le père fondateur de la médiologie. Son portail d'entrée a pour piliers le *tutti* de la soirée chez Florine et le mono-
logue de Lousteau au Luxembourg.

Que nul n'entre ici s'il n'est balzacien.

ORDRE GENDELETTRE

PREMIER GENRE : LE PUBLICISTE

SOUS-GENRES

Le Journaliste : *Variétés* ... { Le marquis de Tuffière. — Le Ténor. — Le Faiseur d'articles de fond. — Le Maître-Jacques. — Les Camarillistes.

L'Homme d'État : *Variétés* .. { L'Homme politique. — L'Attaché. — L'Attaché-détaché. — La Politique à brochures.

Le Pamphlétaire : *Sans variété.*
Le Rienologue : *Sans variété.*
Le Publiciste à portefeuille : *Sans variété.*
L'Écrivain Monobible : *Sans variété.*
Le Traducteur : *Sous-genre disparu.*
L'Auteur à Convictions : *Variété* ... { Le Prophète. — L'Incrédule. — Le Séide.

DEUXIÈME GENRE : LE CRITIQUE

SOUS-GENRES

Le Critique de la vieille roche : *Variétés* .... { L'Universitaire. Le Mondain.

Le Critique blond : *Variétés* .. { Le Négateur. — Le Farceur. — Le Thuriféraire.

Le Grand Critique : *Variétés.* { L'Exécuteur des hautes œuvres. — L'Euphuiste.

Le Feuilletoniste : *Sans variété.*

Les Petits Journaux : *Variétés.* { Le Bravo. — Le Blagueur. — Le Pêcheur à la ligne. — L'Anonyme. — Le Guerillero.

Tableau synoptique pour servir à la monographie de l'ordre GENDELETTRE.

Extrait de l'Histoire naturelle du Bimane en société.

Balzac, *La gradeleviln* (1843).

CHAPITRE PREMIER

REPÉRAGES

1. PARADOXES

2. DÉFINITIONS

A) MISE EN PLACE
B) PREMIÈRE DÉFINITION
C) HISTOIRE D'UNE CATÉGORIE

3. DÉNOMBREMENTS

A) PREMIER COMPTAGE
B) DEUXIÈME COMPTAGE
C) ESTIMATION

4. SONNETTES

A) LE SOCIALISME RÉEL
B) LE CLERGÉ

1. PARADOXES

Première déception : « L'intelligentsia n'existe pas. » A l'orée de sa longue marche en milieu intellectuel, l'enquêteur achoppera inévitablement sur cette profession de foi déguisée en constat d'évidence. Plus élevée la position de l'interlocuteur, plus rageuse la dénégation. Dans l'intelligentsia, ce leitmotiv vaut pour mot de passe et blason d'appartenance. Comme si le « Nous ne sommes pas de la même famille » servait de devise à l'ensemble des membres. Au bout de quelques semaines, l'enquêteur sera enclin à compter ce refus de la définition comme l'un des critères les plus sûrs pour une délimitation de la catégorie.

Deuxième surprise : le terme le plus fréquemment entendu dans ce milieu est celui de « pouvoir ». L'intelligentsia française, avec pertinence souvent, accole ce mot aux corps de métier, institutions et substantifs les plus variés, sauf avec le sien propre. Comme si, intarissable sur les dispositifs, réseaux et diagrammes de l'hier et de l'ailleurs, elle se voulait farouchement muette sur ses propres mécanismes de sélection/censure et de promotion/exclusion tels qu'ils fonctionnent *hic et nunc* dans l'Université, l'édition et les média. Le pouvoir intellectuel n'existerait-il pas aux yeux des intellectuels? Très peu remarquent cette bizarrerie. Le pouvoir, apparemment, c'est toujours celui des autres — jamais celui que j'exerce sur les autres.

A quoi lui a servi son bâton de pèlerin, sinon à décourager l'investigateur? Apparences et inclinations ne tiennent pas lieu d'analyse. Mais de quoi ces paradoxes rencontrés en chemin sont-ils le symptôme? Qu'on ne puisse à la fois être et se voir être, ou encore que nul ne puisse être lui-même sans se prendre pour un autre — ce tourniquet vaut aussi bien pour les individus que pour les groupes sociaux. Que les idéologues prennent d'eux-mêmes une conscience idéologique attestera seulement la spontanéité et l'universalité de la malédiction. Mais le fait que la sociologie des sociologues soit aussi peu développée constitue un cas d'espèce. Il faudra interroger ce silence des intellectuels sur l'intelligentsia. Tout comme le mutisme des écrivains, professionnellement voués à se raconter en tant qu'individus, sur les écrivains en tant que corps social intéresse au premier chef le sociologue de la littérature, le peu d'intérêt des détenteurs de l'autorité symbolique pour les causes, la nature et la portée de leur autorité, a tout pour mobiliser l'intérêt des théoriciens du pouvoir — si tant est que « la vérité s'indique au soin qu'elle met à se dissimuler ». Ecartons les objections faciles, et pas seulement parce que le gentleman se reconnait à sa discrétion sur les bases de l'*agreement* : cette élégance ne sera pas ici la nôtre. Tout est permis, dit-on, dans les mafia, sauf de les appeler par leur nom. Il est certain que la loi du silence assure la cohésion des hommes de loi, mais les silences dont la machinerie intellectuelle protège ses rouages ne peuvent évoquer l'*omertà* car ce serait une grave faute — moins de goût que de jugement — d'assimiler la haute-intelligentsia à une mafia, en dépit des points communs. Le milieu intellectuel a son code des bons usages réciproques, mais le *métier* lui-même a pour condition technique d'exercice une certaine opacité à soi : il est plus facile de diffuser « les lumières » à l'entour si l'on reste soi-même dans l'ombre. En ce sens, c'est bien en s'effaçant comme sujet social rigoureusement structuré que l'intelligentsia peut le mieux exercer sa fonction proprement politique.

Aporie sociologique, « l'intelligentsia » semblerait donc, à première vue, relever d'une catégorisation purement idéologique, voire polémique, mais sans identité ni contenu réel. Le fait est que lorsqu'un intellectuel prend les « intellectuels » pour objet de réflexion, c'est généralement comme matière à

confession, imprécation ou prédication — et non comme
objet d'étude. La passion normative inhibe d'entrée le souci
descriptif, et le discours de la valeur — qu'il s'agisse de valo-
riser ou de dévaloriser, l'effet est le même — soustrait *de jure*
l'auteur aux exigences élémentaires de la démonstration et
de la logique. Il est aussi difficile à un citoyen de parler des
intellectuels dans la Cité qu'à un historien de parler des Juifs
dans l'Histoire, sans se retrouver coincé entre sionisme et
antisémitisme. On ne décrit pas l'intellectuel, on le défend
ou on l'attaque. Comme jadis les jésuites ou les franc-maçons.
Impossibilité déjà classique : Berth et Péguy dressent le réqui-
sitoire, Herr et Zola la défense — personne au milieu. Benda
dénonce *La Trahison des clercs* pour faire honneur à la cléricature, Nizan dénonce son déshonneur sans s'intéresser au
fonctionnement des clercs [1]. Raymond Aron écrit *L'Opium des
intellectuels*, et Sartre un *Plaidoyer pour les intellectuels*. Pour
s'en tenir à l'inventaire des ouvrages consacrés par des Français aux intellectuels français au cours de notre dernière
phase B — période où ils se concentrent à peu près tous —
on ne peut qu'être stupéfié par leur inconsistance documen-
taire [2]. Raymond Aron par exemple — esprit positif à l'en
croire — réussit le tour de force d'écrire quatre cents pages
sur le sujet sans donner une seule *définition* du mot, *dénombrement* de la chose, *historique* de la catégorie, *indication* sur
ses moyens d'existence. Le seul ouvrage rigoureux (à l'époque)
a été effacé des catalogues, épuisé et non réédité : il n'avait
pas une « grande signature [3] ». La France, qui passe à juste
titre pour le paradis politique des intellectuels, apparaît
comme le purgatoire de leur sociologie, ceci expliquant cela.
Les Allemands ont eu Mannheim, Weber, Schumpeter, Michels.

1. Edouard Berth, *Les méfaits des intellectuels*, Paris, Rivière, 1914 (préface
de Georges Sorel). Péguy, *Notre Jeunesse* (1916), et passim. Lucien Herr,
Choix d'écrits, Paris, Rieder (1932), et D. Lindenberg et P.-A. Meyer, *Herr,
le socialisme et son destin*, Calmann-Lévy (1977). Emile Zola, *La vérité en
marche* (1901, avec notamment la célèbre lettre au président de la République,
13 janvier 1898, à l'origine du *Manifeste* et du substantif), et *Nouvelle Campagne* (Fasquelle, 1897), recueil d'articles parmi lesquels La Vertu de la République, l'Elite et la Politique, Lettre à la Jeunesse. Julien Benda, *La trahison
des clercs*, Grasset (1927), *La jeunesse d'un clerc* (1937), et *Un régulier dans
le siècle* (1938). Nizan, *Les chiens de garde* (1932).
2. Nous appelons phase B les phases de divorce entre le pouvoir coercitif
et le pouvoir symbolique au sein des dispositifs d'autorité. La IVe République en
offre un exemple. On donnera une bibliographie complète dans le premier
volume du *Traité*.
3. *Les intellectuels*, Louis Bodin (Que sais-je?).

Les Américains S.M. Lipset, Wright Mills. Les Italiens, Gramsci et sa suite. La France a eu l'affaire Dreyfus et s'est endormie depuis sur ses lauriers. Si l'on ajoute à ce handicap déjà ancien — qui permet à un intellectuel français d'élaborer une théorie savante sur la place du café-crème dans les pratiques culturelles de l'Occident sans mentionner le rôle de l'eau chaude — les hantises dérivées de la conjoncture idéologique actuelle, on excusera de bonne grâce le pompeux mutisme de la corporation. Parmi les chefs d'inculpation qui ne pardonnent pas : « sociologie vulgaire », « empirisme naïf », « positivisme grossier ». Beaucoup le savent et se tiennent coi. D'autres exorcisent le danger en incriminant d'entrée le jeu le concurrent, ainsi disqualifié avant même de courir. La plupart préviennent les sarcasmes en opposant, par une sorte de ponctuation-repoussoir, leurs propres travaux à ces mortifiantes déviations. Dans cette pompe aspirante-refoulante qu'est le club idéologique français, où chacun ne peut entrer qu'en excluant quelqu'un d'autre, ces formules conjuratoires servent à la fois de dissuasion réciproque et de faire-valoir personnel. La haute intelligentsia a eu l'intelligence de se doter dernièrement d'un savoir-dire qui allège au maximum le travail-de-pensée, en sorte que la grossièreté d'un esprit peut se mesurer à sa précision, et la subtilité d'un discours à son inexactitude. L'escamotage du réel derrière sa symbolique — foyer optique des idées nationales depuis vingt ans (psychanalyse lacanienne, anthropologies structurales, marxismes savants, sémiologie et linguistique) — a eu pour avantage d'accoupler souvent (chez ceux qui doivent gagner leur vie dans le sillage des recherches magistrales) hauteur de vues et paresse d'esprit. Telle est la vertu commune aux « problématiques théoriques » et aux « appareils conceptuels » d'un côté, et de l'autre aux « de quel lieu je parle et à quel statut ma parole s'ordonne », que ma parole sera d'autant mieux entendue que personne ne pourra savoir de *quoi* je parle, ni de *qui;* a fortiori de *combien* d'individus, de quelle période historique et de quel pays. Si l'on veut bien mettre à part quelques élèves de Foucault et de Bourdieu, c'est aux prolétaires de la basse intelligentsia — historiens, sociologues et chercheurs de « deuxième zone », logiquement dupes des vieillottes idéologies du bienfait — qu'incomberont les vérifications empiriques et compilations livresques à quoi se reconnaissent les intellectuels du rang. C'est ainsi que se prolonge la ligne de démarcation héritiers/boursiers en se creusant de bas en haut, des bancs de l'école aux estrades des maîtres.

Ne craignons donc pas d'être « scolaires » : c'est dans les vieux débats qu'on trouve les questions neuves. A propos des intellectuels, une certaine scholastique marxiste s'est échinée pendant des lustres à trouver la *bonne case*. Le bon mot : classe, groupe, caste, catégorie? Pour étudier l'intelligentsia, la sociologie empirique est peut-être une impasse. Mais pour savoir si c'en est une ou non, mieux vaut s'y engager sans crainte. Et puisque nous n'avons plus rien à perdre, fors du temps, voici des doutes, des dates et des chiffres.

2. DEFINITIONS

A) MISE EN PLACE

Bien qu'insérée dans le mode de production capitaliste et dépendante de lui, l'intelligentsia ne se définit pas par sa place dans le processus de production matérielle et ne peut être référée à une catégorie économique simple (rente foncière, salaire ou profit) comme à son principe d'existence : ce n'est pas une *classe*. Bien que constituant un ensemble d'hommes en relation de communications réciproques, ces relations s'ordonnent à une armature d'institutions et de comportements : c'est plus qu'un *groupe* informel. L'appartenance à l'intelligentsia n'est pas héréditaire, on peut y entrer et en sortir : ce n'est pas une *caste*. Elle ne s'est pas dotée d'un Conseil de l'Ordre, d'une réglementation interne ni stricto sensu d'un monopole de reproduction : ce n'est pas une *corporation*. Il apparaîtra dès lors prudent de se replier sur « *catégorie sociale* », qui a l'avantage de n'engager à rien. En fait, comme nous le verrons, c'est à la fois moins et beaucoup plus. Moins, parce que les statuts personnels de ses membres sont aussi différenciés que leur origine de classe. Plus, parce qu'elle fonctionne sur un mode institutionnel, sans les impedimenta juridiques du Grand Corps.

B) PREMIÈRE DÉFINITION

Sa fonction même de médiatrice ou d'intermédiaire désigne l'intelligentsia comme une catégorie-frontière, à cheval sur plusieurs territoires : « professions libérales » d'un côté, « cadres administratifs supérieurs » de l'autre; ou encore : artisans installés à leur compte et salariés de la fonction publique. Si l'un des critères de l'homogénéité sociale d'une couche socio-professionnelle consiste en ce que les personnes qu'elle regroupe se considèrent elles-mêmes comme en faisant partie, l'intelligentsia est une couche décidément hétérogène. Et pour ainsi dire *statutairement*. Si on ne peut collectionner que de l'homogène, il n'y a pas de collectivité intellectuelle; chacun de ses membres est irréductible à son voisin — cette originalité faisant précisément de lui un intellectuel. Les intellectuels ne manquent pas d'excuses pour se renier comme catégorie, en mettant à la place un simple agrégat d'individualités complexes. Délégués au qualitatif, ils sont logiquement brouillés avec les grandeurs discrètes et habitués par leur fonction aux évaluations censitaires : les individus se pèsent, ils ne se comptent pas. C'est sans doute pourquoi la catégorie a pour particularité de s'appréhender mieux de l'extérieur que de l'intérieur; et d'en haut que d'en bas. Il faut bien aux pouvoirs publics un système homogène de poids et mesures pour décider de l'allocation des ressources, comme il faut à la justice une définition des droits pour en sanctionner les violations. Car la grande « ennemie » de l'Etat reçoit des secours dudit Etat, lequel a donc dû s'occuper de savoir à qui les adresser et selon quels critères. Les juristes, dans leur concision admirable, avaient déjà dû définir ce qu'est un *auteur*, un *écrivain*, une *œuvre*, une *reproduction*, etc., pour protéger et garantir le droit de propriété : c'est la loi du 11 mars 1957 — surannée en partie mais encore utilisée. « Est considérée comme écrivain toute personne dont les œuvres imprimées sont diffusées par la voie du livre. » L'évolution technologique a élargi ce cadre étroit, et la catégorie des Lettres englobe à présent les auteurs de scénarios, de dialogues de films ou de dramatiques, de sketches radiophoniques, etc. D'où les nouvelles définitions de l'*auteur* proposées dès 1970 par le rapport du groupe Lettres pour le commissariat général au

Plan : « Quelqu'un qui a donné la vie à quelque chose par le truchement d'un texte original », ou aussi : « Quelqu'un qui produit un texte original soit sous la forme classique de l'imprimé, soit par un autre moyen indépendant du support papier. » Quant à la loi de 1975 instituant le régime de sécurité sociale « des artistes, auteurs d'œuvres littéraires et dramatiques, musicales et chorégraphiques, audiovisuelles et cinématographiques, graphiques et plastiques », il a bien fallu délimiter par une suite de décrets et d'arrêtés, ses divers champs d'application.

La notion de *production* ou de *création*, avec ses connotations de nouveauté et d'originalité, permet tout de suite une première démarcation entre les *professions* dites *intellectuelles* (médecins, avocats, ingénieurs, magistrats, cadres supérieurs de l'armée, clergé, etc.) et les *professionnels de l'intellect*. Il existe en France une Confédération des travailleurs intellectuels (CTI) comptant une centaine d'organisations affiliées, regroupées sous quatre têtes de chapitre : arts, lettres et sciences; professions libérales; travailleurs intellectuels salariés; étudiants. La définition adoptée en 1952 par la CTI dessine une sphère beaucoup plus vaste et imprécise que celle des intellectuels « proprement dits » : « Un travailleur intellectuel est celui dont l'activité exige un effort de l'esprit avec ce qu'il comporte d'initiative et de personnalité, prédominant habituellement sur l'effort physique. » En bon français, c'est l'aristocratie des travailleurs intellectuels que le terme germano-russe d'intelligentsia désigne communément. Ceux qui *créent*, par opposition à ceux qui administrent, distribuent ou organisent. Ceux qui inventent par rapport à ceux qui répètent (les professeurs étant aux instituteurs ce que sont les ouvriers qualifiés aux O.S. voués aux tâches répétitives). Combien sont-ils, ces « producteurs directs de la sphère idéologique et culturelle » (Michel Loewy) et comment les identifier dans la population française d'aujourd'hui? Ces deux questions statistiques n'en font qu'une : découpage et comptage sont fonction l'un de l'autre. Mais la séquence des chiffres tout au long de l'histoire moderne dépend d'abord du choix des étiquettes. C'est donc par la taxinomie qu'il nous faut commencer.

C) HISTOIRE D'UNE CATÉGORIE

Si l'on révise les grilles de lecture successives de la population française, depuis celle utilisée pour répartir l'assiette des impôts directs sous l'Ancien Régime jusqu'aux codes actuels de l'INSEE, que constate-t-on? La naissance subreptice et la disparition par engorgement d'un groupe professionnel appelé « intellectuels »[1]. Dans la Capitation de 1695 qui divise la population du royaume en vingt-deux classes, et qui va du « dauphin et princes de sang » (1re classe) aux « soldats, manœuvres et journaliers » (22e classe), les « professeurs de droit, proviseurs et principaux de collèges » apparaissent en seizième place, au même rang que les « officiers de baillages, élections, greniers à sel, eaux et forêts, connétablies, amirautés, les juges des traites, les avocats au Conseil, les huissiers audienciers du Châtelet, les marchands de blé, de vin et de bois, les traiteurs, partie des fermiers et des laboureurs »[2]. Mais aucun recensement n'accompagne cette classification. Un projet de code socioprofessionnel pour le XVIIIe, construit après coup par une historienne à des fins heuristiques[1], selon la même échelle de l'INSEE (de 0 - agriculteurs à 9 - divers) n'isole pas — et c'est logique — de catégorie spéciale pour une quelconque couche intellectuelle à peine en formation, bien qu'elle ait pu ressortir à la classe 7 — *Professions relevant des arts libéraux* (notaires, avocats, huissiers), elle-même située entre *Service du Roi* (6) et *Clergé séculier* (7). La même classification transposée au XIXe place les « professeurs au cachet » en catégorie inférieure des *professions libérales*, entre le *service public* (6) et les *divers* (7). En fait, le renseignement s'explicite avec le premier dénombrement de 1872, qui décompte sous le groupe des professions libérales trois catégories professionnelles correspondantes ou tangentes à l'idée d'intelligentsia : la profession 50/51, « professeurs et instituteurs » : 48 362 hommes et 24 491 femmes. La 52, « savants et hommes de lettres » : 3 676 h. et 150 f. La 53,

1. Les indications suivantes sont extraites d'Alain Desrosières, *Eléments pour l'histoire des nomenclatures socioprofessionnelles* (INSEE, ronéoté, 1976). Lecture indispensable.
2. Marion, *Les impôts directs sous l'Ancien Régime*, Paris, 1910.
1. Adeline Daumard, « Revue d'histoire moderne et contemporaine » (juillet-septembre 1963).

« artistes » : 18 277 h. et 4 338 f. Nomenclature et ordre de grandeur ne changent pas en 1876 ni en 1896. Au recensement de 1911, l'enseignement public et privé apparaît comme une profession répertoriée à part, distincte du clergé et des professions libérales. Le mot *intellectuels* apparaît pour la première fois dans le groupe « Emplois administratifs et professions intellectuelles » (89 à 96) dans la nomenclature de 1946. C'est en 1951, avec la mise au point du premier code des C.S.P., qu'est isolé sous le numéro de code 30 un groupe « professions intellectuelles », distinct du groupe « professions libérales et clergé ». Ce groupe comportait deux catégories : les *cadres intellectuels* (estimation : 100 000) et les *intellectuels subalternes* (410 000). Ainsi juste après la guerre les « cadres intellectuels » avaient déjà des effectifs équivalents ou supérieurs à ceux du clergé (80 000) mais aussi des ingénieurs (80 000). En 1954, les intellectuels, — conséquence du grossissement des effectifs? — perdent leur identité statistique et prennent leur numéro de code définitif 32, désignant les *professions littéraires et scientifiques*, catégorie insérée dans la grande classe des *Professions libérales et cadres supérieurs*, qui constitue aujourd'hui la quatrième des neuf CSP dans lesquelles l'INSEE range la population active. Quant aux « *artistes* », ils rejoignent aussi leur lieu actuel pour former avec *clergé* et *armée-police* la neuvième et dernière des CSP : grossier amalgame qui ne manque pas de finesse. Enfin, ultime et significatif avatar de la taxinomie sociologique, la nomenclature des emplois pour le sixième Plan fusionne les « professions littéraires *et de l'information* », désormais rangées dans les *cadres tertiaires supérieurs* (1976).

3. DENOMBREMENTS

A) L'INTELLIGENTSIA : PREMIER COMPTAGE

On prendra ici les deux catégories 32 et 80, pour les quatre derniers recensements.

La 32 (« professeurs, professions littéraires et scientifiques ») inclut pour cas typique : « le professeur d'enseignement supé-rieur, du secondaire, l'astronome, l'écrivain, mais aussi : cri-tique d'art, géologue, censeur de lycée, médecins salariés des hôpitaux, pharmaciens, vétérinaires, professeurs de dessin ». Regroupe donc des fonctionnaires du secteur public et les « personnes établies à leur compte ».

La 80 (« artistes ») regroupe notamment les professions sui-vantes : « peintre, chansonnier, musicien, speaker, comédien, girl, artiste de cirque, fakir, astrologue, sportif professionnel, guide de montagne, maître d'armes, cover-girl, mannequin »[1].

	1954	1962	1968	1975
32	80 380	125 126	213 420	377 215
80	45 089	42 184	50 196	59 075

Stabilité des « artistes » (depuis 1872, où la France comptait 36 102 921 millions d'habitants, parmi lesquels 47 995 indivi-dus vivant directement ou indirectement d'activités artisti-ques). Progression galopante des « professions littéraires et scientifiques », due à l'élévation vertigineuse du personnel enseignant. Avec sa conséquence : l'entrée en force des ensei-gnants dans l'activité littéraire. Rappelons que le nombre des professeurs de l'enseignement public du second degré est passé de 66 387 en 1958 à 223 792 en 1974.

B) L'INTELLIGENTSIA, DEUXIÈME COMPTAGE

Toujours d'après l'INSEE et le recensement de 1975, mais cette fois le calcul des effectifs a été établi à partir du Code des métiers, et de l'aveu des intéressés, puisqu'ils ont eux-mêmes choisi leur appellation, en déclarant toucher leur revenu prin-cipal de la profession en question.

1. On notera que les céramistes sont classés sous la catégorie socioprofessionnelle des *artisans* (CSP n° 2), et les professeurs de chant, avec les institu-teurs, sous celle des *cadres moyens* (n° 4). Les artistes continuent de faire groupe en queue de liste avec les curés et les flics, les écrivains (32) avec les professions libérales (31), les ingénieurs (33) et les cadres administratifs supé-rieurs (34) composent les *Professions libérales et cadres supérieurs* (CSP n° 3).

	Hommes	Femmes	Total
Éditeurs (et libraires-éditeurs)	1 100	500	1 600
Hommes de lettres (contrôleur musical, critique littéraire, d'art, musical, dialoguiste, écrivain, expert en écritures, expert en objets d'art, homme de lettres, littérateur, philosophe, poète, romancier, scénariste)	2 760	800	3 560
Professions intellectuelles (archéologue, attaché et chargé de recherches, économiste, ethnographe, responsable d'études de marché, géographe, historien, linguiste, responsable de marketing, paléontologue, psychologue,	7 040	4 840	11 880
Hommes de sciences	5 320	1 760	7 080
Spécialistes de la publicité (chargé d'études media, chef d'achat d'espace, chef d'antenne, publiciste, chef de publicité,...)	8 160	4 800	12 960
Journalistes, reporters (attaché de presse, attaché de relations publiques, envoyé spécial, journaliste, lecteur, rédacteur d'édition, rédacteur en chef, rédacteur, reporter, secrétaire de rédaction...)	15 820	6 600	22 420

Voilà donc les producteurs idéologiques déclarés — déduction faite des 7 080 hommes et femmes de sciences qui ne peuvent être rangés, dans le cadre de leur métier, parmi les idéologues (bien qu'ils puissent avoir des activités idéologiques par ailleurs à propos de leur discipline ou de tout autre sujet.) Les enseignants, comme les avocats et les médecins, n'ont pas été pris en compte pour la raison qu'ils touchent leur revenu principal de leur activité principale (enseignement, barreau, hôpital, etc.) : ce qui n'empêche pas, bien au contraire, un certain nombre d'entre eux de publier et de signer des livres, articles, commentaires, pétitions, manifestes, etc., donc de figurer de plein droit et au premier rang dans la haute intelligentsia.

On ajoutera, à titre indicatif, les effectifs de ceux qui tirent leurs revenus d'une profession artistique :

	Hommes	Femmes	Total
Artistes-peintres, sculpteurs (+ animateur de dessins animés, nettoyeur d'objets d'art, restaurateur de tableaux, verrier d'art)	9 020	3 180	12 200
Artistes musiciens, compositeurs, artistes lyriques	9 260	2 040	11 300
Spectacles (théâtre, danse, cinéma, radio, TV) (acteur, animateur radio TV, chorégraphe, comédien, commentateur, danseur, figurant, illusionniste, maître de ballet, meneur de jeu, présentateur, speaker...)	3 840	4 020	7 860
Artistes de cirque, music-hall, variétés	1 400	800	2 200
Metteurs en scène, en ondes, producteurs, réalisateurs (cinéma, radio, TV)	3 660	1 240	4 900
Régisseurs	760	100	860
Monteurs (cinéma, TV)	940	940	1 880

C) INTELLIGENTSIA, ESTIMATION

Chacun des chiffres fournis par l'INSEE appelle en lui-même une remise au point qui serait le plus souvent une révision en baisse. Exemple : les 1 500 éditeurs recensés incluent les éditeurs de brochures et de cartes postales, et un grand nombre d'éditeurs au chiffre d'affaires insignifiant. Le nombre des éditeurs retenu (un peu arbitrairement) par le Syndicat National des Editeurs (S.N.E.) est pour 1976 de 386.

A l'inverse, l'enquête commande de réviser en hausse d'autres chiffres, comme celui dont se sont faits l'écho plusieurs documents officiels, estimant entre 4 et 500 personnes les « auteurs professionnels » vivant de leur plume. A la fin de

1978, l'Association pour la gestion de la sécurité sociale des auteurs (AGESSA) a recensé près de 4 000 écrivains vivant de leur plume. — le terme « *écrivains* » englobant en l'occurrence les écrivants (policiers, pornos, techniques, etc.). Soit un dixième des 40 à 45 000 producteurs d'écrits existant en France. Si l'on fait entrer en ligne de compte les autres branches professionnelles, ce sont près de 80 000 personnes qui perçoivent des droits d'auteur, à titre régulier ou non, et quel que soit leur montant. 90 % de ces personnes sont socialement couverts par ailleurs — le plus souvent par la fonction publique (professeurs et universitaires). L'AGESSA prévoit que d'ici quelques années — une fois terminés les recensements et affiliations, 7 000 à 8 000 personnes cotiseront sous plafond : tel est en définition le nombre de ceux touchant leur revenu principal de leurs droits d'auteurs. Par ailleurs, la Maison des Artistes (peintres, sculpteurs, graveurs) regroupe 4 500 affiliés — sur un total approximatif de 40 000 artistes-plasticiens. La SACEM a plus de 15 000 membres. 15 000 journalistes ont leur carte professionnelle (Commission de la carte). Le nombre des comédiens et acteurs peut s'estimer entre 8 et 10 000, dont 5 % à peu près vivent effectivement de leur métier. En résumé, si l'on convient de ne retenir que les membres de l'enseignement supérieur (50 000) et de faire abstraction du gros des professeurs du secondaire (ceux des classes terminales, par l'originalité de leur enseignement et les qualifications requises, se rattachant au supérieur), ce que nous entendons par l'*intelligentsia française* regroupe entre 120 et 140 000 personnes (1978). Au recensement de 1975, la France comptait 21 775 000 actifs. A s'en tenir aux chiffres, les intellectuels ne valent pas tripette et l'indifférence des professionnels semble parfaitement fondée.

4. SONNETTES

Elle serait en réalité irrémédiable si deux sonnettes d'alarme distribuées dans l'espace et dans le temps n'étaient pas en mesure de réveiller les dogmatiques. Ces comparaisons met-

tront peut-être les indifférents sur le chemin de la raison. La
première — avec les régimes socialistes. La seconde — avec
l'Ancien Régime.

A) LE SOCIALISME RÉEL

Chacun sait qu'il n'y a pas, dans une structure sociale, correspondance simple entre la place et la fonction d'un élément.
A cette précaution théorique générale, l'observation des systèmes (de domination) capitalistes ajoute une très particulière
mise en garde, car ces derniers ont pour originalité de présenter souvent un rapport inverse entre les indices formels d'existence d'un élément et sa force de gravitation réelle. D'où ce
paradoxe : c'est dans les systèmes (de domination) socialistes
que l'intelligentsia apparaît sous son nom propre dans les
nomenclatures, qu'elle est recensée, répertoriée comme une
couche socioprofessionnelle spécifique, et pourvue à ce titre
d'une représentation politique propre : mais c'est aussi là où
elle existe le moins comme sujet d'action historique. Par
contre, l'intelligentsia n'apparaît pas comme telle sur la scène
sociale des pays capitalistes, sinon comme confédération infor-
melle de positions personnelles; mais c'est là où elle joue un
rôle décisif. A caractérisation faible, fonctionnalité forte — et
vice versa. La sociologie du socialisme réel intègre l'intelligentsia dans ses cadres officiels pour la neutraliser comme
force politique; la sociologie du capitalisme réel la néglige (ou
la marginalise) pour la dissimuler comme force active, en per-
pétuant une illusion d'inexistence.

Il existe dans chaque pays socialiste une Union des Ecrivains et une Union des Journalistes, chacune avec ses statuts,
organes de direction, congrès et organe d'expression. Mais
tableaux statistiques et analyses socioéconomiques classent
ensemble les journalistes et les écrivains, auxquels s'ajoutent
les artistes, les savants et dans une certaine mesure les étudiants, sous la rubrique « intellectuels », à l'intérieur de la
sphère plus vaste de l'intelligentsia [1]. Amalgame fonctionnel

1. *La presse, les intellectuels et le pouvoir en URSS*, Documentation française, avril 1970. Ce que l'Union soviétique entend par *intelligentsia* au sens
large — dont se distingue « *l'intelligentsia créatrice* » — c'est ce que nous
entendons par les « professions intellectuelles ». D'où cette définition du *Dic-*

puisque les deux critères d'appartenance à l'« intelligentsia créatrice » sont, en pays socialiste, la formation universitaire et l'accès aux communications de masse. En Pologne, par exemple, plus de la moitié des membres de l'Association des écrivains travaille dans la presse, à la radiotélévision, dans les maisons d'édition ou au cinéma. En URSS, l'intelligentsia « créatrice » constitue une couche sociale individualisée, régulièrement représentée au soviet suprême, où elle est proportionnellement plus nombreuse qu'au comité central du Parti. Dernier indice, au-delà de l'intégration bien connue dans les mécanismes d'Etat officiels, d'une position subalterne dans les différentes forces de pression politique. Selon les chiffres officiels, l'ensemble des républiques soviétiques comptait en 1970 100 000 écrivains et journalistes, dûment catalogués. L'effectif des représentations politiques dans les soviets respectifs excède sans doute leur importance numérique; mais si leur représentativité tient compte d'une certaine plus-value honorifique, elle ne bénéficie pas d'une valeur *politique* ajoutée. L'inexistence en pays socialiste d'une opinion publique officiellement reconnue comme telle par les autorités (découlant de l'impossibilité systémique de distinguer une société civile de l'Etat) et la réduction de la presse au simple rôle de « courroie de transmission » excluent dans le principe que l'écrivain ou le journaliste, a fortiori l'artiste ou le savant, puissent apparaître sur la scène sociale comme un interlocuteur d'importance. Il n'y a pas d'interlocuteur là où il ne peut y avoir, faute de logos autonome, d'interpellation. Sinon dans les formes canoniques et programmées de la « lettre ouverte », de l'intervention publique lors d'une assemblée professionnelle ou de la pétition collective; interventions dépourvues d'effets puisque très rarement reproduites dans la presse centrale et amorties (dans le cas de la société soviétique elle-même) par la compacité du consensus populaire. L'idée selon laquelle le « socialisme favorise les intellectuels comme le capitalisme favorise les possédants » (Jacques Julliard, Paris, 1977) est un idéologisme du XIX*, que dément à l'évidence le « socialisme réel » du XX*. On

---

tionnaire philosophique (Moscou) : « Les intellectuels constituent une couche sociale intermédiaire composée des hommes s'adonnant au travail intellectuel. Elle comprend les ingénieurs, les techniciens, les avocats, les artistes, les enseignants, les travailleurs scientifiques... » Estimée à 2 725 000 en 1926, l'intelligentsia soviétique regroupait 15 460 000 personnes en 1956 (d'après l'Office central de statistique), et plus de 30 millions en 1970.

dira à la limite : dans le système du socialisme réel, réduits à leur logique fonctionnelle, les intellectuels ne servent à rien : aussi bien ont-ils consistance d'institution. A l'inverse, le capitalisme libéral, comme système, ne pourrait se reproduire sans les « intellectuels » : aussi bien sont-ils invisibles, dissous dans le social en solution quasi colloïdale. S'ils cristallisent ici et là autour de certains nœuds de communication, cette distribution paraîtra aléatoire et donc anodine : radio, télé, universités, centres de recherche, journaux et revues, maisons d'édition, théâtres et foyers culturels, etc.

B) LE CLERGÉ

De même qu'il n'est pas toujours nécessaire de fixer une *frontière* pour repérer un *champ* (et le champ ici ne serait pas fondamentalement altéré si l'on décidait d'y inclure le personnel de l'enseignement secondaire), il n'est pas toujours besoin d'isoler des *organes* pour identifier une *fonction*. En ce sens, les indications sociologiques sont précieuses (et coûteuses) mais l'enquête sur les effectifs et le tracé des professions devrait plutôt suivre que précéder l'identification de la fonction. Ernest Labrousse remarquait que des trois facteurs mis en jeu par les hiérarchies sociales — richesse, naissance et fonction —, l'Ancien Régime privilégiait la naissance, la bourgeoisie du XIXᵉ la richesse et les appareils d'Etat du XXᵉ la fonction. On a plus d'une fois apporté la preuve qu'aujourd'hui même la fonction recoupait la naissance et la richesse — notamment dans les appareils scolaires et administratifs. Mais le régime monarchique n'excluait pas non plus les critères de fonction dans ses répartitions institutionnelles, et il n'y a pas, à ce titre, solution de continuité entre l'intelligentsia bourgeoise moderne et le clergé d'Ancien Régime. La similitude des effectifs n'est pas un argument mais un indice. En tant que groupe collectivement commis à l'hégémonie — direction, encadrement et exécution — l'intelligentsia exerce la même fonction sociale. En tant que « go-between » entre dominants et dominés, elle occupe une place analogue, à la fois autonome et ambivalente. En tant que corps éminemment hiérarchisé, à la fois cloisonné à l'horizontale et stratifié à la verticale, elle a toute la complexité hiérarchique du clergé. Le plus exigu des ordres de l'Ancien Régime — 130 000 membres avant la Révolution — était aussi le premier des trois en prééminence et prérogatives. L'intelligentsia française n'a évidemment pas le statut juridique des anciens ordres; tolérances, connivences et passe-droits tiennent lieu chez elle de prescriptions et règlements. Mais un même clivage la traverse [1]. Quel rapport entre le curé de paroisse à la portion congrue, qui vit la vie de ses ouailles paysannes, et l'évêque de Cour apparenté par les prébendes ou les lignages à la haute noblesse? Quel rapport entre le professeur de CET et le professeur au Collège de France? La position institutionnelle crée la solidarité (fût-elle hiérarchique), la situation sociale crée l'antagonisme (à expression politique). Lors de la réunion des Etats Généraux à Versailles, la noblesse fait bloc, le tiers aussi — chacun sur son quant-à-soi. Le clergé est *le seul* à se scinder de l'intérieur. L'ordre intellectuel est traversé par de multiples hiérarchies, qui interfèrent ou se renforcent. Aujourd'hui, c'est la moins visible des lignes de clivage qui apparaît comme la plus déterminante. La frontière qui permet de discriminer à l'intérieur de l'ordre entre une haute et une basse intelligentsia, c'est la *faculté qu'a ou non chaque membre d'accéder aux moyens de diffusion de masse.* Cette faculté n'est pas individuelle : elle est socialement déterminée. Elle n'est pas aléatoire : elle suppose l'observance de règles strictes. Elle n'est pas latérale ou complémentaire : elle met en jeu l'activité intellectuelle elle-même, la réalisation ou non-réalisation de son concept comme action de l'homme sur l'homme au moyen d'une communication symbolique, c'est-à-dire comme projet d'influence. C'est pourquoi la question des media court tout le long de l'intelligentsia — traversant catégories, disciplines, provenances ou appartenances politiques — comme la ligne de division des eaux, définition à laquelle personne n'échappe, à son insu ou à bon escient. Qu'il soit chercheur, peintre, écrivain ou professeur. Communiste, monarchiste, anarchiste ou rien du tout.

On appellera *haute intelligentsia*, pour la distinguer des simples *professionnels de l'intellect*, l'ensemble des personnes

1. La religion n'est plus d'Etat, mais l'éducation. Il y avait un clergé du « premier ordre » et un clergé du « deuxième ordre », comme il y a un enseignement du premier et du deuxième degré, comme il y a des maîtres-assistants et des préfets de première et deuxième classe. Inhérence du grade à l'organique? Du hiérarchique à l'étatique?

socialement fondées à publier une opinion individuelle concernant les affaires publiques, indépendamment des procédures civiques régulières auxquelles sont astreints les citoyens ordinaires. Ces *fondés de discours* appartiennent ordinairement aux professions libérales et intellectuelles (exigeant une instruction supérieure), mais leur appartenance à la haute intelligentsia n'est pas fonction de leur métier : un savant ou un professeur peuvent ne pas en être, s'ils demeurent à l'intérieur de leur horizon professionnel, alors qu'un avocat ou un médecin, un comédien ou un explorateur en seront pour autant qu'ils ont acquis, en dehors mais à cause de leur activité professionnelle, une individualité publique susceptible de faire autorité. Les auteurs individuels d'opinions légitimes — quel que soit le contenu de ces opinions — se recrutent évidemment parmi les classes dominantes, mais leur origine de classe comme leur activité professionnelle ne font pas critère à cet égard. Rappelons que le haut clergé d'Ancien Régime (abbés, évêques, chanoines de cathédrale) comptait moins de 4 000 personnes. Le bas clergé 125 000, répartis à parts à peu près égales en réguliers et séculiers. La basse intelligentsia a des effectifs supérieurs mais d'un ordre de grandeur analogue, et le chiffre de 4 000 ne serait pas un plafond inacceptable pour la haute.

Il semble que les historiens de l'Ancien Régime aient prêté relativement peu d'attention à l'ordre du clergé, si on compare avec les études consacrées à la noblesse et au tiers état. Par un étrange parallélisme, les sociologues de la France contemporaine semblent témoigner d'aussi peu d'intérêt pour l'intelligentsia française contemporaine. Nous disposons de monographies sur le grand patronat et sur la haute fonction publique. Mais quid sur les grands intellectuels et la haute intelligentsia moderne? Peut-être l'étude concrète du haut personnel hégémonique a-t-elle été découragée par deux impressions, une sous-estimation, et qui sait si une difficulté.

a) L'impression d'hétérogénéité : quoi de commun entre un prix Nobel de physique, un acteur, un commissaire-priseur, un professeur au Collège de France, un révérend père, un médecin, un ancien activiste d'extrême-gauche, un idéologue de l'économie libérale et un metteur en scène? Evidemment pas l'origine socioprofessionnelle.

b) L'impression d'inorganicité ou de non-clôture. Il y a un corps diplomatique, un corps médical. Il y avait un corps enseignant, et les grands corps de l'Etat sont visibles à l'œil nu; ils composent le personnel supérieur de l'appareil politique, ou administration centrale. Y a-t-il un corps intellectuel, et quelle serait son ossature? Comment le clôturer, et en quels termes l'identifier? Les hautes sphères du secteur privé et public se dénombrent presque intégralement dans le Bottin mondain, se retrouvent dans les clubs ou des cercles bien définis (Jockey-Club, Automobile-Club, Rotary, golf de Saint-Cloud, etc.). Où s'agglomèrent les hautes sphères intellectuelles et morales du pays? Nous manque encore le *Who's who* de l'intelligentsia.

c) la sous-estimation : dans ses remarquables *Essai sur l'élite du pouvoir en France* et *La classe dirigeante en France*, Pierre Birnbaum fait abstraction des « grands intellectuels », qui ne feraient donc pas partie de la classe dirigeante française ni de l'appareil d'Etat, comptant pour ainsi dire parmi les à-côtés de la première et les faux frais du second. Cette mise à l'écart, qui est une hypothèse, n'est pas explicitée comme telle mais mentionnée parmi les évidences de départ, presque en pétition de principe. « Si l'on considère, écrit-il dans l'introduction, que les catégories socioprofessionnelles qui composent la classe dominante peuvent se répartir en fractions dirigeantes (bureaucratie d'Etat civile et militaire, industrie, banque) et fractions non dirigeantes (grands intellectuels, professions libérales), *ces dernières ne détenant qu'un pouvoir symbolique*, fort important du point de vue de la socialisation des individus et de la formation d'une culture commune légitimant le pouvoir des fractions dirigeantes... » : ultime concession qui n'empêchera pas la soustraction. En matière d'Etat, les choses sérieuses, c'est du solide, et du mesurable : haute fonction publique, haute banque, grande industrie, offrent prise à l'étude; le pouvoir symbolique, labile ou latéral, n'aurait d'effets que secondaires. La sociologie moderne, après un détour par Weber ou Parsons, en reviendrait donc sur la question des intellectuels au principe originaire du dédain marxiste : pas sérieux s'abstenir. « L'intelligentsia bourgeoise, c'est la crème du gâteau, attaquons-nous à la pâte. » Mais la crème dans la nouvelle cuisine française n'est plus un ornement. C'est grâce à elle que le gâteau se laisse manger. En laissant la gastronomie de côté : si le symbolique n'était pas l'huile qui graisse les rouages et évite les frottements mais l'essence des moteurs de l'Etat en pays « avancé », le diminutif ne vaudrait-il pas pour substantif? Le pouvoir qui n'est que symbolique n'est-il pas déjà, et comme tel, politique? La sociologie des pouvoirs peut-elle recevoir le découpage traditionnel du champ politique tel qu'il se donne à voir : le symbolique d'un côté, le politico-administratif de l'autre?

Chacun en conviendra [1]. Et il est certain qu'une sociologie empirique est moins bien armée que la recherche historique (et, ajoutons-nous, qu'une méthode médiologique) pour discerner ce que peuvent avoir de commun tant d'individualités éparses, et quelle infrastructure assure leur organisation. Ces individus ont à tout le moins en commun d'être des « personnalités » qui font « autorité » et de produire chaque semaine collectivement des manifestes, appels, pétitions ou conférences de presse qui ont des « répercussions ». La notion de « personnalité » relève de l'*histoire* sociale, celle de « répercussion » d'une certaine *technologie médiatique*. Et celle d' « autorité », d'une science des conditions concrètes de l'hégémonie.

Resterait une ultime difficulté : qu'adviendrait-il si ceux qui détenaient les instruments matériels et conceptuels de cette étude faisaient eux-mêmes partie de la H.I. — ou y aspiraient? Il adviendrait la traditionnelle opacité à soi propre à tous les agents sociaux, doublée des dénégations d'appartenance plus spécifiquement propres à la haute intelligentsia. Pure hypothèse que la décence écarte.

A notre connaissance, les travaux des chercheurs du Centre de sociologie européenne, et notamment les recherche théoriques de Pierre Bourdieu, son directeur, sont les seuls à faire une très remarquable exception à cette indifférence peu remarquée des intellectuels pour l'intelligentsia, qui mériterait une réflexion particulière. Il est vrai que ce genre de réflexions est nécessairement fort mal accueilli par la profession dont Cocteau semble avoir résumé le sentiment en observant que

---

1. A commencer bien sûr par Pierre Birnbaum lui-même, qui mérite, moins que personne un aussi mauvais procès.

les miroirs devraient faire un peu plus attention avant de
réfléchir. Mais si les chercheurs en sciences sociales qui ont
pour métier de réfléchir les autres ne se regardent pas eux-
mêmes dans la glace, si les littérateurs qui ont vocation de
se regarder dans la glace ne se soumettent pas à une radio-
graphie collective, de quel droit reprendront-ils ceux qui
s'y essayent à leur place?

CHAPITRE II

LES TROIS AGES

INTRODUCTION

« La situation faite au parti intellectuel devant les accidents de la gloire temporelle. »

I. LE CYCLE UNIVERSITAIRE (1880-1930)

II. LE CYCLE EDITORIAL (1920-1960)

III. LE CYCLE MEDIA (1968 - ?)

De la situation faite au parti intellectuel devant les accidents de la gloire temporelle.

(Charles Péguy)

Une histoire, comme une société, est un *continuum*, compulsivement violé par historiens et sociologues, qui le déchirent en *périodes* et *catégories*. S'il n'était pas en effet découpé, ce continuum serait inintelligible. Pour comprendre l'intelligentsia française contemporaine, il semble nécessaire de distinguer, le long de son histoire moderne, trois âges ou trois cycles. Distinction d'autant plus nécessaire, malgré les risques d'arbitraire, que ces cycles se chevauchent et s'entrecroisent *tout naturellement*. Qui prend le parti du naturel, on l'a déjà dit, transforme à la fin une histoire en nature, et une pratique en mystique. Mieux vaut donc produire une histoire approximative du corps intellectuel que reproduire, sous une millième version, l'immobile mythologie de l'âme « cléricale ».

C'est une vocation inhérente à « l'esprit qui toujours nie » de s'affirmer lui-même en niant les péripéties dont il est le produit. Le corps intellectuel d'un pays peut être dit l'âme de sa civilisation, à condition d'ajouter qu'elle grandit, cette âme, vieillit et meurt en même temps que les organes physiques de cette civilisation. En France comme en Italie ou en Angleterre, l'Université est apparue avant le Livre; le Livre avant le Journal; le Journal avant l'Audio-visuel. Autant de corps, autant d'âmes. Ces avatars s'espacent sur sept siècles et l'Occident en son entier. Ramassés en un seul siècle et un pays — voilà notre histoire à nous tous, hommes d'Etat, membres du « parti intellectuel » français. Continue en apparence, et homogène, elle n'a rien de lisse ni de suave. C'est une suite cohérente d'accidents, c'est-à-dire un enchaînement d'innovations, de destitutions et de métamorphoses.

« La situation faite au parti intellectuel devant les accidents de la gloire temporelle » a donc varié aussi vite que les distributeurs de gloire, qui distillent également la puissance. Charles Péguy appelait l'Université de son temps « le grand appareil de discernement ». Appareil vénéré et redouté par la République, qu'il rendait lui-même vénérable et redoutable : « Il est heureux pour la solidité du régime que des hommes comme Andler et Lanson soient de fermes républicains. » La trieuse universitaire a été remplacée mais les nouveaux organes de sélection en reproduisent les effets. « Des hommes, poursuivait Péguy en 1906, qui reçoivent ou ne reçoivent pas en France des candidats nés français aux baccalauréats, aux licences, aux agrégations, à l'Ecole normale, aux bourses, même de voyage; des hommes qui ont reçu licence de faire des docteurs et des normaliens exerceront toujours en France une puissance illimitée. Et il y en aura beaucoup qui seront dans leur dépendance [1]. » Un seul mot de trop : « toujours ». Car les hommes qui ont encore licence aujourd'hui de faire des docteurs ou des normaliens vont toucher bientôt le fond de l'impuissance. La puissance du Parti s'est simplement déplacée. Elle fut un moment, peu après la mort de Péguy, chez les hommes qui avaient reçu licence de faire des *auteurs*. Elle est à présent chez ceux qui ont licence de faire des *journalistes*. Et à chaque fois — miraculeux accord? — « la solidité du régime » n'a eu qu'à se féliciter des chefs du Parti tels que les trie sur le volet la plus conforme des trémies. Comme si l'appareil de discernement était fait pour l'Etat, ou l'Etat fait par lui, ou les deux. Le film chronologique des filtres — Université, édition, média — correspond assez bien au défilé des trois dernières Républiques, chacune avec sa bourgeoisie de prédilection, sa révolution industrielle, ses sciences préférées, son jargon et ses moyens de transport. Le mode de recrutement de « ceux qui veulent avoir des partisans », de cette sorte d'hommes « qui veulent exercer une gloire de domination sur des hommes » (Péguy, *ibidem*), a subi beaucoup d'avatars — demeure le parti intellectuel, Phénix toujours recyclé. C'est de lui seul qu'il sera question, à travers ses gloires et ses cendres.

---

1. Péguy, *Œuvres complètes*, Slatkine Reprints, Genève, 1974, III-IV.

1. LE CYCLE UNIVERSITAIRE (1880-1930)

Clergé anticlérical. Prêtrise laïque. Congrégation d'Etat. Sa généalogie universitaire a longtemps valu ces sobriquets au corps intellectuel parce que telle fut en substance l'histoire de l'Université de France, qui épouse elle-même la lente sécularisation de l'Etat tout au long du XIX° siècle. Sans compétence pour la retracer dans ses détails (les jalons en sont posés dans l'excellente synthèse d'Antoine Prost), rappelons les caractéristiques d'une naissance, qui devaient façonner le corps adulte [1]. A commencer par son appellation de « corps », à l'image des grands corps de l'Etat, qui figurent pour la première fois dans la loi impériale de 1806 [2]. La substitution par le Premier Empire d'un « corps enseignant » aux congrégations enseignantes décimées par la Révolution, dont l'unité spirituelle devait pouvoir rivaliser avec celle de ces institutions religieuses, a démontré une fois encore qu'on ne détruit que ce qu'on peut remplacer, et qu'on ne peut remplacer qu'à la condition de reproduire. La contrefaçon universitaire ne fut pourtant pas une mascarade. « Je vous fais chef d'ordre, lança Napoléon à Fontanes en le nommant grand-maître, choisissez vos hommes, cela vous regarde. » Sans renaître sous un habit de moines-soldats, les membres de l'Université furent néanmoins contraints à un engagement total (« les obligations »), astreints au célibat et à la vie commune, soumis au maître du Grand-Maître, en échange de l'autonomie dans leur administration interne (conseil d'Université, rectorats d'académies, etc.). Remise sous tutelle ecclésiastique par la Restauration (1924 : création du « ministère des Affaires ecclésiastiques et de l'Instruction publique »), la corporation universitaire réussit néanmoins à garder le monopole de la collation des grades et connaît une première apogée sous la Monarchie de

---

1. Antoine Prost, *Histoire de l'enseignement en France 1800-1967*, Armand Colin.
2. Loi du 10 mai 1806 qui fonde « sous le nom d'Université impériale un corps exclusivement chargé de l'enseignement et de l'éducation publique dans tout l'Empire ».

Juillet (qui élargit son monopole jusqu'aux grades de l'enseignement secondaire). Après 1848, la vague contre-révolutionnaire charrie la loi Falloux (1850) qui rétablit la liberté (ou plus exactement consacre l'essor) de l'enseignement privé. Redonnant à l'Eglise la direction des esprits, le Second Empire est logiquement conduit à affaiblir l'Université et restreindre son autonomie. Il n'est pas de critère moins équivoque pour apprécier le degré de virulence d'une époque de réaction que l'attitude du pouvoir politique à l'égard de l'Université, et du corps enseignant dans son ensemble. Le critère des critères restant, depuis un siècle, la situation faite à la classe et aux concours de philosophie. Après le Second Empire, il faudra attendre Vichy et derechef notre régime actuel pour retrouver la même dose d'hostilité à l'agrégation de philosophie (car si on cultive les philosophes du marché en haut lieu, les enseignants de philosophie non marchands sont de nouveau décimés — ceci expliquant cela). Cette agrégation, créée en 1828 en détachement de celle des Lettres (elle-même rétablie en 1808 et organisée en 1821) se vit *supprimée* en 1853 en même temps que l'agrégation d'histoire, — procédure moins subtile que la réforme Haby. Mais rétablie dix ans plus tard (1863), le remède s'avérant plus dangereux que le mal; il avait livré une jeunesse désorientée en pâture au « matérialisme [1] ». Puisse cette mésaventure servir d'exemple à nos ministres.

En fait, la vraie naissance de l'Université française supposait la défaite du bonapartisme et de l'Eglise. C'est entre 1871 et 1885 que la Troisième République (renouant paradoxalement en la matière avec le Premier Empire jacobin) a jeté les bases institutionnelles et posé les contours d'un *milieu universitaire.*

Sans doute l'Empire libéral avait-il fondé l'Ecole pratique des hautes études en 1868. De même l'Ecole normale (création, comme l'Ecole polytechnique et le Conservatoire des Arts et Métiers, de la Convention thermidorienne) avait-elle pu se maintenir sous le Second Empire bon an mal an, parce

1. Victor Duruy : « La véritable cause du progrès des doctrines négatives dans une partie de la jeunesse a donc été l'amoindrissement de l'enseignement philosophique dans nos lycées... Les études philosophiques de nos lycées sont le meilleur remède au matérialisme. » Cité par Jacques Derrida, « La philosophie et ses classes » (in *Qui a peur de la philosophie?* Greph, Flammarion, p. 447).

qu'indépendante de l'Université (à laquelle elle ne sera rattachée qu'en 1903) et sous l'étroite tutelle du ministère de l'Instruction publique. C'est néanmoins dans les années 1880 que l'enseignement supérieur prend son visage d'aujourd'hui — celui qui s'estompe sous nos yeux. Quelques dates dans l'entreprise qui permit d' « arracher aux jésuites l'âme de la jeunesse française ». 1877 : création des bourses de licence; naissance des « maîtres de conférences ». 1880 : dissolution de la Compagnie de Jésus et rétablissement du monopole de l'Etat sur la collation des grades (dont jouissaient jusqu'alors les Universités libres). Création des bourses d'agrégation. 1882 : instauration en Sorbonne du « cours fermé » (auparavant régnait le cours public), et, avec lui, naissance de l' « étudiant » en lettres (le terme ne désignant auparavant que l'étudiant en droit ou en médecine [1]). 1885 : statut définitif des agrégations littéraires. 1886 : création du diplôme d'enseignement supérieur. 1889 : achèvement à Paris de l'édifice de la Sorbonne. Bref, l'organisation institutionnelle de la corporation (fixation des grades, diplômes, rituels, etc.) n'est pas idéologiquement neutre. Tel Etat, tel fonctionnaire. Annexion de l'intellectuel par l'Etat? Voire. La question alors posée à l'intellectuel n'était pas : liberté ou contrainte — mais Etat ou Eglise. Fonction publique ou congrégations. C'est-à-dire succinctement : bourgeoisie ou noblesse — république ou monarchie — positivisme ou spiritualisme — Littré ou Ollé-Laprune. Le milieu universitaire, à la longue, a fait son choix, peut-être parce que de lui dépendait son existence.

Milieu restreint, retiré et même replié sur lui-même. Que pèsent les 650 professeurs d'Université français de 1890 à côté des 6 500 magistrats de l'époque? Les 9 751 fonctionnaires de l'enseignement secondaire public recensés en 1887, à côté de 31 000 officiers et 80 000 fonctionnaires des Finances? Beaucoup plus que leur nombre. Les officiers et les magistrats, dans leur grande majorité, à l'instar des membres du clergé, boudent la République — s'ils ne complotent pas contre elle. Les professeurs, eux, sont à la fois ses généraux et ses évêques, comme les instituteurs ses hussards et ses curés de campagne. La diffusion du savoir et la croisade politique, alors, ne font qu'un. On est savant et militant, l'un parce que l'autre. En

---

1. On se rappellera qu'à l'origine l'Université désignait simplement la réunion ou corporation de trois facultés — médecine, droit et théologie.

France, les intellectuels sont nés « progressistes » parce que l'Université est le fruit des justes noces de l'Etat et des Lumières — plus précisément : de la République bourgeoise et du rationalisme libéral. Noces « bourgeoises » mais scandaleuses pour l'époque. Elles n'exigeaient rien moins, du côté de l'Etat et dans un peuple catholique, que d'engager une procédure de divorce en bonne et due forme avec l'Eglise de France, Rome et l'obscurantisme officiel. Le ménage officiel a vieilli, mais ceux qui n'ont jamais accepté ce mariage n'ont rien perdu de leur verdeur.

Cent ans après, la République a-t-elle gagné? Voire. Car un autre dilemme s'est levé entre-temps : Etat ou marché? Fonction publique ou fondation privée? Compétence ou popularité? Ce troisième terme, qui n'était pas prévu, prend les acteurs à revers. En Histoire, c'est toujours celui qu'on n'attendait pas qui rafle les mises. L'Etat n'a pas gagné la partie, c'est le capitalisme qui a gagné l'Etat, en le subordonnant à sa propre logique économique; et l'enseignant supérieur, industrialisé, doit inexorablement se soumettre aux normes du rendement et de la rentabilité, tout comme une entreprise publique aux procédures et normes du capital privé avant de passer directement sous son contrôle. Le marché du diplôme s'est aligné sur le marché du travail. On ne décrira pas ici l'agonie de l'Université française, — la pudeur secourant ici l'incompétence — bien que l'achèvement d'un cycle historique incline aux vues d'ensemble. Plus que ce déclin en lui-même, nous intéresse la redistribution des forces qu'il induit à l'intérieur de l'ordre intellectuel, et, en général, la modification de l'assiette hégémonique française.

Le déclin ne commence évidemment pas en 1930. Cette date n'est qu'une pause, non une fin. Tout au plus le premier point d'inflexion d'une longue plage de royauté et d'un certain bonheur étale. Entre les années 80 et les années 30, les proportions universitaires restent stables, tout comme celles du secondaire. Il faut un demi-siècle pour multiplier par deux le nombre des professeurs d'Université, qui s'élève en 1880 (y compris les maîtres de conférences) à 503, 650 en 1890, 1 048 en 1909 et 1 145 en 1930. Un autre demi-siècle plus tard, ils seront — assistants compris — près de 43 000! L'effectif étu-

diant ne connaît pas non plus jusqu'en 1930 de bond en avant
remarquable. Et pour cause : comme les professeurs du supérieur, les élèves de l'enseignement secondaire public n'ont fait
que doubler en un demi-siècle (73 000 en 1881, 110 000 en 1930).
Stagnation démographique, ségrégation de classe, sélection des
« boursiers » et malthusianisme des « héritiers » : l'étroitesse
du recrutement universitaire en fait précisément le centre
supérieur de tri au sein de l'intelligentsia, assurant l'hégémonie
du Club à la fois au-dehors, sur la vie publique, et sur le corps
intellectuel lui-même. C'est en gonflant brusquement que
l'Université perd de sa force hégémonique. Le pouvoir d'une
élite est inversement proportionnel au nombre. N'étant plus un
lieu privilégié de sélection, ni par en haut (accroissement considérable des postes d'enseignant) ni par en bas (montée en
flèche des effectifs étudiants), l'Université, tout en continuant
de reproduire globalement l'inégalité de classes au sein de la
société, ne peut plus assurer la même reconduction au sein de
la classe dominante elle-même. Et a fortiori au sein de l'aristocratie intellectuelle de cette classe. La population française
n'a augmenté que d'un quart depuis 1880, mais le nombre
d'étudiants en lettres est passé de 1 000 en 1882 à 7 000 en
1914... et à 191 600 en 1976. Tant d'abondance dévalorise.
Même explosion, par contrecoup, dans le corps académique,
qui s'est *ipso facto* « prolétarisé [1] ». Mise à la chaîne des assistants, ces ouvriers qualifiés de l'enseignement supérieur;
bientôt, salaire aux pièces et travail posté. Abandon de la
recherche. Et voilà l'élite professorale qui se fond lentement
avec les cols blancs, noyés dans le bruit de fond du travail
répétitif (les travaux pratiques), précipité dans l'anonymat
des « services ». En attendant le chômage pur et simple des
diplômés d'Etat des facultés de Lettres, Droit et Sciences
humaines : le marché, dans ce secteur, est engorgé. Ainsi, le
dernier attribut de l'Université qui ne lui ait pas encore été
enlevé — son monopole corporatif de reproduction, fondé sur
celui de la collation des grades — devient celui qui précipite
sa perte.

Sans doute l'intelligentsia scientifique et littéraire, comme
toute classe menacée de dépossession, a-t-elle trouvé des

---

1. Voir le tableau des effectifs en annexe.

parades à sa propre industrialisation. Plus les chances d'accès à l'enseignement supérieur des couches populaires augmentaient (1946, création des ENSI, 1966, des IUT, etc.), plus l'élite a multiplié les portes de sortie. Elle a filé vers le CNRS, le Collège de France, l'Ecole pratique ou les fondations privées (c'est-à-dire, à terme, vers les Etats-Unis). Malthus pas mort : condamnable en principe, fort utile dans la pratique. L'essaimage institutionnel des universités — qui dégrade la charge symbolique des noms (Sorbonne) en numéros (Paris I) et tend à massifier celle des titres et des positions — trouve sa compensation dans l'écrémage du personnel universitaire. C'est dans ces lieux raréfiés que l'élite de l'élite se reproduit elle-même, par cooptation, et au terme de longues probations. La sélection des plus nombreux par les moins nombreux, à l'étage au-dessus, recrée l'asymétrie dans l'écart, et dénote le décalage inhérent à tout rapport de domination. C'est une loi générale, propre à l'économie des institutions (nationales ou internationales) que chaque palier d'égalité atteint par ceux d'en bas déplace automatiquement l'inégalité antérieure au palier du dessus, lequel devient du même coup le nouveau lieu de la décision. Déséquilibrage qui rétablit l'équilibre initial, c'est-à-dire le déséquilibre antérieur. Il y a une hydrostatique de l'inégalité humaine : elle a présidé au siècle dernier à l'établissement du suffrage universel dans les sociétés politiques d'Occident, et on la voit aujourd'hui même à l'œuvre dans les forums internationaux — à l'ONU par exemple [1]. Bien sûr, c'est parce que le palier du dessus est *déjà* aménagé (mais discrètement) qu'on peut ouvrir les portes, en dessous, au vulgum. L'intelligentsia française comme système hiérarchique n'échappe pas à cette loi.

La désagrégation du corps universitaire renvoie bien évidemment à la décadence organique de la société française : à la fois symptôme et facteur, cause et effet. Dans l'immédiat, elle

1. Où les décisions sérieuses (applicables) ne se prennent plus en assemblée générale depuis que — un Etat souverain en valant un autre — la décolonisation a mis l'Occident en minorité, mais dans les organismes spécialisés où le vote est dit « pondéré », c'est-à-dire censitaire (FMI, FAO, Banque mondiale, etc.). Aussi les pays riches et leurs agences d'information parlent-ils avec mépris des « majorités automatiques » des Nations Unies (où de fait le « Tiers Monde » et les « pays socialistes » font la majorité). Tout aussi « automatique » était la majorité en 1950, mais au bénéfice de l'Occident. Elle s'appelait alors : « consensus de la communauté des nations libres ». L'automatisme, c'est seulement pour les pauvres — « les barbares », n'ayant pas d'âme, relèvent du mécanique.

équivaut à une passation de pouvoirs. Le champ idéologique est de type magnétique : quand une force d'attraction baisse, une autre monte — mais la limaille ne reste pas amorphe. Et comme il faut bien que les « intellectuels » s'agrègent à quelque chose, ils iront là où l'organicité, donc les capacités d'organisation et de promotion, sont supérieures : les plus « ambitieux » aux media et au capital privé; les plus « scrupuleux » aux administrations d'Etat. La désorganisation de l'Université est la désorganisation historique de l'intelligentsia — c'est-à-dire sa réorganisation sous l'égide d'intérêts hégémoniques rivaux. Rumeur publique et murmures privés signalent, à l'intérieur même du champ universitaire, l'apparition de critères « insolites » dans l'allocation des crédits à tel ou tel laboratoire ou institut, des postes et des titres dans les centres ou établissements d'enseignement supérieur eux-mêmes : la plus ou moins grande visibilité sociale — ou surface médiatique — d'un chercheur, la résonance ou la répercussion dans l' « opinion publique » d'un axe de recherche, la position personnelle d'un postulant dans les appareils de diffusion de masse. Nous assistons à quelque chose de plus sérieux que le simple déplacement d'une hiérarchie institutionnelle (dans l'Université : assistant, maître-assistant, maître de conférences, professeur titulaire) par une autre, extérieure (dans les media : pigiste, chroniqueur, titulaire de rubrique, rédacteur, éditorialiste, rédacteur en chef). Nous voyons le corps universitaire, et de façon plus générale le corps intellectuel, se dessaisir lui-même de *sa propre logique d'organisation, de sélection et de reproduction,* pour épouser celle de la logique marchande inhérente au fonctionnement médiatique (déjà présente, mais en deçà du seuil critique, dans l'ancien marché éditorial). Logique dont on peut démontrer la rigoureuse incompatibilité, qui est plus exactement une *contradiction.* La réconciliation avec — exquise pudeur — la « société civile » c'est-à-dire avec les lois du marché (de l'offre et de la demande), a pour horizon la *normalisation publicitaire* qui s'applique déjà aux supports et au contenu de l'information de masse (presse, radio, télé) et peut aussi bien s'appliquer demain aux supports institutionnels de l'intelligentsia (dans la mesure où ils se distingueront encore des premiers). Pour le clerc, la dépendance à l'égard de l'Etat n'a jamais été un idéal; dépendre du marché de l'opinion, donc du plébiscite commercial comme validation morale et intellectuelle, risque d'être un cauchemar. En termes de rapport coût-bénéfices, au vu des origines historiques de cet Etat et de ce qu'ont pu en faire depuis un siècle les luttes petites-bourgeoises et ouvrières, la domestication par le capital risque d'être plus contraignante et plus humiliante que la domestication par une puissance générique et finalement peu tatillonne. On ne sache pas que le statut de la fonction publique ait jamais empêché Althusser d'enseigner Spinoza, Machiavel et Marx aux fonctionnaires-stagiaires de l'Ecole normale, ni Derrida, Malebranche ou Nietzsche, mais la société civile française étant ce qu'elle est (l'une des moins démocratiques du monde), qui peut assurer, s'ils devaient dépendre demain, par un biais quelconque, de Bleustein-Blanchet, Jacqueline Baudrier ou de la Fondation Peugeot, s'il ne leur serait pas vivement conseillé de changer de sujet et bientôt de profession? La philosophie (spécialement la matérialiste) non seulement fait baisser les taux d'écoute, tirages et budgets des annonceurs, parce qu'intrinsèquement ingrate, mais elle suscite de plus les protestations spontanées de l'immense *majorité* des auditeurs/lecteurs/clients parce qu'avec elle, comme chacun le sait, petit despote deviendra grand. (C'est *vrai* puisqu'on le dit « *partout* », à la radio, dans le journal et dans les dîners en ville.) — « Vous ne voulez tout de même pas, cher ami, que nos lecteurs se désabonnent, nos auditeurs tournent le bouton, nos annonceurs suspendent leur contrat? Que deviendrait notre " Fondation pour la liberté de l'Esprit " — sans compte en banque? »

De nouvelles forces productives d'idéologie sont nées, en aval mais paradoxalement au-dessus des anciennes. La grande bourgeoisie française va donc pouvoir se débarrasser de cet irritant calcul qui s'était formé au fil des ans autour des études « littéraires » (sociologie, philosophie, histoire compris), ce noyau dur de l'intelligentsia classique. Le Second Empire avait choisi l'expulsion brutale, par intervention chirurgicale directe. La V° depuis 68, s'aidant de la réorganisation du savoir et du déclin nécessaire des « humanités », préfère que le corps étranger parte en sable, au fil des jours, dans les urines. Vers d'autres champs de gravitation prévisibles et sans risques. Ainsi disparaîtra, par homogénéisation et dissolution, le dernier foyer d'indépendance logé au cœur des superstructures, et

qui devait pour beaucoup à sa cohésion organique et administrative son indéniable capacité de résistance (ou de contre-
offensive) morale et intellectuelle. Malgré adaptations et
aggiornamenti, armée, clergé et haute bureaucratie d'Etat
auront fait preuve, en comparaison, d'une insolite capacité de
résistance et subsistance dans leur être propre, en préservant
leur fermeture et leur autonomie d'institution. Contrepoids
bénéfiques pour la classe dominante, qui voit avec satisfaction
ces contreforts un peu vétustes remonter du fin fond de
l'horizon, renfort inespéré. Si et dans la mesure où la mort
de l'Université est un assassinat, on aura rarement vu victime
plus accueillante, à la limite de la jouissance. C'est la tragédie
des décadences que les acteurs sociaux, comme les héros des
tragédies grecques, collaborent avec ce qui les tue. Mais dans
le cas français il est à craindre qu'on ajoute aux traditionnels
cycles vicieux une petite note de veulerie — pour faire original.

Avec le noyau universitaire risque en effet de tomber en
poussière *une* morale, déontologie qui fait vestibule à *toute*
morale possible. Le canon pédagogique, en ce qu'il soumet
ses usagers à l'universalité d'un discours, sans faire acception
des personnes, postule l'égalité formelle du maître et de l'élève;
c'est une chose d'incriminer ce qu'il y a de mystificateur dans
ce formalisme; c'en est une autre de récuser l'égalité elle-même,
en brocardant le rationalisme des professeurs qui n'entendent
rien à la génétique. Dauber sur les régents de collèges et les
préfets des études — ce lieu commun des hommes de lettres —
c'est confondre sciemment les *règles* du discours critique avec
un *dogme* de la Raison; façon de se soustraire, sous prétexte
d'échapper aux médiocres préjugés des pions, aux *obligations
élémentaires de vérité*. « Honneur à ces vieux Maîtres de l'Université; ils étaient tout honneur et toute droiture; ils étaient
tout cœur et toute probité... » Elle sonne encore à nos oreilles,
l'antienne du jeune Péguy qui sut honorer sa jeunesse avant
de rallier Jeanne d'Arc, la glèbe et les âmes. « De tout leur
exemple, de toute leur âme et de tout leur cœur, il sortait une
perpétuelle fabrication de cette vertu, *credo colendam esse
virtutem*, qui seule fait la force des Républiques. » Cette
« niaiserie » fait aussi, et pour la même raison, la force des
socialismes, et si les vieux Maîtres ont changé de nom depuis
1904, la synonymie de l'éducation et de l'abnégation n'avait

pas jusqu'à hier substantiellement changé. Probité, obscurité, désintéressement : ces mots nous font sourire, mais la désuétude de ce vocabulaire renvoie au déclassement des pratiques scolaires, non l'inverse. Ceux qui ont eu la chance d'apprendre à penser au cours des années cinquante sur les bancs d'une classe de philosophie auront peut-être connu les derniers Socrate. Du moins pourront-ils jouer « la sonate des spectres » à leurs petits-enfants en leur racontant ce qu'était la morale de l'intelligence, du temps où les philosophes savaient encore un peu de philosophie et ne posaient pas pour *Paris-Match*. Ils murmureront à leur tour : « Honneur à Bachelard, Canguilhem ou Hippolyte! Honneur à Jean Wahl, Merleau-Ponty et Althusser! », et ils admireront par-devers eux cet inconscient relais des générations qui réduisait l'entropie du temps et remontait ses pentes. Rien ne s'oublie mieux que l'inoubliable, et « les immortels principes » meurent avant tous les autres. Par la stabilité de l'institution, l'enseignement a pu faire exception à la règle commune, en préservant au moins une poche à mémoire, réserve indienne pour l'éthique de vérité. Les indigènes, se reproduisant assez bien, vieillissaient moins vite que les colons. Rajeunissement du Maître par le Disciple et des disciples par leur Maître. Engendrement des classes, des khâgnes et des thurnes, qui permettait encore à un grimaud des années 1960, grâce à un professeur de Louis-le-Grand (Maurice Savin), ancien élève d'un professeur à Henri IV (Emile Chartier, dit Alain), lui-même ancien élève d'un professeur à Michelet (Jules Lagneau), d'avoir sous les yeux l'ombre portée d'un saint laïc né au lendemain de 1848 — « capable de vivre ce qu'il enseignait jusqu'à en mourir ». Il y a fort à parier qu'on ne distribue plus aujourd'hui aux lauréats du concours général « les Célèbres Leçons et Fragments » du fondateur de l'*Union pour l'Action Morale*, dont la Charte (*Revue Bleue*, 1892) stipule : « Nous nous interdirons *toute recherche de la popularité*, toute ambition d'être quelque chose. » Ou encore : « La nouvelle société ne vaudra que par la rigueur de son principe : nous tendons à réaliser l'unanimité : nous ne prétendons pas en partir. Ce qui ne nous empêchera pas de sympathiser activement avec tout ce qui sera fait dans tout parti, toute église, selon ce pur esprit, *sans souci de concurrence*. Que le mieux s'opère par nous ou par d'autres, peu importe : ce qui *mérite* d'être sera. » L'Action morale se voulait « ordre laïc militant du devoir privé et social ». Ne sourions pas trop vite de cet appel de professeurs « à tous les hommes qui consentent à subordonner leurs intérêts particuliers immédiats à l'accomplissement de ce qu'ils croient juste, bon et vrai ». Car c'est déjà, cinq ans avant, la charte des dreyfusards. Cet idéalisme est religieux. Il a donc fait des combattants. Ultraminoritaires et tenaces, ils seront les premiers et pendant des années les seuls à se dresser contre la sempiternelle trilogie que Thibaudet épinglait ainsi en 1927, dans la *République des Professeurs* : « Les intérêts, la Presse, Paris. » Il faut être un peu curé, c'est-à-dire petit soldat, pour refuser d'obéir à ces trois puissances toujours liguées depuis l'Affaire et plus puissantes aujourd'hui que jamais. Curé ou plus exactement : pasteur. Car le clergé universitaire, dont les professeurs de philosophie, toujours au dire de Thibaudet, étaient l'élite, ressemble plus à l'Eglise réformée qu'à la romaine [1]. Ce sont des protestants qui ont présidé à l'organisation des ordres d'enseignement sous la III° République (Buisson, Rabier, Steeg, Pécaut); ce sont des protestants qui lanceront, avant tous les autres, l'action révisionniste (Scheurer-Kestner, Pressensé, Gabriel Monod).

Quand le *professeur* décline, l'*auteur* remonte. Chez les enseignants eux-mêmes, tout comme dans la Cité. Vieille balance des valeurs intimes : en s'abaissant, le plateau des cours exhausse celui des publications. Contrepoint public du crépuscule universitaire : le retour de l'Académie. C'est-à-dire l'affaire Dreyfus à l'envers. Les Dreyfus d'aujourd'hui, — qui sont collectifs plus qu'individuels — resteront à l'île du Diable. Ceci n'est pas un pronostic mais un constat. Expliquons-nous.

La concurrence entre la Sorbonne et le Quai Conti relève d'une ligne de fracture séculaire. On se souvient que les intellectuels français se sont dressés, en tant que corps et substantif, sur le socle universitaire contre et malgré les académiciens.

---

1. « Il y a dans la vocation philosophique un principe analogue à la vocation sacerdotale. Quiconque a préparé l'agrégation de philosophie, même s'il est devenu maquignon parlementaire ou administrateur de banque douteuse, a été touché à un certain moment, comme le séminariste, par l'idée que la plus haute des grandeurs humaines est une vie consacrée au service de l'esprit, et que l'Université met au concours des places qui rendent ce service possible » (Albert Thibaudet).

Il y a là deux bases matérielles, deux familles spirituelles, deux camps politiques. Beaucoup s'en vont répétant que l'affaire Dreyfus a marqué le triomphe des « intellectuels », sans remarquer que la condition de ce triomphe fut la défaite des « écrivains ». La Ligue des Droits de l'homme contre la Ligue de la Patrie française, c'est la province contre Paris, les collèges contre les salons, les boursiers contre les héritiers (selon la terminologie de Thibaudet). C'est l'Université « allemande » contre la littérature « française ». C'est « la rue d'Ulm contre la rue Saint-Guillaume, la *Revue historique* contre *la Revue des deux mondes* » (René Rémond). La rive gauche contre la rive droite (celle des salons). C'est la corporation universitaire avec ses revues savantes, ses séminaires et *L'Aurore,* la brebis galeuse de la grande presse (logiquement acquise à l' « opinion », c'est-à-dire antidreyfusarde) contre l'Académie en corps (presque tout entière) escortée par la quasi-totalité des journaux parisiens et la totalité des salons littéraires (les « fabriques d'académiciens », comme disait Daudet). Telle fut la logique profonde d'un drame dont les acteurs s'appelèrent ici Barrès, Bourget, Lemaître, Coppée, et là Monod, Herr, Andler, Péguy. Plus que son éclatant ralliement à la Cause, la légende posthume de Zola a brouillé aux yeux de la postérité cette ligne frontière (dont le pointillé nous traverse encore par le milieu et que chaque crise nationale se charge de remplir). Zola en 1898 a été battu plus de dix fois et toujours d'humiliante façon à l'Académie française. Ce romancier populaire « de qui l'abondance fatigue l'attention sans que sa pensée trop superficielle arrive à intéresser »(Barrès), le prince de la Jeunesse ne le reconnaît que pour « une des forces commerciales de la librairie française ». Zola n'a pour lui (c'est-à-dire, à l'étage au-dessus, contre lui) que ses tirages et sa réputation à l'étranger. Mais en France, aux yeux de « tout ce qui compte » dans le monde littéraire, « Homais sur le Sinaï », c'est dépassé et vulgaire. Nous dirions : « ringard » — deux sens pour un mot. Chef d'une école naturaliste « démodée », déclassée par le roman psychologique montant (Loti, Brunetière, Bourget), Zola n'a ses entrées dans aucun salon digne de ce nom. Le « gros cochon » n'est pas un homme qu'on reçoit dans la société (voir fin du chapitre).

En tant que bataille intellectuelle, l'affaire Dreyfus a marqué une victoire de la basse sur la haute intelligentsia. Ou encore des « petits » sur les « grands » intellectuels. Un saint-simonien dirait : de la méritocratie sur l'aristocratie de l'Esprit. Un proustien préciserait sans nuances : du clan Verdurin sur le clan des Guermantes, encore que la « patronne » ait mis le temps pour se décider. Le sociologue Marcel Proust avait de quoi excuser ses atermoiements : « Les gens du monde étaient pour la plupart tellement antirévisionnistes qu'un salon dreyfusien semblait quelque chose d'aussi impossible qu'à une autre époque un salon communard [1]. » Les écrivains avaient été contre la Commune — sauf Vallès et Rochefort. S'ils ont eu alors le dernier mot — et quels mots! — c'est que le clergé universitaire, réduit à la portion congrue par le Second Empire, n'existait pratiquement plus en 1871 — ou pas encore [2]. Les écrivains ont été contre Dreyfus, et sans l'Université ils auraient eu, une fois encore, le dernier mot. Mais les auteurs-héritiers trouvèrent alors en face d'eux les professeurs-boursiers, parvenus méprisables mais consciencieux. Les héritiers trouvent le bon goût dans leur berceau, mais les boursiers obtiennent leurs bourses sur concours : bourses d'études, concours et examens se mettent précisément en place entre 1871 et 1898. Barrès avait flairé le danger dans « Les Déracinés », où il caricature son ancien professeur de philosophie, Jules Lagneau, modeste boursier de Metz d'origine paysanne (Alain, son élève, boursier aussi) sous les traits ignobles de Bouteiller. Et c'est bien les Bouteiller des lycées et facultés de province qui devaient l'emporter, en décrochant la révision, sur les grandes signatures parisiennes. « A Paris, note l'auteur de *La République des professeurs*, les grandes corporations de l'intelligence sont l'Académie, l'Institut, la littérature, le journalisme, le barreau : l'Université ne vient qu'à la suite et à un rang secondaire; l'instituteur, bien entendu, ne compte pas. En province, le professeur tient la

1. *Sodome et Gomorrhe*, Pléiade, tome II, p. 744. Voir fin de chapitre.
2. Quelques mots d'auteurs. Flaubert à George Sand : « Je suis partisan d'envoyer aux galères toute la Commune et de forcer ces sanglants imbéciles à déblayer les ruines de Paris, la chaîne au cou, en simples forçats » (novembre 1871). Théophile Gautier : « Je crève de la Commune. » La bonne dame de Nohant : « Une crise de vomissements. » Voir à ce propos *Les écrivains et la Commune*, de Paul Lidsky (Maspero). Pour les nuances, le *George Sand* de Francine Mallet (Grasset).

première place et au village, le curé enlevé, il ne reste que l'instituteur. »

Le camp du peuple est rarement « populaire » — au début. Le messianisme démocratique des hommes de la chaire n'est pas un électoralisme. Fort heureusement car sinon les professeurs n'auraient jamais été dreyfusards. Comme l'a dit un socialiste : « Le dreyfusisme ne fut jamais populaire en France. » Et « la rue » — jusqu'à la fin du procès de Rennes fut aux nationalistes. La mystique universitaire mise en Charte par Lagneau introduit à une mystique de l'impopularité, tout comme la mort de Socrate procède d'un vote « démocratique » : vérité et justice ne sont pas des valeurs majoritaires. L'idéologie du « bon sens français » mis en scène par Jules Lemaître et Barrès est ouvertement plébiscitaire, car elle s'appuie sur le consensus du « petit peuple de France ». Les intellectuels électoraux sont toujours ceux de la Haute. En ce sens, la modernité prémonitoire de l'affaire Dreyfus — cette guerre civile blanche — n'est pas à chercher dans l'ancestrale alliance de la plume, du sabre et du goupillon. La première « monarchie des professeurs » qu'avait été la Monarchie de Juillet (avec Guizot, Villemain et Cousin) s'était déjà heurtée à cette Sainte-Alliance : orléanistes contre légitimistes. Les gens de plume sont par nature gens de salon, et aujourd'hui comme hier ce qui s'appelle « le » monde réunit aux dames du monde le Quai d'Orsay et le Quai Conti. La modernité de l'affaire Dreyfus réside bien plus dans l'alliance passée entre la propagande mondaine et la propagande de masse, entre les salons de l'élite et la grande presse — alliance très tardivement et localement dénouée. En langage moderne : entre la HI et les mass média.

On ne dira jamais assez que, si l'Affaire fut une bataille de journaux, les dreyfusards ont accepté de se battre à un contre cent, parce qu'alors la vérité s'est battue contre l'opinion. Il n'existait pas, par chance, de sondages à l'époque, mais les tirages des quotidiens en tenaient lieu. D'un côté, *Le Petit Journal* (1 500 000 exemplaires), *La Libre Parole* (500 000 lecteurs), *L'Intransigeant*, *Le Gaulois*, *Le Petit Parisien*, *L'Echo de Paris*, auxquels s'additionne d'emblée et jusqu'à la fin la presse assomptionniste et catholique (130 millions de feuilles par an); de l'autre, *L'Aurore* (100 000 de tirage et 200 000 pour

J'accuse), auquel se rallient, à petits pas, des feuilles de deuxième et troisième plans (*Le Siècle, Le Radical, La Petite République* de Jaurès, etc.). La haute intelligentsia (« Paris ») rallie « la presse », donc « les intérêts » — car, sur le marché des opinions, le marché fait loi, et cette loi gouverne les directeurs d'opinion. Grands intellectuels et grand journaux virent ainsi de concert. En 1897, *Le Figaro* qui avait publié les lettres d'Esterhazy ne peut pas résister à une campagne de désabonnements, et opte pour s'incliner devant la raison d'Etat, car « l'opinion n'est pas avec lui » (d'où le départ de Zola pour *L'Aurore* du politicien radical Clemenceau). Un professeur d'université n'a pas de clientèle à satisfaire : il peut donc se permettre d'avoir une conscience. C'est pourquoi la majorité des professeurs a tenu bon dans la tempête, et la majorité des auteurs a pris le sens du vent. Les premiers tendent à l'unanimité, les seconds — à quelques exceptions près — sont contraints d'en partir. Tout se passe comme si la haute intelligentsia avait déjà repéré sa place et sa fonction modernes : prendre le parti des journaux contre les journaux de parti. La basse, elle, n'avait pas encore trouvé d'institutions collectives auxquelles s'accoter pour braver « l'opinion » : facultés et lycées lui ont néanmoins tenu lieu de partis et de syndicats [1].

En remarquant que *L'Action française* restait « le quartier général des littérateurs » de son temps, Thibaudet avait avancé l'idée, trois ans après le Cartel des Gauches, que « le métier d'écrivain fait fatalement rouler à droite celui qui l'exerce ». Tout comme celui d'économiste et de financier. Le mur de l'argent est toujours debout; le mur des lettres aussi. Et la gauche régulièrement se brise contre les deux. En France, le thermomètre de la Bourse a sa réplique dans celui des auteurs — lequel est en réalité un baromètre politique, plus riche en informations que le premier. Si les partis de gauche ont perdu la bataille en 1978, c'est qu'ils avaient perdu la bataille intellectuelle dès 1976 (sans même l'avoir *livrée* : paradoxe historiquement banal). L'indicible insuffisance des partis

1. Autre indicateur du rapport des forces; alors que la Ligue des Droits de l'Homme (fondée en février 1898) plafonne à 8 000 adhérents, la Ligue de la Patrie française (fondée en décembre de la même année) réunit d'emblée 100 000 signatures.

sur ce terrain ne leur enlève pas quelques solides excuses. La sournoise destitution du professeur apparaît comme l'une d'elles. Dix ans après 68, la gauche politique s'est retrouvée prise en tenaille entre les académiciens et les média — traditionnelle alliance des sommets — mais sans fortifications universitaires derrière quoi s'abriter, car l'ancienne citadelle avait glissé en plaine, cuvette arrosée par l'artillerie lourde des hauteurs. Ce Dien-Bien-Phu médiologique, aucun parachutage de dernière minute ne pouvait le sauver. Notre propos n'est pas ici d'ébaucher une histoire politique de l'intelligentsia, dont seules les prémisses médiologiques nous paraissent devoir retenir l'attention. Il est d'usage, surtout depuis l'Affaire, de ranger l'Académie « en gros à droite » et l'Université « en gros à gauche [1] ». Malgré l'apparence, les préludes du Front populaire ont confirmé la règle. En 1934, l'initiative et la présidence du « Comité de vigilance des intellectuels antifascistes » échoient à trois grands universitaires : Alain, Langevin et Rivet. Les « auteurs » ont suivi : Barbusse, Gide, Romain Rolland et des centaines d'autres, de bonne stature. Mais en 1935 la bataille intellectuelle pour ou contre l'Ethiopie oppose à nouveau en tête de liste la fleur de l'Académie et le gratin de l'Université. Lorsqu'on fera l'histoire des manifestes de l'intelligentsia française post-dreyfusarde; lorsqu'on examinera les trois appels-charnière qui se font à leur insu écho l'un à l'autre, parfois littéralement, à savoir : *Le Manifeste du Parti l'Intelligence* (*Le Figaro*, janvier 1919); *Le Manifeste pour la Défense de l'Occident et la Paix en Europe* (*Le Temps*, octobre 1935) et *Le Manifeste du Comité des intellectuels pour l'Europe des libertés* [CIEL] (*Le Monde*, janvier 1978), on s'apercevra que dans ce bavard et entêté combat de l'Esprit contre la Matière, de l'Occident contre la Barbarie, de l'Europe contre le Tiers-Monde, les signatures, la frappe et la terminologie des « auteurs » déplacent et déclassent celle des « professeurs ». La démarcation s'est encore vue, et plus gravement, sous l'Occupation allemande et devant la collaboration : face aux « chers maîtres » qui plient sans se rompre, les mandarins se tiennent droit dans l'ensemble, et souvent mieux que bien. Ce n'est pas

---

1. René Rémond, *Les intellectuels et la politique*, Revue française de science politique, décembre 1959. Paul Valéry, l'antidreyfusard perplexe qui versa son obole à la souscription Henry (« Trois francs, non sans réflexion ») recevra son bicorne. Gide et Proust, dreyfusards quelque peu en retrait, se garderont de finir à l'Académie lorsqu'ils seront devenus illustres, vingt ans après.

un hasard si les intellectuels martyrs sortent de la corporation (Halbwachs, Cavaillès, Politzer). Indochine, Algérie : le bastion de l'anticolonialisme est encore chez « les chers professeurs », tandis que l'Académie est tout à son dictionnaire. Pour sché- matiser la nuance (et irriter de bons esprits en la forçant quelque peu) : jusque fort avant dans l'après-guerre, un intel- lectuel de gauche c'est un professeur qui fait des livres; un intellectuel de droite, un écrivain qui fait le professeur. Indi- vidualiser une généralité, c'est peut-être produire un stéréo- type... à quoi l'on ajoutera que la fin des années soixante a quelque peu brouillé les cartes de la gauche et de la droite d'abord, des mandarins et des écrivains ensuite. D'un côté, les titulaires de chaires réagissent au déclassement de la corpo- ration par un réflexe corporatiste, spontanément oligarchique et réactionnaire; au moment où beaucoup d'écrivains descen- dent dans la rue et se mettent en Union. Mais l'hôtel de Massa n'est sûrement pas le Palais d'Hiver; alors que Nanterre-la- Folie en 68 c'est peut-être la Sorbonne de 98. Et la Coupole une fois de plus se déplaça aux Champs-Elysées. Bref, le jeu se joue encore. L'antithèse gît au fond de l'inconscient historique du corps intellectuel — fût-ce comme procédure rhétorique d'infériorisation et signal de distance entre auteurs eux-mêmes. Quand aujourd'hui à *Apostrophes* (décembre 1978), dans le dernier salon littéraire de notre temps (et le plus grand de tous les temps), Jean Dutourd, journaliste à *France-Soir* et nouvel Immortel, veut à la fin rosser Robbe-Grillet, sa nasarde s'enlève sur trois siècles de mépris : « Les professeurs sont de votre côté, vous avez la Sorbonne avec vous! » Les réflexes ont la mémoire longue. En 1658, au « Royaume d'Eloquence » de Furetière « la Princesse Rhétorique » livrait déjà le bon combat contre « le capitaine Galimathias » — « homme obscur et né de la lie du peuple ». Deux armées s'affrontent sur le plateau des Lettres. Galimathias commande à une Sorbonne babélienne et séditieuse où se mêlent l'humanisme de la Renais- sance et la pédagogie d'Aristote. La princesse Rhétorique, après avoir réuni « ses quarante barons en sa capitale d'Aca- démie », le mettra heureusement en déroute [1]. Un siècle plus tôt Rabelais ferraillait contre Sorbonagres et Sorbonicoles,

---

1. « La Nouvelle Allégorique ou Histoire des derniers troubles arrivés au Royaume d'Eloquence » (Furetière, 1658). Voir *Antoine Furetière, imagier de la culture classique*, par Alain Rey.

alors incarnation du « pouvoir ». L'absolutisme et Richelieu ont renversé les fronts. Aux dernières nouvelles, la Princesse se portait bien.

La droite, comme à l'accoutumée, ne fait pas de politique — l'Académie française non plus. La gauche ne s'est pas toujours contentée d'en faire : il est arrivé à la Sorbonne de *la* faire, en s'identifiant bel et bien à l'Etat. « La République des professeurs » est vieille de plus de cinquante ans : le livre paraît en 1927, et la chose en 1924. Comme Gambetta, Waldeck-Rousseau et Poincaré avaient donné un visage à la République des avocats, le triumvirat Herriot-Painlevé-Blum symbolise l'apogée du pouvoir universitaire. A mi-chemin de l'Affaire et du désastre, l'aristocratie du personnel enseignant coïncide avec celle du personnel politique. L'ENA est alors à l'ENS, qui fait coup double, en joignant à la magistrature intellectuelle le pouvoir d'Etat. La rue d'Ulm gouverne les esprits et administre les corps. « Tout se passe comme si, à l'époque, écrit Daniel Lindenberg, à la fonction manifeste de l'institution (former les agrégés qui seront l'élite des enseignants et des chercheurs) s'ajoutait une fonction latente (former les cadres de la scène politique [1] »). Impossible d'attaquer le gouvernement radical sans attaquer l'Ecole normale. La République bourgeoise a deux faces — pour être giflée des deux côtés. Maurrassien, Bourgin la cingle en tant que République : il dénonce, dans l'*Ecole normale et la politique*, les professeurs de révolution, les recteurs de la décadence, philosophes de l'anarchie et sociologues de la contrainte. Communiste, Nizan la taloche en tant que bourgeoise : avec « *Aden-Arabie* » et surtout *Les Chiens de garde*, « ces prêtres manqués » qui trahissent les prolétaires et démissionnent devant la peine des hommes. Eternel centriste, le maître d'école a l'habitude : depuis le temps qu'il tend la joue gauche à Vallès et la droite à Barrès...

Harangue généreuse, pamphlet où tout sonne juste, *Les Chiens de garde* constitue l'une des plus belles gaffes médiologiques de notre temps. C'est très exactement un contresens historique. Ce n'est pas la faute de Nizan, mais de la période intellectuelle qui devait suivre celle où il écrivait et qu'il

---

1. Préface à *De Jaurès à Léon Blum* (*L'Ecole normale et la politique*) de Bourgin, Gordon and Breach reprint.

ne pouvait, ce fut sa chance, prévoir. Le contresens fut de
l'histoire elle-même. Révolutionnaire, Nizan attendait la Révolution et travailla pour sa venue, jusqu'à en mourir. Mais
c'est la télé qui est arrivée à la place — déplaçant les corré-
lations brusquement à droite — faisant de sa droite notre
gauche. Si Nizan revenait parmi nous, il y a fort à parier qu'il
prendrait aujourd'hui la défense des chiens de garde. A travers
Brunschvicg, Boutroux ou Xavier Léon, Nizan attaquait Kant
au nom de Lénine, et prenait délibérément sur *La Revue de
métaphysique et de morale* le point de vue de *L'Humanité*. Mais
du point de vue de *Playboy*, de la pub et des spots, Kant et
Lénine, même combat. Xavier Léon et Paul Nizan, même débat.
Comme pour les Wizigoths encerclant Rome, les controverses
du forum entre tenants de l'Académie et descendants du lycée.
A distance, ces disputes entre deux philosophies signalent plus
une identité qu'une opposition de cultures. Car si l'on peut aller,
ou non, de Kant à Marx, il est certain que là où Kant a disparu,
on n'arrivera jamais à Marx. Abattre la philosophie bourgeoise,
c'était couper la seule voie d'accès possible à une autre qui
serait son dépassement. Comme un codex platonicien brûlé
rend sans objet un texte d'Aristote retrouvé. Quand le nazisme
est aux frontières, un voltigeur du communisme qui prend
la franc-maçonnerie pour ennemi principal ne témoigne pas
d'une perspicacité politique particulière. Il démontre d'abord
le sectarisme suicidaire de la « Troisième période » du Komin-
tern. En 1932, Nizan avait sans doute beau jeu de retourner
la morale de Jules Lagneau sous le nez de ses élèves alors au
pouvoir : il est bien vrai que le règne de la Raison est le règne
idéalisé de la bourgeoisie et que « les idylles de la philosophie
des Droits de l'Homme » couvraient hier comme aujourd'hui
les cris des hommes sans droits qui n'ont pas le privilège d'être
des Blancs d'Europe. Pour le reste, les vertus pédagogiques,
qui ne sont pas plus prolétariennes par elles-mêmes que pouvaient l'être la Ligue de l'Enseignement de Ferdinand Buisson
ou la Ligue des Droits de l'Homme de Francis de Pressensé
ou Victor Basch, commençaient bien évidemment à sentir
mauvais, faute d'aération sociale, démographique et institutionnelle. Nizan n'avait qu'un seul programme à opposer à
ces broderies de vieilles filles anémiques : ouvrir la Sorbonne
au vent d'est, qui semblait bien alors (y compris à André Gide)
l'emporter en fraîcheur et salubrité sur le vent d'ouest. Quant

au fond, il reprend l'immémorial discours des amoureux de la terre contre l'amant des nuées, du concret vécu contre l'abstraction des concepts — qui ne paraît pas correspondre à l'intention marxienne. Mais peu importe le court du programme et le flou de la théorie. L'important en définitive c'est que les mandarins de la bourgeoisie n'ont pas cédé la place à des savants prolétariens mais aux paillasses du Spectacle — ce qui donne une tout autre place historique aux frileux mandarins d'antan. Nizan critiquait la République des professeurs au nom d'une République des soviets à venir : mais celle-ci n'était pas ce qu'il en croyait, et les commissaires du peuple ont fait faux bond. En fin de compte, l'Université bourgeoise a sauvé l'honneur des intellectuels français sous l'affaire Dreyfus. Elle l'a derechef sauvé sous l'Occupation. Au temps des guerres coloniales. Quand il ne restera plus que l'Académie française et la télévision par satellites, qui ont partie liée, y aura-t-il autre chose que du déshonneur[1] ?

Faute de point d'appui historique, une critique de gauche de l'Université radicale-socialiste s'est donc mise à fonctionner à droite, et le cri du cœur s'en allait à son insu saccager un peu plus l'écosystème du socialisme, idée sociale fragile qui dépérit en même temps que les contraintes pédagogiques et la présence d'une société à ses propres archives. Le déclin concomitant de l'université bourgeoise et de l'autonomie ouvrière au sein de la société française, s'il ne vaut pas pour démonstration, n'est pas près de l'infirmer. La suite des temps, cette tragi-comédie, a finalement joué un vilain tour au Nizan matérialiste. Ce dernier se plaignait que le marxisme trouvât porte close à l'Université. Finalement, il a forcé les portes, mais pour son malheur car elles se sont refermées sur lui, en le coinçant dans un théoricisme et un formalisme savants auxquels il ne lui sera pas facile de survivre. Des activités théoriques marxistes rigoureusement non-opératoires ont donc cristallisé au pôle universitaire, laissant au mouvement ouvrier toute licence pour s'adonner au-dehors à des activités pra-

1. *Partie liée* : Contrairement à une idée reçue, il y a une parfaite congruence entre les célébrations académiques et les célébrations télévisuelles. Elles se superposent et se complètent, et pour cause : si la télé est une idéologie, l'Académie aussi, et c'est la même. Voir la liste des lauréats du prix de l'Académie française, section Essais; on y trouvera les plus « modernes », les moins « archaïques » des vedettes idéologiques du petit écran. L'institution académique n'a rien à craindre de l'institution audiovisuelle, qu'elle redouble en auréole : Cognacq-Jay/Quai Conti, même combat.

tiques rigoureusement a-marxistes. Vieux cercle vicieux, dont chaque arc reproduit l'autre. Mais il y avait tout au bout une flèche du Parthe : la baisse en puissance sociale des enseignants porte en elle-même la baisse en puissance idéologique du marxisme. La chute de la métaphysique mandarinale qu'appelait Nizan de ses vœux (et, au même moment, Politzer) s'est bien produite comme il l'espérait, mais sans se traduire par l'ascension de la dialectique matérialiste. Bien au contraire : le renversement de dominance médiologique entre les différents supports de l'intelligentsia a supporté un renversement de domination idéologique, qui met Nizan à la même place que Brunschvicg : tout en bas. Cette histoire n'a rien d'immoral. Le marxisme en France est aujourd'hui puni par où il a péché : par la chaire.

2. LE CYCLE EDITORIAL (1920-1960)

La culture vit de recréations, et tout ce qui permet une continuité rend possible une rupture créatrice. Disons-le tout de suite : nulle solution de continuité entre le premier et le deuxième âge. Le cycle que nous appelons « éditorial » naît en dérivation du règne universitaire, et, s'il devra secouer sa tutelle, c'est précisément parce qu'il s'était branché, au départ, sur lui. Pourquoi l'en détacher? Parce qu'indépendamment du milieu académique traditionnel, et nettement en marge du clergé universitaire, est apparu au début du siècle un « milieu littéraire » autonome, affranchi des contraintes du second et des préjugés du premier. L'histoire de ce microcosme — appelons-le provisoirement le milieu NRF —, *Les Cahiers de la Petite Dame* de Maria Van Rysselberghe nous en ont récemment restitué le livre d'heures, et la préface de Malraux à ces quatre volumes, rédigée du fond « d'une société dans laquelle les milieux littéraires n'existent plus » (Malraux, 1974), en dresse le testament. Ces « *Notes pour l'histoire authentique d'André Gide* », qui s'espacent sur trente ans (1918-1948), voyons-y une enquête de terrain sur la *gens* « auteurs », où la famille Gide, « le Vaneau » centre et sujet d'observation, peut servir de témoin ethnographique aux clans alliés ou collatéraux. Ce qui nous sépare de ce monde est désormais inséparable de ce qu'il fut en lui-même. Son *existence* s'impose pourtant à chacun d'entre nous, par-delà sa disparition. Si tout ce qui existe mérite de périr, le monde des lettres françaises n'a pas démérité.

Quand la Sorbonne a-t-elle perdu son *autorité* au bénéfice de la NRF? 1920? 1930? Le glissement ne fait pas de doute, mais les dates et les domaines d'autorité. Il n'y a pas de législature en matière de gouvernement des esprits, ni de territoires officiellement délimités. Les magistratures intellectuelles et morales sont plus diffuses et subtiles que les politiques. Mais quand l' « aura » du maître-à-vivre, culmination française du maître à penser, passe de Renan à Gide, après avoir nimbé Barrès et effleuré Bergson, il n'y a pas seulement changement de style, d'époque ou d'idiome, mais un autre régime de production symbolique qui déplace les autres. Dont le centre de gravité est l'*éditeur*.

L'esprit humain, à la différence de l'Autre, souffle où il *peut*. En plein vent, il s'évapore. Cloîtré, il s'étiole. En somme, il a besoin d'air et déteste les courants d'air. Difficile dosage de l'ouvert et du fermé, dont chaque travailleur intellectuel doit trouver pour lui-même la mesure, qui est alternance. S'enfermer pour produire; s'entrouvrir pour recevoir et émettre. Le recueillement spirituel veut la clôture : il est dans la nature des serviteurs de l'esprit de vivre entre eux — en cercle; la fonction intellectuelle, l'ouverture : si les cercles s'emmurent, sans échappées sur le dehors, l'intellectuel ne peut plus remplir sa fonction sociale de communication, le clerc redevient moine. Cette quadrature du cercle, dans quelque régime politique et social que ce soit, n'admet de solution que boîteuse. L'intelligentsia française semble néanmoins s'être donné, à mi-parcours (dans la médiane du développement capitaliste), le moins mauvais des indices de fermeture possibles avec la *maison d'édition*, celle qui offre à une famille d'esprit un toit, des murs et surtout des fenêtres. L'entreprise d'édition comme simple maison de commerce existait déjà, et aucune ne manquait au départ de personnalité, voire de combativité — comme le républicain Hetzel (1838) qui édita Jules Verne. La maison Hachette naît en 1826 (Zola y tra-

vaillera comme employé et chef de publicité), Plon en 1854, et
Lemerre s'est rendu fameux (et riche) en éditant les Parnas-
siens. Mais l'éditeur comme label tutélaire, *meneur de jeu* et
source propre de légitimité, apparaît peu avant la Première
Guerre mondiale. Bernard Grasset fonde sa maison en 1907
et les écrivains de la NRF fondent la maison Gallimard en
1910[1]. Dans ce dernier cas, c'est la revue qui a fabriqué l'éditeur, non l'inverse. Gide, Schlumberger, Drouin, Copeau,
Rivière avaient en effet fait paraître par leurs propres moyens
une trentaine de numéros de la Nouvelle Revue Française (le
premier date du 15 novembre 1908) lorsqu'il se mirent en quête
d'un gérant un peu mécène, et tombèrent sur Gaston Gallimard, fils du propriétaire du théâtre des Variétés. L'histoire
de cette cooptation indique assez que, pour la grande édition
de cette époque, l'intendance suivait au lieu de précéder.
L'hégémonie éditoriale, symbolisée par le sigle Gallimard,
durera jusqu'aux années soixante, à partir desquelles « le
monde de l'édition » perdra l'initiative économique et intellectuelle. Cessant de polariser le champ magnétique de l'intelligentsia littéraire, il sera désormais polarisé lui-même par un
tout autre système de gravitation.

Publier (« *publicare simulacrum* » : ériger une statue sur
une place publique), c'est mettre à l'encan. Editer (de *edere* :
accoucher), c'est mettre au monde. On publie des livres mais
on édite des auteurs. La nuance n'est pas nulle mais ne peut
faire oublier qu'il n'y a pas d'édition sans publication, ni
publication sans prostitution (« *publicare corpus* » : se pros-
tituer). Elle est néanmoins suffisante pour assurer à l'éditeur
une ambivalence avantageuse aux yeux de « l'homme public »
qu'est l'auteur : c'est à la fois son proxénète et son amant de
cœur. Le premier trouve des clients pour son protégé en le
défendant contre ses voisins et concurrents, moyennant un
bon pourcentage sur les passes. Le second reçoit ses confidences, épanche ses peines et ses espoirs. L'auteur loue à
l'éditeur, par contrat, non son corps mais son esprit, l'éditeur
paye l'imprimeur pour donner un corps typographique aux
productions de cet esprit, et le libraire réalise la vente du

1. Voir Gabriel Boillat, *La librairie Grasset et les lettres françaises,
Les chemins de l'édition* (1907-1914) (1974, Honoré Champion éditeur) —
descriptions et anecdotes captivantes. Et, bien sûr, la thèse admirable d'Auguste
Anglès, *André Gide et le premier groupe de la NRF* (1890-1910), Gallimard,
1978.

produit. Dans ce quatuor, l'éditeur est historiquement le dernier venu, l'auteur ne le précédant que de peu.

Une couverture de livre aujourd'hui, c'est trois indications juxtaposées : un titre, un nom d'auteur, un nom d'éditeur. Le premier seul est indispensable; il a pu se passer des deux autres. Du XVI⁰ au XIX⁰ siècle les livres se sont faits sans « éditeur ». Il s'en est aussi imprimé beaucoup, à la même époque, qui n'avaient pas d'auteurs : almanachs, missels, fabliaux, Vies des Saints et des Héros, etc. Michel Foucault a avancé un jour de stimulantes propositions sur l'apparition et la disparition de la fonction-auteur dans les discours occidentaux du passé, avec les espaces de vérité et les types de circulation qu'elles induisent selon les époques et les catégories d'énoncés [1]. A ses deux bornes extrêmes, le discours moderne se passe encore de nom d'auteur : en haut, dans les discours scientifiques, et en bas, dans les paroles populaires. Comme si les plus denses dépôts d'intelligence réclamaient l'honneur de l'anonymat : les histoires drôles et les slogans-graffiti n'ont pas plus d'inventeur que les proverbes, contes et épopées de jadis. Quand « les murs ont la parole », c'est comme pour les labos : ils ont le droit d'être apocryphes et le devoir d'omettre toute indication de nom d'auteur. L' « attribution à » vaudrait ici pour désenchantement, et là pour restriction. La vérité scientifique est comme la poésie de demain : faite par tous et par personne. En attendant, si l'absence du copyright peut avantager les éditeurs d'histoires drôles et de Bourbaki, les œuvres personnelles restent de meilleur rapport. L'anonymat, en matière littéraire, est devenu un ruineux contresens, à moins que ce ne soit une devinette permettant de vendre plus. L'auteur s'évanouit donc aux deux extrêmes de l'autorité textuelle, mais dans l'entre-deux s'étend l'immense plage des œuvres « moyennes », qui réclament un auteur et attendent un éditeur.

Avant Gutenberg, elles n'avaient besoin que de copistes Après, d'imprimeurs, lesquels écoulent directement leur pro duction ou la distribuent à des libraires. Il y a des libraires-imprimeurs, des imprimeurs-libraires, des libraires-marchands

---

1. Bulletin de la Société française de philosophie, séance du 22 février 1969 : *Qu'est-ce qu'un auteur?*

— assemblés rue Saint-Jacques en une seule et même corporation sévèrement réglementée d'abord par l'Eglise, ensuite par l'Etat. Les progrès techniques de l'imprimerie, joints à l'élargissement du public en augmentant les possibilités de tirage, accroissent à la fois les capacités de profit et la complexité du procès de travail : d'où la nécessité d'une coordination centrale unissant les tâches techniques aux commerciales. Comme *entreprise industrielle*, intermédiaire entre l'*imprimeur* (technique) et le *libraire* (commerce), l'éditeur apparaît dans la deuxième moitié du XVIIIe siècle. La Révolution bourgeoise émancipe à la fois l'édition en supprimant la corporation des libraires, et les auteurs, en leur reconnaissant par la loi de 1793, qui règlera pendant près de deux cents ans les rapports entre auteurs et éditeurs la propriété littéraire. Comme *institution juridique*, l'éditeur est officiellement imposé par une loi de Napoléon exigeant pour toute publication un « *éditeur responsable* ». Encore aujourd'hui, c'est l'éditeur et non l'auteur qui, en cas de procès pour diffamation ou interdiction par les pouvoirs publics, est inculpé principal, passible d'amendes et de peines. Peu à peu, l'éditeur acquiert son autonomie, rejette sur ses marges l'imprimeur et le libraire, et, en 1892, le Cercle de la librairie se scinde en une Chambre syndicale des libraires et le Syndicat national des éditeurs [1]. De relais, l'éditeur devient le pivot du processus de production littéraire. Les bases de l'édition comme *foyer d'attraction culturel* sont ainsi jetées à la fin du siècle.

Après l'explosion des années 1880, marquée par les tirages considérables de Zola, de Maupassant, de Renan (*La vie de Jésus* : 60 000 exemplaires en 6 mois), l'édition retourne à l'apathie. Le reflux commence en 1890 et ira jusqu'aux alentours de 1910 : 2 000 exemplaires constituent alors pour un roman un bon tirage (tout comme dans les années 1820-1835). Maupassant se plaint de la mévente [2], Péguy lutte aux *Cahiers de la Quinzaine* contre les échéances [3] et Claudel se plaint à

1. Voir Syndicat national de l'édition, *L'Editeur, pourquoi?* (Cercle de la Librairie, 1977.)
2. « Nous sommes en pleine crise de librairie. On n'achète plus de livres. Je crois que les réimpressions à bon marché, les innombrables collections à quarante centimes jetées dans le public tuent le roman » (*Lettre à sa mère*, 1890).
3. « Vous ne trouverez pas à Paris un seul éditeur qui se résolve à lancer un jeune homme, un homme inconnu, un homme ignoré. Un homme sans nom. Ce que fit l'ancien Michel Lévy pour le jeune Ernest Renan; inventer,

Gide, peut-être du fin fond de la Chine : « Le commerce des livres me paraît dans un état barbare et inorganique. » Pour les auteurs sans succès garanti, impossible de trouver un gîte sans bourse délier. L'édition à compte d'auteur est inévitable : c'est le lot de Gide jusqu'à *L'Immoraliste*, de Ségalen jusqu'à la fin de sa vie, de Proust jusqu'à la guerre.

Bernard Grasset fera déjà une petite révolution dans les milieux « avancés » en proposant de prendre sur lui les frais d'envois et de services (comme il fit au départ avec Proust). Verlaine en 1890 a vendu 350 exemplaires de ses poésies, les *Pages* de Mallarmé (1891) ont été achetées par 325 personnes. Gide n'atteint pas les cinq cents, et les trois premiers tirages d'avant-guerre de *Du côté de chez Swann* ont totalisé 2 200 exemplaires vendus : Proust n'est pas du tout mécontent de ce demi-succès.

Cette étroitesse du public lettré, le groupe de la NRF a commencé par la revendiquer avant de la faire éclater. Car la grande presse est, par contraste, plus que florissante (2 000 périodiques à Paris en 1890) et elle a mis en touche la littérature pure en normalisant et popularisant la production académique, ses sous-d'Annunzio, ses Edmond Rostand et ses Octave Mirbeau. Gide et les siens se rebiffent « contre le flot suffocant d'abjections que déverse sur notre pays le journalisme. » Le numéro 2 de la NRF affiche (1909) « la prétention de lutter contre le journalisme, l'américanisme, le mercantilisme et la complaisance de l'époque envers soi-même » — programme qui ne déparerait pas l'an 1979. « France littéraire de 1909 : académisme, parisianisme, opportunisme... » : l'hommage posthume rendu par Saint-John Perse à l'action de Gide — « les faussaires dénoncés comme des concussionnaires, les rhéteurs démasqués, les mages confondus, les parasites éconduits et l'indigence découragée » — rappelle la véritable *sécession* que dut opérer le groupuscule qui allait devenir, selon le mot de Mauriac, « la rose des vents de la littérature du XXᵉ siècle ». La religion du fait littéraire ne pouvait aller, au début, sans une certaine jalousie d'Eglise qui fera la force de Gaston Gallimard; la force de Bernard Grasset, plus individualiste, et dont l'entreprise gardera toujours l'éclectisme du café

lancer un homme, innover une firme, une signature, lancer complètement quelqu'un d'inconnu, le risquer, jouer sur lui, complètement à découvert : voilà ce que nul homme aujourd'hui ne ferait. »

Vachette en 1900, lui vient de son culte du talent. Grasset, c'est le café-salon; Gallimard, le salon-chapelle. Le premier veut élargir par la publicité un public que le second écrème par la sobriété. Grasset s'était signalé dès ses débuts par la mise en place d'un système de promotion, dont il fut l'inventeur sur le marché littéraire : publicité verbale et mondaine, publicité de presse et payée, démarchage et affichage. Jusqu'alors le succès d'un auteur n'était confié qu'à ses livres, et Alfred Vallette, l'éditeur du Mercure de France, résumait la conviction générale en un dilemme tranquille : « Je ne fais jamais de publicité pour les ouvrages que j'édite. Ou ils sont mauvais et c'est bien inutile de faire quelque chose pour les sauver. Ou ils sont bons et finissent par s'imposer tout seuls. » Par amour de l'art, Grasset étrenne le bluff (« la publicité, c'est l'audace de proclamer acquis ce que l'on attend »), le forcing, l'enveloppe, la remise, le livre-cadeau, la prospection, etc. Ce qui ne l'empêche pas de dénicher et garder Giraudoux, Mauriac, Radiguet, Morand, Cocteau, Giono, Cendrars, Rilke, Ramuz, etc.; et les *Cahiers verts* de Daniel Halévy dans le premier après-guerre ont longtemps contrebalancé « la couverture blanche » de la NRF. Si cette dernière eut finalement l'avantage, c'est que, représentant un groupe de conjurés, elle fut à même de faire école. L'imprimatur NRF, c'était l'adoption par une famille, sinon l'incorporation à un ordre. D'où les ralliements in extremis de Proust (malgré les premières rebuffades) et de Martin du Gard, qui, après s'être vu refuser son *Jean Barois* par Grasset, s'en alla trouver Gide : « La phalange de la NRF m'offrait tout à coup autre chose : une accueillante famille spirituelle dont les aspirations, les recherches étaient semblables aux miennes et où je pouvais prendre place sans rien aliéner de mon indépendance d'esprit [1]. » La volonté de succès public incitait Grasset à refuser des œuvres de combat et d'avant-garde, que la NRF appelait par familiarité d'esprit, comme si elle prêtait plus d'intérêt à l'avenir des idées et des formes qu'à leur présent.

L'apogée du magistère éditorial, qui relaye et prolonge, sans cassure, celle de l'Université, marque l'âge d'or de la pensée française. C'est l'harmonie des étés calmes : épanouissement, équilibre, maturité. L'âge d'or — « celui où l'or ne régnait

---

1. Cité dans Gabriel Boillat, *Deux erreurs de Grasset*, p. 123.

pas encore » — s'est ouvert en priorité à ceux qui avaient de l'argent. Parce qu'il était plus difficile qu'aujourd'hui d'y faire fortune, on entrait plus facilement dans « le milieu » avec un patrimoine : qu'on fût propriétaires terriens comme Gide, Claudel, Mauriac, grands bourgeois comme Schlumberger, Rivière, Larbaud, fils de bonne famille comme Martin du Gard et les autres. *Aurea mediocritas* des bonheurs bourgeois. Entre l'ascèse cléricale et la vulgarisation marchande, entre l'aridité des longues marches érudites et les spasmes inféconds de l'actualité. Age de mesure classique (en qualité comme en audience), de bon goût et de nuances. « Tout cela d'un goût exquis, évidemment » : ces derniers mots tracés par la main de Gide mourant, au bas du manuscrit de *Ainsi soit-il*, pourraient lui servir de devise rétrospective. Ce monde est sereinement, presque fièrement bourgeois, mais la République des lettres, conservatrice et libérale, ne répugnait pas à l'audace gauchisante et savait prendre, en cas de péril, ses responsabilités civiques, sans tapage et non sans lucidité (Gide et l'URSS). C'est l'honneur de cet humanisme d'avoir été plus pratique que théorique : il fut autant dans la manière que dans l'idée, comme il sied à un âge où prévalaient ces « bonnes manières » que la télévision et les media (au sens mass media, création postérieure), écoles d'impolitesse et fabriques de m'as-tu-vu, ont depuis liquidées. Comme il sied aussi à un groupe (la NRF) dont l'unité n'était pas idéologique mais *tonale* (ce ton renvoyant évidemment à une certaine idée de l'homme et de la société). Le cercle de famille tient plus du clan que de la clique, et si le distinguo en vaut la peine, il faudrait l'appeler, selon les vieux canons, une *aristocratie* intellectuelle (« qui exerce le pouvoir dans l'intérêt général »), par opposition à la haute intelligentsia d'aujourd'hui qui, exerçant le pouvoir à son propre profit, mériterait plus le nom d'*oligarchie*. En dernière analyse, le patriciat gidien, accueillant aux novices et aux explorateurs, n'a pas abusé à son seul avantage de sa situation de quasi-monopole. Sans doute le milieu s'entendait-il à préserver sa clôture, en partie imposée (par une grande presse d'informations qui, consacrant fort peu de place au littéraire et au culturel, suscitait par contrecoup une profusion de revues spécialisées mais de bonne écoute), en partie revendiquée (comme recul moraliste sur le temps qui court et condition du labeur esthétique).

Plutôt que de raconter ou de décrire — c'est-à-dire de recopier (car ce monde a passé son temps à se raconter et se décrire, mais sans tambour ni trompette, métaphores ni métonymies), essayons de dégager ses soubassements. Le grand monde des Lettres — celui dont la religion est la littérature — ne peut pas être trop grand, car qui dit religion dit famille, faisceau, pacte — donc démarcation. Celle-ci n'a pas tourné à la ségrégation, grâce aux passerelles tendues par les grands hebdomadaires littéraires (*Les Nouvelles Littéraires* sont fondées par Larousse en 1922, sous la direction du frère de Roger Martin du Gard); à la diversité des positions et des tempéraments; et aux constantes sollicitations de l'événement, filtrées mais jamais ignorées (congrès des écrivains de 1935, etc.). Mais, plus profondément, la cohésion de ce monde multiple et dense que Gide a allégorisé pendant un bon quart de siècle vient peut-être d'une coalescence, d'une alliance fragile, momentanée et productive, entre trois branches ou trois fonctions généralement opposées et rivales : celle de critique; celle d'auteur; celle d'éditeur. Si la formation d'un monde est un miracle, c'est-à-dire un hasard — rencontre fortuite de séries causales nécessaires —, l'harmonie de celui-ci est le produit de cette superposition. Jamais comme alors la distance ne fut plus réduite entre le producteur (l'écrivain), le filtreur (la critique de revue ou de journal) et l'entrepreneur (l'éditeur). On dira, pour rompre le charme, que l'artisanat littéraire a alors vérifié par avance une loi d'économie industrielle selon laquelle la productivité d'une branche s'élève au fur et à mesure que se rapprochent le niveau des prises de décision et celui des mises en application, ou encore celui de l'encadrement et du travail effectif. La NRF a représenté cette fusion des trois instances de production, de diffusion et de consécration — aujourd'hui dissociées, ou plutôt la fusion s'est alors opérée à l'échelon et selon les normes des producteurs, alors qu'elle s'opère aujourd'hui à l'échelon et selon les normes des diffuseurs. La plus efficace des prépublications, qui se fait à présent dans les hebdos, se faisait alors dans les revues — la NRF de 1930 jouant le rôle du *Nouvel Obs* de 1970. *Le Temps perdu* et *La Condition humaine* ont été publiés par livraisons à la NRF avant d'être édités en livre, puis consacrés publiquement. La maison Gallimard — et ce sera son mérite aux yeux de l'Histoire — aura permis à « un esprit » de se donner son propre corps industriel et typographique, avec pouvoir de décision sur les incorporations. Du début des années vingt au début des années soixante, d'André Gide à Queneau et Marcel Arland, en passant par Malraux (employé de la maison), Drieu (mort à la tâche), et Sartre (salarié de la maison), les animateurs et les promoteurs d'une culture ont coïncidé dans les mêmes bureaux et les mêmes pages. Les spécialistes furent leurs propres vulgarisateurs; les Lettres françaises ont eu la faculté de produire leurs media et choisir leurs supports : aujourd'hui que s'est consommé le divorce des décideurs et des décidés, de la diffusion concentrée qui décide et d'une production diffuse qui consent, ce n'est pas sans nostalgie qu'on se retourne sur ce passé; prêts déjà à en oublier le douillet et le facile, et à tempérer le refus des castes par l'hommage aux virtuoses. Quand le circuit productif finit par ressembler à un cercle de famille, quelque chose de malsain commence sans doute à vicier l'air; peut-être fallait-il briser les carreaux. Encore qu'on puisse trouver plus de vertu comique que mélodramatique au spectacle d'antan, élégant vaudeville qui montrait chaque année un jury-Gallimard décerner le prix Goncourt à un auteur-Gallimard, préalablement intronisé par la revue Gallimard. « A la scène comme à la ville », on restait entre soi, les gens du métier. Les « sociétés d'admiration mutuelle » se sont depuis élargies à la dimension nationale de la grande information.

Un critique a une audience; un auteur, une œuvre; un éditeur a — quoi? Des auteurs. Il est l'auteur de ses auteurs, sa maison est son œuvre. La preuve : il lui donne ordinairement son patronyme, et en « défendant ses auteurs » l'éditeur, comme dit Robert Laffont, « défend son nom [1] ». Le nom de l'éditeur joue, médiatement, comme nom d'auteur — auteur au carré. Encore lui faut-il, à ses côtés et en surplomb, les auteurs au cube que sont ces Socrate du texte qui préfèrent accoucher une génération d'hommes illustres plutôt que de s'illustrer eux-mêmes, et qui étaient à une entreprise d'édition ce que sont aujourd'hui les éditorialistes à un journal. Du temps où éditer ne signifiait pas imprimer, mais imprimer une direction et s'y tenir — ces magistrats de l'ombre étaient indis-

---

1. Voir *Robert Laffont, éditeur,* collection « Un homme et son métier » (Laffont, 1974).

pensables à la vie des Lettres, un peu comme avait pu l'être un Lucien Herr aux chefs du socialisme français, du temps où le socialisme n'était pas une élection mais une idée. Pour que certains hommes réussissent ce qu'on appelait « une œuvre », doivent se tenir non loin d'eux, tutélaires et attentifs, d'autres hommes sans œuvre, soit qu'ils choisissent de n'en pas avoir ou bien de n'en pas faire montre. Ces mentors ne sont pas seulement des critiques littéraires car ils ne gardent pas rancune aux auteurs et ajoutent à la faculté de juger la passion du don. Desjardins, Rivière, Groethuysen : ces hommes secrets ont eu l'âme missionnaire, au point de se sacrifier à leur mission, et ce travers leur a valu des disciples pour la vie. Ils ont griffé leur temps à travers leurs amis, sans jamais sortir leurs griffes. Un Jean Paulhan s'apparentait certainement à cette étrange famille (dont Berl et Queneau furent peut-être des cousins émancipés) sur laquelle un historien de l'esprit devra bien un jour s'interroger. Héroïsme de ces sages; générosité de ce stoïcisme. En tout cas, pour que ce consistoire clandestin de l'esprit du temps ait pu régler, produire, ne serait-ce qu'influencer comme il l'a fait, il fallait qu'il ne fût pas soumis à l'impératif industriel de rentabilité. Si ces éditorialistes du « Zeitgeist » (qui signaient de leurs initiales, pas de leur nom) n'avaient pas été en mesure de récuser dans le principe et dans les faits les critères de diffusion, c'est-à-dire du succès immédiat, la logique de la recherche intellectuelle, esthétique et morale aurait été aussitôt supplantée par la logique mass-médiatique de la *recherche d'audience maximale*, et l'invention des numérateurs du futur aurait par conséquent cédé la place au plus petit dénominateur commun du moment. Les directeurs eussent été dirigés; au lieu d' « informer » leur temps, ils eussent été, comme la plupart de leurs homologues d'aujourd'hui, « informés » par lui. Bref, ils auraient passé leur vie à pousser devant eux le wagon de queue affublé de l'écriteau « avant-garde ».

En 1945, les universitaires reviendront en force dans l'intelligentsia littéraire, et la famille des Sartre semblera déplacer brutalement « la famille Gide » et ses branches alliées. Mais l'une et l'autre, malgré une assez nette différence de *ton*, procédaient finalement d'un même tronc, s'ancraient à la même origine : Pontigny. Ce haut lieu mitoyen, qui jouxte les âges,

les clans et les hommes, pourrait servir d'emblème à toute la
période, arc de voûte embrassant dans la même accolade Jules
Lagneau et Jean-Paul Sartre, le spiritualiste moqué par Nizan
et l'existentialiste compagnon de Nizan. Embrayeur et secrète
clef de voûte : Paul Desjardins [1]. Ce professeur de philosophie,
clérical dans l'âme, dreyfusard par vocation, emmerdant et
guindé par obligation (au dire de ceux qui l'ont connu), qui
fut l'ami de Bergson et Jaurès à la rue d'Ulm (dans la fameuse
promotion de 1878), meurt en 1940. Il a fondé avec Lagneau
l' « Union pour l'Action Morale », rebaptisée par lui, en 1905,
« Union pour la Vérité », et fait l'acquisition peu après de
cette abbaye cistercienne laïcisée dont il se fit le grand bedeau
et qui servit de rond-point, chaque été sous la charmille, à
tout ce qui comptait en fait d'intellectuels européens. Desjardins, trait d'union personnel entre l'Université et les Lettres,
réunit là, dès la première décade en 1910, le haut état-major
de la NRF, qui y tint régulièrement ses assises jusqu'à la fin.
Qui n'est pas venu là, à la belle saison, dire son mot et entendre les autres? Dans l'album de photos, aucune tête ne manque : Martin du Gard, Gide, Schlumberger, Maurois, Rivière,
Charles du Bos, Mauriac, Malraux, l'étudiant Sartre, Edmond
Jaloux, Focillon, Bachelard, Jankelevitch, Fabre-Luce, Martin-
Chauffier, etc. Société de Blancs, d'Européens, d'hommes
(proposition de règlement officiel faite par Gide à Desjardins :
« On tolère les ménages, c'est-à-dire que la femme accompagne
son mari. On n'invite pas les femmes seules »), adultes, bourgeois, oisifs, « normaux » (ou taisant les « déviations »).
Société dont Clara Malraux, qui y « accompagna son mari »,
non sans efforts, en 1928, a admirablement dépeint les
contraintes et les limites :

> « *Selon André, ce lieu où soufflait l'esprit devait être, tel le mont*
> *Athos, réservé à la masculinité (...) L'endroit alors s'atteignait par*
> *le train.*
>   *La gare se trouvant à quelques kilomètres de l'Abbaye où se*
> *déroulaient les festivités de l'esprit, M. Desjardins venait à pied*
> *au-devant de ses hôtes (...) Visage de saint un peu démoniaque,*
> *allongé par une barbichette grise, légèrement démodée (...) A l'écart*
> *de nous marchait une bonne partie de l'intelligentsia française,*
> *pourvue de cols hauts, de cravates, de bottines (...) Et elle ajoute :*
> *(...) Aucun de ces hommes n'avait jamais accompli un geste illégal.*
> *Leur vie entière était une non-remise en question des règles trans-*

---

1. Voir *Paul Desjardins et les Décades de Pontigny* (PUF, 1964).

mises par leurs prédécesseurs. Leurs débats avaient lieu avec de plus hautes instances que celles que nous affrontions. Car enfin Pontigny était né de l'Union pour la Vérité, l'Union pour la Vérité était née de l'affaire Dreyfus. Depuis lors, ceux qui se réunissaient rue Visconti ou dans l'Abbaye se posaient des problèmes éthiques sous un angle chrétien, teinté parfois d'un discret socialisme guesdiste, éclairé d'humanisme. La guerre, la révolution russe, le colonialisme suscitaient peu d'angoisse en eux : pour la plupart la cause des Alliés était d'une pureté virginale, le communisme, l'intrusion des barbares dans un monde ordonné, la présence des Blancs en Asie et en Afrique, une nécessité de civilisation. A quel moment s'aperçoit-on que la maison va s'effondrer? Les fissures se montraient à peine. Les hommes de pensée, en France, savaient que les civilisations sont mortelles, mais le même Valéry qui avait constaté ce fait approuvait qu'on tirât sur les grévistes de Fourmies. Et, continue-t-elle : Très peu de ceux qui en cette année 1928 résidèrent avec nous dans l'Abbaye avaient franchi le seuil de l'Europe — en étaient-ils même? De ce qu'avait produit l'Asie, seule la mystique les intéressait. Qu'ils en eussent conscience ou non, leur vrai débat continuait d'être avec les spiritualités. Desjardins aspirait à « rouler sous la Sainte-Table » — il y roula au cours de la seconde guerre. Le prototype qu'il souhaitait incarner était tout monastique, précisé peut-être par la cathédrale qui, reliée à elle par ce qu'il restait du monastère, surplombait la maison d'habitation, la grande salle romane, réfectoire des moines où nous prenions les repas, à l'étage supérieur la bibliothèque où l'on se recueillit parmi les livres [1]...

Sur le chemin qui aura mené en l'espace d'un siècle l'intelligentsia bourgeoise du sacerdoce au hit-parade, entre le cloître normalien des années 1880 et les studios de variétés des années 1970, la halte de 1925 à Pontigny n'aurait-elle pas quelque titre à rester malgré tout dans les mémoires comme une image d'Epinal — si tant est que l'espèce puisse encore disputer à l'actualité quelques lambeaux de son passé? Le *la* de la période s'est donné dans ce cloître encore mal banalisé. Ce qui frappe le plus dans le grand ton d'alors, à mi-chemin de la solennité ecclésiastique d'avant et des stridences publicitaires d'après, c'est qu'il fût d'aussi bon ton. Comme si cette haute intelligentsia avait dû à cette respectabilité bourgeoise légèrement ridicule le respect qu'elle avait d'elle-même et d'autrui. Plus qu'un salon, moins qu'un forum, ce « salon-forum » bourguignon paraît avoir procuré un optimum acoustique à des échanges courtois et nuancés, dont personne ne cherchait à faire commerce, ni à tirer d'autre profit que celui, tout intérieur et personnel, d'aiguiser ses idées à celles des autres. L'émulation interne suffit, les voix ne se préoccupent guère

1. (Voici que vient l'été, *Grasset*.)

de l'écho qu'elles auront ou non à l'extérieur des enceintes. C'est le ton XIXᵉ (dont le milieu a aussi gardé l'habitude de se lire l'un à l'autre les manuscrits) — la causerie ne s'appelle pas encore « colloque », ni la réunion « séminaire ». La cotation des valeurs, à l'intérieur du groupe, n'est pas indexée sur la Bourse aux opinions. Seuls des privilégiés ont accès à la corbeille mais ce qu'ils sont conviés à y disposer est moins un capital social personnel (origine, renom ou relations) qu'un capital culturel (qui dérive bien entendu du premier mais sans s'y réduire).

Sans doute Pontigny n'a-t-il pas disjoncté — ou pas tout à fait. La fille de Desjardins, Anne Heurgon-Desjardins (aujourd'hui décédée) a relancé après la guerre les Entretiens d'été à Cerisy-la-Salle. Atmosphère plus « libre », moins guindée, sans appels ni règlements. Mais autre régime de discours : celui de l' « intervention », préparée en brouillon et enregistrée pour retranscription — dans le but, fort louable, que rien ne se perde et qu'un ouvrage broché perpétue ces discours magistraux. Au fond, il y avait de l'amateurisme chez les Maîtres d'antan : gratuité, plaisir, nonchalance. Les vrais *professionnels* de la communication sont venus après — avec les magnétophones et les sciences humaines.

Puisqu'il n'est pas de spiritualité sérieuse qui ne prenne en charge le temporel, l'intention éditoriale débouche spontanément, à l'âge classique, sur la *revue*, pierre d'angle commune aux chapelles, aux églises et aux partis, premier et dernier scellement des longues chaînes de ferveur. La chose elle-même a l'âge de la « littérature » dont elle ponctue les inflexions de la Restauration romantique à la poussée symboliste, de la *Muse française* à *La Revue blanche*. Mais c'est après la fin du siècle que la forme-revue devient la principale forme d'organisation territoriale de l'Armée intellectuelle, support des stratégies baptisées « écoles ». La guerre intellectuelle est soumise aux mêmes lois d'organisation que la guerre sociale. Sans éditeurs, pas de revue, mais sans revue pas d'école. Sans partis politiques pas de journal, mais sans journal pas de mouvement révolutionnaire. Et de même qu'un parti commence par un journal, une école commence par une revue. La grande période des « ismes » fut donc celle des périodiques. Avec Barbusse et son « Comité directeur international », *Clarté* a ancré le communisme dans l'intelligentsia française (et italienne par ricochet) un an avant (1919) que le Congrès de Tours ne l'ancre dans le mouvement ouvrier. Le surréalisme cristallise la même année avec *Littérature* (1919-1923), relayé plus tard par *La Révolution surréaliste* (1924-1929) puis *Le Surréalisme au service de la Révolution* (1930-1933) jusqu'au moment où, faute de revue centrale, l'école s'effrite et diffuse en mouvance. Sans oublier *Bifur* (1929-1931) et autres fécondes dissidences. Pas de personnalisme sans *Esprit* (1932), ni d'existentialisme sans *Les Temps modernes* (1945). Pas de Nouvelle Ecole historique française sans *Les Annales* (1929 : fondateurs Lucien Febvre et Marc Bloch), ni de nouvelle critique sans la revue *Critique* (1946 : fondateur Bataille), ni de nouvelle vague sans *Les Cahiers du cinéma* (1951, André Bazin). Pas de résurrection pour Segalen ni de percée pour Camus sans *Les Cahiers du Sud*, hélas disparus en 1966 avec leur fondateur (Jean Ballard, à Marseille).

On le voit : la revue, isomorphe aux champs distincts de l'avant-garde esthétique, de la recherche universitaire et de l'action politique, les soude l'une à l'autre. Elle matérialise et symbolise à la fois, sinon l'équivalence, du moins la possibilité d'une *traduction*, donc d'une communication entre ces domaines et ces milieux. *Europe, La Nouvelle Critique* et *La Pensée* servirent, après la Deuxième Guerre mondiale, de moyens de sustentation au marxisme stalinien dans les « milieux intellectuels et scientifiques » — comme, dans les années cinquante, *Socialisme et Barbarie*, suivi en 1956 d'*Arguments*, pour le marxisme critique. Comme *Partisans* dans les années soixante, pour le tiers-mondisme et la lutte anti-impérialiste. Dans l'ordre littéraire, la période ouverte en 1909 par la NRF s'est-elle achevée avec *Tel Quel* à la fin des années 1960, — juste au bord mais encore en deçà de la faille médiologique actuelle ?

Une revue dure, d'une vie nécessaire, ce que dure une génération, après quoi elle se survit ou se métamorphose : entre vingt et vingt-cinq ans. Le remplacement des générations idéologiques et esthétiques peut-il encore s'opérer sous la forme-revue ? Il en est d'admirables, comme *Change*, création exemplaire par sa rigueur et son intégrité. Mais Jean-Pierre Faye et ses amis se sont-ils donné un outil à la hauteur de ce qu'ils auraient pu produire, avec le même instrument, *avant* la coupure? Des revues littéraires, il en viendra encore des dizaines et des milliers, bonnes ou moins bonnes. Mais dans les péripéties modernes de l'autorité publique intellectuelle, « la revue » semble être devenue, de mobile d'action, un accessoire de scène décoratif mais sans incidence ni influence sur le déroulement de l'intrigue. Elles restent, bien sûr, indispensables à l'intérieur des enceintes scientifiques — comme lieux de recherche et d'élaboration, mais leur ésotérisme n'est plus en ce cas du type conquérant mais fonctionnel. Dans le monde profane, les news-magazines hebdomadaires ont repris le rôle des glorieux mensuels, rejetant le modèle canonique parmi les potiches de grand luxe, en attendant les passe-temps pour potaches [1]. Quant aux revues théoriques des Partis qui avaient une théorie, leurs difficultés sont connues, et leur dégradation reconnue.

Il y a eu cassure et c'est logique. Dans sa forme spécifique, la revue n'appartient pas à l'univers des mass media : tout en étant mise sur le marché, ce n'est pas une marchandise. Ferait-elle, par miracle, des bénéfices (il est de l'essence de la revue d'être déficitaire, mais un accident n'est jamais exclu), serait-elle criblée de coupons à découper, cadeaux-surprises et quadrichromies, qu'elle resterait, par essence, l'opposé du *magazine* (*Lire*, *Le Magazine littéraire* ou *Le Figaro Magazine*). Elle cherche l'influence, et non l'audience. La cohérence, et non l'éclectisme. La vérité (*sa* vérité) et non l'aménité. Elle se meut dans la qualité et non dans le volume; ne recevant d'ordre que des valeurs qu'elle s'est choisies et non des faits qui l'investissent. L'opposition n'est donc pas dans la périodicité mais dans l'*élément* [2]. La revue prospecte, le magazine exploite. Ce qui veut dire que l'intendance suit éventuellement la première et précède nécessairement la seconde. Qu'une revue est l'affaire d'un homme ou d'une communauté, et un magazine une affaire tout court. L'apostolat de la revue exige des volontaires, l'entreprise d'un magazine, des fichiers et un mailing avant tout autre chose. La revue œuvre en différé — vers

---

1. Il existe une exception : *Les Actes de la recherche en sciences sociales* (Bourdieu directeur), dont l'originalité consiste en l'application des canons d'investigation scientifique au champ profane de l'actualité. Télescopage toujours éclairant, parfois même savoureux.
2. *Les Nouvelles littéraires* (rédacteur en chef Jean-Marie Borzeix) et *La Quinzaine* (Maurice Nadeau), l'une hebdomadaire et l'autre bimensuelle, s'apparentent plus à l'élément revue qu'à l'élément magazine. C'est leur gloire et c'est leur peine. Les deux méritent plus que du respect : un soutien total.

l'avant; le magazine opère en direct — donc vers l'arrière.
Dire que la première est affaire de durée et que le deuxième
réagit à l'instant, c'est dire que l'une s'oblige à l'*authentique*
(ce qui résiste à la vérification et à l'épreuve du temps) et
l'autre à l'*idéologie* (la présence de l'illusion tenant à l'illusion
du présent). L'usine à nouvelles, s'étant annexée la vie culturelle, doit chaque mois fabriquer du *nouveau* : mais le produit
sorti des chaînes est d'occasion. Ça naît caduc. Une bonne
revue a au moins vingt ans d'avance sur son temps, un bon
magazine n'a pas une semaine de retard. Grâce à quoi le
magazine charrie du mort en multicolore et la revue invente
la vie en noir et blanc : le plus « avancé » cache souvent le
plus « rétro ». Ce qui fait désormais office de revue culturelle
est objectivement contraint à prononcer la liquidation publicitaire de la culture. Une culture vit de ses contradictions, donc
de ses débats et polémiques. Il n'y a pas de débats d'idées
sérieux en cinq feuillets dactylographiés double interligne —
calibre maximum du « papier » de magazine. Les grands affrontements des années trente et cinquante (tel celui de Sartre/
Camus sur *L'homme révolté*) seraient aujourd'hui *matériellement* impossibles, et d'abord pour « faute de place ».

L'étiolement de la forme-revue et l'épanouissement de la
forme-magazine signifient bien plus que l'étouffement des
pages rédactionnelles sous les pages de publicité[1] : elles
annoncent un glorieux regain du confort intellectuel et de
l'inertie sociale. Tout réveil en ce domaine ne pourra procéder
que d'une volonté morale et non pas d'une logique économique, d'un projet et non d'une mécanique : c'est-à-dire ou
d'un Editeur ou d'un Parti. L'éditeur au sens classique étant
à la société intellectuelle ce que le parti au sens organique
est à la société tout court : un appareil à transformer l'événement en conscience et la conscience en entreprise; susceptible non d'opposer mais de surimposer, au cours des choses,

---

1. Exemple de dernière minute : d'après un comptage officiel du *Monde*
(note de Viansson-Ponté, 17 décembre 1978), *Jours de France* (n° 1252,
9-15 décembre) offre un numéro de 284 pages, dont 185 de publicité payante.
A titre de comparaison, *L'Express* (n° 1431, 9-15 décembre, 244 pages, comprend 94 pages rédactionnelles et 150 pages de publicité; le *Nouvel Observateur* (n° 735, 11-17 décembre, 132 pages), 54 pages rédactionnelles et 78 pages
de publicité; *Le Point* (n° 325, 11-17 décembre, 192 pages) 65 pages rédactionnelles et 127 pages de publicité); *Paris-Match*, enfin (n° 1542, 15 décembre,
188 pages), 92 pages rédactionnelles et 96 pages de publicité.

le contre-courant d'un vouloir et d'une pensée. Quand, à l'inverse, la force des choses s'impose à la volonté des hommes, l'éditeur risque de devenir au marché de l'imprimé ce qu'est un parti à la marche des événements : un bouchon dans le ressac, trop content de flotter. Non plus un acteur mais un agent; non plus une force d'initiative mais une forme d'opération. Il n'y a pas là — ou pas seulement — défaillance de la volonté, mais pour l'éditeur, durcissement des contraintes économiques du milieu, et pour les partis enveloppement par des media « a-politiques » dits d'information. Déclins concomitants qui convergent vers l'effacement simultané de la forme-revue et du journal d'opinion (ou de combat).

Le magistère éditorial traduisait au plan de l'institution la suprématie de la littérature dans le champ symbolique : en ce sens aussi, il date. Mais cette souveraineté littéraire n'a nullement isolé en autarcie une caste gendelettre du reste de la Cité. Dans le même temps en effet, Culture classique et Belles-lettres hégémonisent le champ politique, auquel elles fournissent ses troupes (les directions parlementaires et partisanes), ses emblèmes (mythes et rhétorique) et ses armes (journaux et hebdomadaires). La revue n'est donc pas seulement le vestibule de l'éditeur, le banc d'essai de la critique, le vivier des jeunes talents. Elle donne à claire-voie sur l'histoire brute — et, après la crise de 1929 et la montée du fascisme, ça circule plutôt bien entre cour et jardin, entre l'action de rue et les bureaux de la rédaction. Emmanuel Berl, de la NRF, dirige *Marianne* en 1932. Gide se fait, en 1935, le collaborateur régulier de *Vendredi*, l'organe polémique du Front populaire fondé par Chamson, Guéhenno et Andrée Viollis. Sorti de la revue *Commune* en 1937 qu'il a fondée en 1933 avec Vaillant-Couturier, Aragon dirigea personnellement le quotidien *Ce Soir* (qui atteint 300 000 exemplaires en 1939) avec J. Richard Bloch, de la revue *Europe*. Louis Guilloux collabore aux trois ensemble. Itinéraires individuels parmi cent autres, qui témoignent d'un paradoxe capital et passablement oublié : qu'il n'y a pas contradiction (mais épaulement) entre clôture avant-gardiste et ouverture militante — pas plus qu'il n'y en avait, alors, entre les avant-gardes politiques et culturelles. Vaste sujet — dont la médiologie, qui craint les lieux communs (en attendant de produire les siens), se conten-

tera de repérer les traces et les parcours informatifs. Force est
de constater qu'au temps révolu des révolutions (?) européennes
les discours sociaux avaient la possibilité matérielle (économique et technique) de circuler dans les deux sens (le discours
intellectuel dans le discours travailleur, et vice versa) — sans
(trop d') institutions intercalaires ni (trop de) soumission
aux pesanteurs concurrentielles. Comme le proclamait André
Chamson, dans l'éditorial du premier numéro de *Vendredi*
(novembre 1935) : « Nous avons fondé notre action sur ce
double pari qu'il y a en France un groupe d'écrivains libres
et un immense public d'hommes libres qui ne demandent qu'à
communiquer directement l'un avec l'autre... » Dans l'orage, et
en partie grâce à lui, le pari fut tenu. Cette période a vu
naître en effet des organes à la fois d'écrivains et de grand
public ou encore des journaux « intellectuels de masse » :
indice qu'une communication populaire et non démagogique,
une information à la fois ouverte et complexe ne sont pas
toujours ni par principe exclusives. Indice d'une période où
l'appareillage de l'édition/diffusion n'excluait pas une certaine
suprématie du contenu sur la forme [1], dans la mesure où elle
n'indexait pas automatiquement le message sur sa réception,
la valeur du premier sur le volume de la seconde. Bref, où
la culture commandait au marché (tout en lui étant intégrée).
C'est pourquoi dans le passé (dans les deux périodes ici dis-
tinguées), les « hommes de culture » ont pu aller aux media,
alors qu'ils doivent aujourd'hui se rendre à eux. Aller au
charbon sans se « salir » — ce miracle fut le privilège d'un
temps où les travailleurs intellectuels les plus exigeants pouvaient commander à la machine de diffusion, en personne
ou en collège. La meilleure preuve est que beaucoup d'entre
eux ont pu faire le trajet aller et retour. A l'exception de ceux
qui prirent un aller simple, comme Brasillach et Drieu, dont
le « déshonneur » même témoigne pour le champ d'honneur de
l'imprimé, d'où ils ont tué et où ils sont tombés, sans tricher,
dignement.

Car dans ce demi-siècle (1918-1968) où se mêlent baroque
politique et classicisme médiatique, on descend autant les
escaliers à droite qu'à gauche. Ça communique à l'envers et à
l'endroit et de haut en bas. Des historiens archaïsants comme

---

1. Ne serait-ce que graphiquement : longueur des articles, prééminence du
texte sur la photo; simplicité de la mise en page; sobriété typographique, etc.

Bainville et Gaxotte passent de la Bibliothèque nationale à la direction d'un grand hebdomadaire engagé dans l'actualité (*Candide*), sans coup férir. André Bellessort, André Rousseaux, Georges Suarez — les totems et tabous du mandarinat critique — rejoignent Daudet et Béraud à *Gringoire*, voire à *L'Action française* [1]. Ce qui nous surprend le plus dans ces brûlots qui ont contribué à faire et défaire l'opinion intellectuelle d'avant-guerre, c'est la rhétorique de la violence ou la tenue académique de l'insulte, conférant une sorte d'honnêteté à la malhonnêteté partisane. Cet alliage d'urbanité et de férocité — chacun, poussé à l'extrême, rejoignant l'autre — délesté des rituels contemporains de l'objectivité, ne contribuerait pas peu à rendre ces pamphlétaires préhistoriques, si l'on ne se souvenait que les Daudet et Béraud ont servi de parrains à une génération entière de médiocrates, hier encore en fonction, dont beaucoup se sont formés dans cette presse d'extrême droite [2]. Les périodes de crise sociale aiguë font sortir les vérités du puits, toutes nues. Rarement l'articulation directe de la « parisianité » littéraire sur la lutte des classes nationale et internationale n'aura été plus évidente qu'au cours des années trente. Pas plus que l'affaire Dreyfus, le Front populaire ne fut une Bataille du lutrin bien qu'il ait mis aux prises des intellectuels avant, pendant et après les affrontements entre classes, ligues et partis. La bataille des journaux a sans doute plus pesé que les batailles de rues, les hebdomadaires « culturels » furent au premier rang [3]. Combat inégal bien sûr — comme l'indiquent les tirages comparés de novembre 1936 : *Gringoire* 640 000 exemplaires et *Candide* 340 000 exemplaires contre *Marianne* 120 000 et

---

1. Dont on se rappellera qu'elle est née sous forme de revue en 1899, Maurras voulant *contrer* le travail de Herr à la *Revue de Paris,* machine de guerre construite en 1889 par la maison Calmann-Lévy pour coaliser haute-Littérature et haute-Université sous l'égide de la bourgeoisie avancée, laïque et républicaine.

2. Les plus connus : Thierry Maulnier, Pierre Gaxotte, du *Figaro,* naguère Kléber Haedens, Barjavel, Michel Déon, du *Journal du Dimanche,* Pierre Lazareff, avant d'entrer à *Paris-Soir* était passé par *Gringoire* et *Candide,* etc.

3. Ou firent la décision? « Convoqués par le nouveau président du Conseil, peu de temps après mai 1936, Guéhenno et Chamson entendirent Blum leur tenir à peu près ce langage : « Dans ce pays où l'électorat de gauche et de droite est très stable, les majorités dépendent de 3 ou 4 00 000 voix hésitantes qui se portent tantôt d'un côté tantôt d'un autre. Grâce à *Vendredi,* cette fois les hésitants sont tous venus vers nous. C'est ainsi que nous avons remporté la victoire, et je veux que vous sachiez que je le sais. » (Lucie Mazauric, *Vive le Front populaire,* Plon, 1976).

Vendredi 100 000. Mais combat matériellement possible, les effectifs des uns et des autres observant un même ordre de grandeur. Idées et idéologues, écrivains et publicistes n'ont pas disparu de la scène, non plus que les enjeux et les fins. Ce qui tend à disparaître, c'est simplement les armes et la logistique. Et la bataille mourut à défaut de terrain. Ce qu'un éditeur ou un groupe d'écrivains indépendants pouvaient faire il y a quarante ans : créer un grand hebdomadaire d'« opinion », seuls peuvent se le permettre un groupe comme *L'Expansion* ou *Hachette* ou bien un vaste cumul de capitaux [1]. Mais ce qu'un éditeur ou un groupe d'écrivains indépendants peuvent avoir envie de dire, c'est précisément ce que ne veulent ni ne peuvent laisser faire et dire un groupe de financiers. D'où les tourniquets. Une parole pleine privée de support est vide; une parole creuse maîtresse d'un support sonne plein : le décevant dialogue de l'intellectuel bâillonné et du bavard bailleur de fonds domine depuis dix ans la petite portion des réseaux de diffusion où le système promotion-gestion-vente n'a pas encore fait plier le genou. Rappelons donc pour mémoire, la généalogie éditoriale des media les plus « engagés » de l'époque précédente. *Candide* « le premier hebdomadaire politico-littéraire français » fut fondé en 1924 par Fayard. Il sera relayé plus tard par *Gringoire* (de Carbuccia) et complété en 1930 par *Je suis partout* (avec Pierre Gaxotte pour directeur, et Brasillach comme feuilletoniste littéraire). De l'autre côté, c'est Gallimard (Gaston, personnellement) qui lança *Marianne,* en 1932, et c'est le désintéressement d'une poignée d'écrivains de gauche qui fit démarrer *Vendredi,* à petits renforts d'économies, d'héritages et de dons. La hausse insoupçonnable des frais fixes et des coûts de production (à tirage et pagination équivalents) a rendu caduques ces méthodes artisanales? Oui, mais c'est aussi la place de la littérature, des intellectuels et de l'instance éditoriale (respectivement) dans les « réseaux pensants » de la Cité informationnelle moderne qui a radicalement changé. Quelle maison d'édition ayant pignon sur rue accepterait aujourd'hui de lancer un hebdomadaire « politico-culturel »? L'aventure n'engagerait rien de

---

1. La période de l'après-Résistance obligerait, à vrai dire, à raccourcir les distances. A preuve les belles aventures de *Combat* (Camus, Pia, Bourdet) et de *France-Observateur* (lancé par Claude Bourdet en 1950 avec un capital de 5 millions d'anciens francs).

plus que ses capitaux mais rien moins que sa « crédibilité » professionnelle, ce qui est beaucoup plus grave. La nouvelle position sociale de l'édition/diffusion exclut les extrêmes, exige l'éclectisme (le croisement des extrêmes recréant le juste milieu) et n'autorise à l'engagement politique qu'à la condition de respecter toutes les formes de l'apolitisme.

3. LE CYCLE MEDIA (1968 - ?)

Le micro-climat intellectuel ne peut pas se soustraire aux macro-mutations des sociétés et des Etats. N'importe quel tableau, esquisse ou caricature de l'intelligentsia française d'aujourd'hui ne prendra sens qu'à se replacer dans le cadre suivant, à l'instar de toutes les autres institutions, fonctions ou catégories sociales :

Entre tous les « appareils idéologiques d'Etat » l'*appareil scolaire* avait été mis par la III° République en position dominante — en lieu et place de l'Eglise. Par voie de conséquence, il a dominé l'intelligentsia d'alors, en faisant du Haut Clergé laïc de l'Université la couche dirigeante du corps intellectuel. Si le magistère éditorial a pu déplacer le centre de gravité du pouvoir au sein de l'intelligentsia littéraire, c'est sur la base d'un compromis avec l'équilibre antérieur. Or nous assistons en ce moment à l'accès en position dominante de l'*appareil d'information*, en lieu et place de l'Eglise. On disputera des causes et des effets — mais non de la chose elle-même, qui a l'insistance d'une chape de plomb. Quiconque ne prend pas acte de cette nouvelle ordonnance des appareils idéologiques s'expose à un confortable mais dangereux archaïsme. L'appareil d'information a désormais surclassé, donc déclassé et réorganisé sous sa loi, les appareils politiques, syndicaux, religieux et pédagogiques. Et donc, a fortiori, *culturels*.

Cette brusque montée en puissance d'un appareil naguère subalterne ou périphérique a fait éclater par contrecoup les coordonnées du « champ intellectuel », entendu comme « le système de relations sociales dans lesquelles s'accomplit la création comme acte de communication » (Pierre Bourdieu) [1]. Ces coordonnées ont changé d'ordre de grandeur, mais en sens inverse. Dans l'espace : évasement. Dans le temps : rétrécissement. Augmentation des publics potentiels, diminution des intensités créatrices. Tel le concept dans la logique ancienne, les humanités modernes auraient-elles perdu en compréhension pour gagner en extension? Ou l'inverse? Selon, qu'il choisira l'abcisse ou l'ordonnée, Pierre dira que « la vie intellectuelle française » s'est enrichie, et Paul qu'elle s'est appauvrie. Pierre et Paul risquent d'avoir tous les deux raison parce qu'ils ne parlent pas de la même chose. Pierre dit : *Tartuffe* télévisé a eu en un seul soir dix fois plus de spectateurs qu'il n'en avait eu en trois siècles de représentations. Paul lui répondra que ce n'est pas une pièce de Molière que trois millions de téléspectateurs ont regardée, c'est la télé, qui aurait pu aussi bien programmer du Roussin. Pierre dit : « En 1934, *La Condition humaine*, prix Goncourt, a péniblement atteint les 30 000 alors qu'un Goncourt, quarante ans après, fait facilement 300 000. » Paul fera remarquer que ce n'est plus tel roman qu'on achète de tel auteur, mais la bande Goncourt qui peut envelopper n'importe quoi. Vieux débat, mal engagé. A reprendre, mais par un autre bout.

La recomposition interne du champ intellectuel moderne renvoie d'abord à une nouvelle position du champ lui-même dans ses rapports avec les autres. Si son autonomie n'a jamais été absolue, son autonomie relative a considérablement diminué, en ce qu'il ne porte plus en, et ne produit plus par lui-même, ses instances de consécration. Le public virtuel de l'écrivain, c'est son jury d'honneur. Et l'intellectuel est l'être humain, nous l'avons déjà dit, qui passe sa vie en jugement, et dont chaque acte, mot, article ou livre se trouvent suspendus au verdict de l'auditoire, entre la vie et la mort, le sacre ou l'oubliette. Ce caractère indépendant « qui cherche son bonheur dans l'opinion d'autrui » (Rousseau, *Discours sur les sciences et les arts*) n'a donc pas son centre de gravité en lui-même, il est par essence et existence sous la dépendance

---

1. Voir Bourdieu, *Champ intellectuel et projet créateur, Les Temps modernes,* novembre 1966. La tardive découverte de ce texte nous a amenés à reprendre en les précisant un certain nombre de nos formulations, tant sa problématique recoupait la nôtre, avec de longues mesures d'avance.

des autres. La quantité de ces « autres » fixera la valeur de ce
« moi ». C'est en quoi le système de l'information publique est
encore plus « dominant » pour le créateur intellectuel que
pour les autres espèces productives. Il n'existe pas, on le sait,
un appareil idéologique également dominant pour toutes les
classes et catégories sociales. Pour un ouvrier, l'appareil productif de l'usine, avec ses règlements, l'organisation des outils,
les hiérarchies internes, incarne une puissance idéologique
évidemment supérieure aux autres : pour lui, l'alpha et
l'omega ne peuvent être le journal et la télé. Ce qu'il entend
à la télé et lit dans son journal passe par le tamis de sa quotidienne expérience des rapports sociaux : comment s'expliquer
qu'il existe encore quelque chose comme un mouvement
ouvrier s'il n'y avait pas, quelque part dans l'expérience quotidienne, un noyau de réalité réfractaire aux formidables pres-
sions, cumulées sur plus d'un siècle, exercées par cette masse
d'images et d'idées sociales pour lesquelles le mot d' « exploitation » n'est qu'une invention d'idéologues aigris? Mais à
quelle réalité objective peut s'adosser un producteur intellectuel pour accueillir avec indifférence un éreintement public
de son produit, ou son pur et simple anéantissement par le
silence de la critique? Il se trouve alors dans la même situation qu'un acteur comique qui ne fait rire personne. Le
comique aura beau répéter que le public n'a pas le sens de
l'humour, en dernière instance ce n'est pas l'acteur qui décidera de la valeur des spectateurs, mais l'inverse. Leur verdict
est sans appel, car la finalité du comédien n'est pas de se
confirmer dans sa propre estime mais de se faire rassurer en
ce qu'il *croit être*, par ceux qui le regardent *faire*. La modification des instances admiratrices ne pouvait donc pas ne pas
affecter, dans leur projet même, ceux qui ont pour vocation
d'emporter l'admiration : artistes, intellectuels, gens de spectacle. En reculant les bornes de l'écoute, les mass media ont
donc démultiplié les sources de la légitimité intellectuelle, en
englobant l'étroite sphère de l'intelligentsia professionnelle,
source classique de légitimité, dans des cercles concentriques
plus larges, moins exigeants et donc plus faciles à gagner. D'où
la possibilité de faire jouer les grands anneaux contre les
petits, l'exotérique contre l'ésotérique, les amateurs contre les
professionnels. C'est-à-dire, par exemple, l'hebdo contre la
revue spécialisée, voire le grand quotidien contre l'hebdo

culturel, et en dernière instance la télé contre l'hebdo. La loi du marché donnant par définition raison au plus grand cercle, le plus petit ne pourra que s'aligner sur le grand s'il ne veut pas se voir confisquer son propre marché. Les mass media ont fait sauter les clôtures de l'intelligentsia traditionnelle, et avec elles ses normes d'appréciation et ses barèmes de valeur. Cette massification s'est logiquement accompagnée d'une atomisation des intellectuels. Eclaté, dispersé, désintégré, le milieu, quel que soit son degré de concentration géographique ou sociologique, perd sa densité sociale, comme les liens et relations internes des membres leur intensité d'autrefois. Dissolution des groupes, diaspora des familles, extinction des rites communautaires (la correspondance, la lecture à voix haute, le cénacle, la revue, etc.). Cette levée des contraintes est à deux faces : l'affadissement des produits a pour envers l'affranchissement des producteurs. Il est toujours moins ardu pour un professionnel de séduire les amateurs que les collègues. En s'isolant les uns des autres, les professionnels augmentent leur chance de percée vers les cercles extérieurs, sans compter l'effet en retour et les réescomptes au centre des circonférences. Exclusion et dissidence constituent à cet égard le nec plus ultra de la performance. Si les bans et les communautés sont encore tolérables, c'est comme rampes de lancement dans l'espace promotionnel pour les fortes têtes en rupture de ban. Les mass media marchent à la personnalité, non au collectif; à la sensation, non à l'intelligible; à la singularité et non à l'universel. Ces trois caractéristiques inhérentes aux nouveaux supports, qui n'en font essentiellement qu'une, détermineront désormais et la nature des discours dominants et le profil de leurs porteurs. Elles imposent à la fois une stratégie individuelle et une désorganisation collective. Plus besoin d'*école*, ni de *problématique*, ni d'*enceinte conceptuelle*. Mick Jagger a prolongé à lui tout seul la vie des Rolling Stones, mais les Beatles se sont condamnés eux-mêmes avec leur « ce sera nous quatre ou personne ». Un président de la République peut se passer de Parti, mais il suffit d'un présidentiable pour faire un Parti politique crédible : que ce Parti ait ou non un programme, une vision du monde ou une idée de la société importe peu en comparaison; ce superflu serait plutôt encombrant. « Beaucoup de dynamisme, peu d'orientations » : ainsi définit un vieil observateur du Saint-Siège *le style* de

Jean Paul II, le premier pape-media (*pop-pope* en anglais), qui apposera les armes du Vatican sur notre longue fin de siècle à raison d'un « flash » hebdomadaire. La devise résume l'époque et réconcilie le sacré avec le monde profane. S'il est un modèle canonique d'identification valable à la fois pour les intellectuels et les politiques, on admettra que ce soit le Souverain Pontife, en qui fusionnent les deux fonctions.

On ne contestera pas la dérisoire misère des *écoles* en matière littéraire et philosophique, avec leurs petits papes, leurs anathèmes et leur Index : rien ne vieillit plus vite que ces avant-gardes ostentatoires, plus occupées à dorer le blason qu'à forer sous les mots. L'école relève moins du champ du savoir (ou de la création) que de la répétitive libido du pouvoir — comme parasitage du premier par la seconde. Reste que, là où il y a « une école », il y a découpage objectif d'un champ, organisé en totalité autour d'une unité idéelle, de type objectif. Une école de pensée peut provoquer un phénomène de mode, mais c'est la mode d'une pensée plus que d'une personne, ou d'un certain nombre d'individus singuliers portés par une pensée dont la généralité les dépasse et les englobe. Les « fashion-groups » de l'intelligentsia contemporaine doivent par contre se passer de tout point fixe, définition ou articulation logique, puisque la valeur de vérité des énoncés s'efface derrière la valeur-spectacle des sujets d'énonciation; le contenu des thèses derrière la forme des têtes, et l'idée derrière son « impact ». Si par exemple les « nouveaux philosophes », comme ils se sont eux-mêmes appelés (ou les nouveaux n'importe quoi) avaient dû se constituer en école et se doter d'une revue avant de se donner à connaître, il leur aurait fallu s'inventer rien de moins qu'une philosophie. Ce qui les aurait rendus *ipso facto* non performants au regard de leurs supports. Que la sphère de légitimation puisse ainsi reculer de plusieurs crans introduit à un mouvement de transgression des censures qui n'est pas sans rappeler le débordement des philosophes par les sophistes, au IVᵉ siècle avant J.-C. La maîtrise du discours comme technique de pouvoir, en lieu et place des lentes instaurations d'un savoir, ne définit pas à elle seule le sophiste. Ce dernier met la vérité aux voix et prend pour juge l'agora. Il joue le plus contre le mieux, fait l'impasse sur le prochain et « squeeze » l'expert par l'affluence.

En diluant le moi collectif de l'ancienne intelligentsia, les media désagrègent l'ancien surmoi professionnel de ses membres. En 1950, aucun philosophe — la peur du ridicule aidant — n'aurait osé publier un ouvrage comme ceux qui ont dernièrement occupé les magazines, car l'environnement universitaire avait gardé assez de compacité pour fonctionner comme autocensure. Il ne s'était pas encore dissous dans le deuxième cercle d'autorité, dont l'existence permet à présent à la fois de court-circuiter et de circonvenir le premier. Camus lui-même, avec l'avantage de l'intégrité et de ne pas appartenir à la corporation universitaire, n'avait pas réussi à imposer son *Homme révolté* en tant que réflexion philosophique — les salves des hommes de métier Sartre et Jeanson (dont il serait sectaire de réduire la réaction à du sectarisme) ayant suffi à dégonfler la chose aux yeux des lettrés. En 1951, les journalistes finiront par se ranger à l'avis des professeurs, un quart de siècle plus tard des professeurs se rangent à l'avis des journalistes. Il ne s'agit pas de dire qui a raison ou tort, mais de repérer l'interversion des champs. A présent, la sous-traitance du concept philosophique en généralité littéraire est redevenue une option rentable car le tribunal intérieur du grand journalisme idéologique a fait sauter le verrou de l'ex-communauté philosophique. Puisque le marché fait loi, et que l'Université n'a plus le monopole des légitimités intellectuelles, il n'est pas du tout déraisonnable de faire ouvertement l'impasse sur l'avis de deux mille professionnels en leur opposant un million de lecteurs de magazines et dix millions de téléspectateurs. En modifiant la composition du référentiel, l'accroissement du jury compétent — et des compétences du jury — a donc eu des effets sur la fonction et la qualité de la production. Non qu'on soit passé du « pas sérieux s'abstenir » au « sérieux s'abstenir » : chaque époque médiologique détermine par consensus ce qui doit être tenu pour « sérieux », de même que chaque époque idéologique produit sa réalité en modifiant ce que les hommes s'accordent à tenir pour « réel ». Dans les années cinquante, un universitaire qui donnait un texte à *France-Soir*, ou un écrivain qui allait à une émission de variétés télévisées, « ça faisait drôle ». Dans les années quatre-vingt, ceux qui n'y seront pas paraîtront sans doute un peu louches.

Les univers intellectuels ont chacun leur espace-temps. *Minorité* et *postérité* sont des valeurs jumelles, car la première se supporte par la seconde. Un artiste peut accepter d'être mis en minorité par la critique du moment dans la mesure où il peut supposer qu'une œuvre survit à son apparition. Stendhal trouve son bonheur à se dédier aux « happy few » parce qu'il peut confier *La Chartreuse* aux lecteurs de 1935. Débouté par la majorité en 1830, il fait appel et obtient sa relaxe posthume. Quel romancier de 1980, ignoré ou méprisé de ses contemporains, oserait dire sans faire rire qu'il écrit pour 2080? Dans notre espace mental, « peu nombreux » rime avec « malheureux » comme « happy » avec « many » — parce que dans notre temps vécu les semaines qui passent sont sans appel. Un auteur aura beau se flatter du contraire, le premier jugement porté sur son œuvre est le Jugement dernier — d'où ses paniques, reptations et suppliques. En 1979, le Père Eternel d'un romancier français s'appelle Poirot-Delpech, d'un essayiste politique André Fontaine, d'un biographe ou d'un mémorialiste, Max Gallo. Nous pouvons avoir d'autres saints, avec leurs anges et leurs intercesseurs. Reste que les mortels ont intérêt à se dépêcher. Nous sommes tous ensemble éphémères et faillibles? Certes. Mais 1) les uns jugent et les autres sont jugés; 2) pas de code, tables de loi ou règlement écrit auxquels se référer; 3) l'actualité va vite, un livre chasse l'autre.

L'évanouissement des pourvois en cassation et l'abrègement des sursis parachèvent aux yeux des créateurs la légitimité de cette Justice un peu expéditive, aveugle aux balances incertaines. Gide : « Valéry, Proust, Suarès, Claudel et moi-même, si différents que nous fussions l'un de l'autre, si je cherche par quoi l'on nous reconnaîtra pourtant du même âge, et j'allais dire de la même équipe, je crois que c'est le grand mépris où nous tenions l'actualité. Et c'est en quoi se marquait en nous l'influence plus ou moins secrète de Mallarmé... Et c'est bien par où diffèrent le plus de nous les leaders de la nouvelle génération, qui jaugent une œuvre selon son efficacité immédiate. C'est aussi bien à un succès immédiat qu'ils prétendent; tandis que nous trouvions tout naturel de demeurer inconnus, inappréciés et dédaignés jusqu'à passé quarante-cinq ans. Nous misions sur la durée, préoccupés uniquement de former une œuvre durable[1]. » Les craintes de

1. André Gide, *Journal*, Pléiade, p. 322 (19 janv. 1948).

Gide, là encore, prenaient date — avec vingt ans d'avance. *Les Mots* et *La Chute* diront assez que « l'actualité » n'était pas l'ultime horizon des « leaders » de 1948. Deux générations les séparaient du chef de la NRF, mais une même hantise — puritaine? du rachat par la bouteille à la mer ou de l'éphémère comme péché originel — habitaient les uns et les autres, la suite l'a attesté. La coupure est entre leur durée à eux et notre quotidien à nous, que la fausse téléprésence d'une planète réduite à ses paillettes fait retomber en enfance. Le panorama du monde à domicile condamne à l'inaction, qui est l'éternité de l'instant, privilège réservé aux gredins, aux enfants et aux poètes. Il y a peu de poètes parmi nous, et nous avons grandi... Résultat : la prophétie de Camus s'accomplit sous nos yeux : « Si rien ne dure, rien n'est justifié. » Et si rien n'est justifiable, tout est permis.

Le grand roque du « Journaliste » et de l' « Auteur », c'est la destitution de l'Œuvre par l'Evénement. La royauté de l'écrivain avait pu résister aux horreurs et aux bourrasques du siècle tant que primait une certaine idée de permanence, selon laquelle, plus important que l'histoire contingente, était le sens qu'elle abrite et qui lui survit. Dos Passos, Hemingway, Malraux, Vaillant, Cendrars : ceux qui se sont le mieux incorporés à l'Aventure, parmi les écrivains de la première moitié du siècle (qui va, compte tenu du fameux décalage des quinze ans, jusqu'aux années soixante) ne rattrapèrent à tout prix l'événement ou l'exotique que pour les radiographier et détecter à contre-jour, à fleur de temps, les maladies cachées des hommes. Ils traquaient dans la violence un en deçà de valeurs et de mythes — ou un au-delà, peu importe ici. *L'Espoir* est un reportage métaphysique, parce qu'en 1936 chaque homme en tant qu'homme était à son insu un combattant de la guerre d'Espagne. « Couvrir l'actualité », non pour se découvrir soi-même, mais pour dépister ce qui relie ce moi à tous les autres hommes : il y avait du narcissisme — mais éthique — chez ces grands écumeurs de désastres. Faux journalisme, vraie littérature. Mais le journalisme ne s'égale à lui-même que sur fond d'éternité. Quand l'observation, à force d'exactitude et d'humilité, redevient poème. Un témoin qui s'annule derrière son témoignage annule aussi sa contingence :

paradoxe et récompense des modestes qui savent faire attention.

Vingt ans. En se troublant, le cristal historique se brise en « actualité »; et l'émiettement du sens libère une poussière d'événements et de « sensations » qui ne doivent plus leur valeur à leur pouvoir de révélation mais à leur mise en scène et à leur force de percussion. La déroute mythologique du communisme européen — amorcée par un certain « rapport attribué à Kroutchev » — décolle ce qui était jusqu'alors uni : les intellectuels et le Parti; les formes et les forces; la chose écrite et le fait vécu. Elle rebat les cartes du temps : maintenant tout est maintenant. Adieu mémoire — qui enracinait le sens dans une continuité. Adieu postérité : si le présent peut se passer de souvenirs, pourquoi le futur s'encombrerait-il d'un passé? L'histoire reflue sur l'instant, les jours s'effacent les uns les autres sur le sable. Quand les significations s'effritent, il n'y a plus que des « nouvelles ». Et les nouvelles, c'est l'affaire des journaux. L'information devient son propre horizon. Plus de codage, plus de déchiffreurs : on enregistre, on tourne, on prend des notes, et point final. Les laborieux ciseleurs du sens, les employés du chiffre et des secrets cèdent la place aux metteurs en page, les conservateurs d'archives aux fabricants de surprises. S'il n'y a rien de plus dans l'événement que dans le téléscripteur, à quoi servent les maniaques du décryptage, les traducteurs de l'événement en œuvre d'art? Journal, notre frère, qui rôde à ras de terre, donne-nous notre faim quotidienne et que ta volonté soit faite sur la terre comme aux cieux : advienne chaque jour le règne du non-sens.

Levons ici un malentendu. Le cycle ouvert par les media n'annonce pas l'apothéose du journalisme, mais plutôt sa décadence. La médiocratie ne se confond pas avec le règne des journalistes professionnels; elle signifie aussi et d'abord leur écrasement, tant la logique des mass média est étrangère aux procédures de découverte du réel immédiat. L'activité de journaliste représente le sommet de la fonction intellectuelle, par laquelle l'esprit humain accède à ce que Hegel appelait « la dignité du réel effectif », en s'élevant par degrés de l'abstraction au concret, de l'indéterminé au singulier, c'est-à-dire du creux au plein. Un intellectuel ne « trahit » pas en devenant journaliste — il accomplit son essence, en témoignant d'une intelligence suffisamment exigeante pour ne pas se contenter de généralités rhétoriques ou d'à priori programmatiques. Ce n'est pas un hasard si les « grands intellectuels » qui ont jeté les bases du mouvement révolutionnaire contemporain — de Marx et Engels, en passant par Lénine et Rosa Luxemburg, jusqu'à Trotsky et Gramsci — n'ont pas été des professeurs, mais bien des *journalistes*, et parmi les plus grands de leur temps, en prise directe sur l'événement. L'analyse du concept et des pratiques correspondant au terme de « mass media » mettra au jour, du moins l'espérons-nous, l'hétérogénéité radicale des univers en cause. Albert Londres et Friedrich Engels, Kessel et Gramsci appartiennent à nos yeux à un même espace de civilisation. Les uns et les autres ont ordonné leur existence à une hypothèse commune, que les nouvelles technologies idéalistes sont en train de tourner; à savoir : le réel existe indépendamment de ce que j'en dis, de ce que j'en sais ou de ce que j'en crois; des images que j'en montre, des titres que j'en donne, des commentaires que j'en fais. La catégorie de « réel » n'est rien d'autre que ce débordement de principe — mais le principe suffit à fonder en droit l'éminence du journalisme, parce qu'il a pour corollaire que cela vaut toujours la peine d'aller y voir, par ses propres yeux. Le « y » pouvant désigner un pays lointain, un domaine scientifique, une usine toute proche, un régime politique, le lieu d'un accident de voiture, une cellule de prison, un salon électroménager, un dossier, une statistique, une loge de concierge, un village au Viêt-nam, un ministère à Paris, un livre en étranger, etc.; bref, n'importe quel objet correspondant à tel ou tel sujet d'actualité, la chose elle-même « dont il y a à parler ». Or si l'on se retourne vers les hiérarchies intellectuelles du terroir, on s'apercevra du peu de considération dont jouissent en général ceux qui ont affaire avec le réel, et, dans les media en particulier, les enquêteurs et les reporters. La base du journalisme, c'est la lie des media. En France, « la chose elle-même » n'est jamais à l'honneur, il n'est de gloire que du bien-dire. Américanisée, mais honteusement, la France des hauteurs n'est pas, comme l'Amérique du Nord, le paradis du journalisme mais son purgatoire. Les satellites empruntent à leur métropole ce qu'elle a de pire, en y laissant le meilleur. Les « news » nationaux ont pris la gestion, le format, le laconisme et le papier glacé, en oubliant de rapporter le contenu : l'exactitude, le sens du détail, le respect des faits et l'irrespect des positions, l'imprudence et l'entêtement — qui font à juste titre la gloire des têtes brûlées du news américain. De guingois entre l'Amérique et le XIX° siècle, coincé entre ses habitudes et ses ambitions, le haut journalisme français court deux lièvres qui se croisent et fait la culbute au carrefour : le brio des idées et la matérialité des événements; le commentaire et le compte rendu; l'appréciation des motifs et l'exposé des faits. Marx appelait la France du XIX° siècle « le pays de l'idée ». Le monde atlantique vit à l'ère des « scoops ». La France atlantique a fabriqué le « scoop idéologique ». Qui n'apprend rien aux hommes de l'information, et moins encore aux hommes de pensée. Mais qui satisfait une certaine « personnalité intellectuelle nationale » (dont on a montré ce qu'elle devait à un système d'enseignement reçu du XVII° siècle et aux valeurs de l'excellence scolaire). Disserter brillamment sur un sujet dont on ignore presque tout relève d'une gymnastique tous-terrains (à généalogie scholastique), dont Lévi-Strauss relate les amères drôleries au début de *Tristes Tropiques*[1]. Le caractère français, encore aujourd'hui, reste plus enclin à juger qu'à regarder et accorde plus de prix à l'appréciation moralisante qu'à l'analyse concrète (et jamais on n'aura vu, lu ou entendu autant d'idéologismes triomphants que depuis la fin officiellement proclamée des idéologies). C'est pourquoi, au sommet de notre hiérarchie journalistique, à la place des « publicistes » du XIX°, est venue spontanément se loger la figure de l'*Editorialiste*, le moraliste de l'actualité, dont chacun admet que la fonction ne soit pas d'éclairer les lecteurs sur les tenants et les aboutissants d'une situation, mais sur la position qu'il choisit personnellement d'adopter par rapport à on ne saura jamais exactement quoi. L'homme-supposé-savoir n'a pas besoin d'en savoir plus, ou a plutôt besoin de ne pas savoir, car le flou du « factuel » rehaussera le brillant de l'Idée et de son style. Cette élévation de pensée, adaptée à un pays de ressources moyennes, se propose comme modèle aux néophytes d'en bas, d'autant qu'un bon « édito » est le meilleur moyen pour une entreprise de

---

1. Voir Pierre Bourdieu, *Systèmes d'enseignement et système de pensée*, Revue internationale de sciences sociales, XIX, 3, 1967 et C. Lévi-Strauss, *Tristes Tropiques*, Plon.

presse de faire des économies. Enquêtes de terrain, déplacements et séjours sur place, recoupements d'informations et recherches des documents coûtent de plus en plus cher — en temps et en argent — et rapportent de moins en moins — d'aura publique et de considération confraternelle. Les reporters resteront donc dans leur bureau, enquêtant par téléphone, et enverront la documentaliste fouiller les dossiers d'agence : on conçoit qu'ils soient rarement de bonne humeur. Raconter, décrire, retourner, vérifier : manque de place, d'intérêt et surtout de *temps*. Verbaliser sur, stigmatiser, féliciter, conclure : épargne réservée à ceux d'en haut. Résultat : ceux qui en savent le moins sont ceux qui font le papier; ceux qui en savent un peu plus se taisent. Les papiers sont « bien enlevés » et les silences ne s'entendent pas. Il faudra revenir plus précisément sur les lois objectives qui assujettissent les journalistes eux-mêmes, et de plus en plus, à une logique aberrante et rigoureuse, mais on aura déjà compris que le terme de « journalisme » ne désigne pas ici la réalité intrinsèque d'un métier mais la distorsion objective d'un statut.

Le sacre de l' « Evénement » (avec la consécration de tous ceux qui sont en position de le fabriquer) n'a pas été, bien entendu, un événement. Trop décisif pour être aussitôt aperçu, trop prégnant pour faire reconnaître son vrai relief. Il n'a pas eu lieu un beau jour, et toute datation force le trait. Le seuil-critique des mutations semble néanmoins avoir été atteint en 1968. L'Evénement s'installe en maître quand l'Histoire fait le vide. N'est-il pas paradoxal de faire remonter son règne au moment le plus plein de la France moderne? En mai 68, pour la première fois, les media *font* de l'Histoire en direct, le sort du pays se décide à la radio et se mime à la télé; le journaliste, qui décernait déjà les lauriers, dépose, propose et repose la couronne : qui t'a fait roi — qui t'a fait prince? Pourquoi pas? Les producteurs de biens matériels sont en grève, et la machine politique en panne : il fallait bien quelqu'un pour occuper le terrain. L'appel d'air dresse au premier rang ceux qui sont le mieux outillés pour « faire de l'air ». Les maîtres des ondes et les faiseurs de titres détrônent les maîtres de la langue et les faiseurs de cours. La Roche tarpéienne est proche du Capitole. Sartre ne triomphe en Sorbonne que parce que Sartre et la Sorbonne vont être mis à bas : en 68 la pièce s'est parlée à l'envers; après quoi les acteurs de la révolte intellectuelle (pas tous, bien sûr) entrent dans leur carrière à reculons. Ils avaient commencé par lutter, au nom des opprimés, contre les « media pourris »; ils collaborent au pourrissement des luttes par les media; au nom du Savoir, contre les despotismes; ils répètent que tout savoir est despotique; au nom de la vérité, contre la censure et le carton-pâte; ils manient comme personne le ciseau et l'éteignoir; et l'on ne voit et n'entend plus qu'eux en tous les lieux d'Etat. Bref, ils ont gagné la partie, sauf que nul ne règne innocemment, les médiocrates moins que personne. Les nouveaux seigneurs de l'actualité ne parlent plus politique mais morale; les moyens de la seigneurie — les media — ne mettent-ils pas à bas toute morale intellectuelle? — demanderont les grincheux. Les plus vaillants leur répondront que l'ancienne éthique défaille, parce qu'un nouvel *éthos* se forme. Mai 68, c'est en tout cas le moment où l'observateur à jumelles rétrospectives peut s'écrier : Rien dans la société intellectuelle ne sera plus comme avant! Si Gide en 36 discute dans la rue avec Marceau-Pivert, l'événement, c'est Gide. Quand Aragon discute avec Cohn-Bendit en 68, l'événement c'est Cohn-Bendit. Permutation des accents : la nouvelle va au nouveau comme la célébration aux célébrités et l'argent aux riches; c'est la nouvelle qui fait autorité, en chassant l'ancienneté. C'est elle qui s'imposera désormais comme le *seul point de vue* valable sur l'ancien. L'éclatement de l'Université — joyeuse et bénéfique explosion, mais dont les bénéficiaires supposés seront les premières victimes, concourt à déplacer vers les media le centre de gravité idéologique et d'intérêt psychologique des jeunes producteurs intellectuels, qui auraient comme scié la branche de leur identité sociale. Après 1968, le monde universitaire et assimilé voit se préciser un type social qui n'était connu jusqu'alors que dans les milieux littéraires : le *nègre théorique*. Plus maltraité, bafoué et sous-payé que le nègre littéraire, c'est lui qui doit produire des idées (comme travailleur collectif mais sans droits syndicaux) et les transférer à ses supérieurs — les grandes personnalités de la recherche — qui les écouleront rapidement dans les réseaux mass-médiatiques, grossissant *ipso facto* leur notoriété, donc leurs crédits et leur autorité, et donc leurs effectifs de nègres potentiels, Colloques, séminaires, cours, thèses, recherches, notes de travail, voyages, missions, traductions, etc. : ces canaux déversent chaque mois une fabuleuse matière première sur ceux qui ont la possibilité pratique de la transformer en produits finis et négociables à bref délai (articles, livres, interviews, etc.) parce qu'ils jouxtent immédiatement la sphère des media, dont les passerelles et les centres de décision restent impénétrables aux travailleurs intellectuels de base.

Quant à l'édition, elle tente alors à tout prix de rattraper le journalisme : elle invente le livre-minute, le livre-affiche, le livre-tract; en bref, l'œuvre-événement. L'édition veut être dans l'actualité, elle la singe en l'amplifiant, et finalement la fera fuir en lui courant après. C'est à qui attrapera l'air du temps dans ses filets : apparition en gloire, dans toutes les maisons d'un service de presse étoffé, qui devient l'axe de l'entreprise et, pour les auteurs, le sas stratégique [1]. Si les premières attachées de presse dans le monde des livres semblent être apparues au début des années soixante (et peu avant, chez Julliard), l'Association des attachés de presse de l'édition s'est constituée en bonne et due forme en 1971 (leur statut ayant été précisé par un décret du ministère de l'Information de 1964 portant définition « des professions de conseiller en relations publiques et d'attaché de presse »). C'est aussi à la fin de l'année 1968 que l'INSEE adapte en conséquence ses classifications en la matière : les « spécialistes de la publicité » (91-07) rejoignent les « professions intellectuelles » (groupe 91) dans le nouveau Code des Métiers. Ils y étaient encore en 1975, et ne risquent pas d'en partir. Les intermédiaires sont la couche sociale — logiquement soudée aux appareils d'information — qui a connu le plus fort accroissement depuis 1968 : « Ce sont les intermédiaires de l'animation (130 000 animateurs de formation, rubrique créée en 1975), de la presse (rédacteur, journaliste), des relations publiques (attaché de presse), de la décoration (dessinateur, publicitaire, étalagiste, styliste, décorateur, ensemblier) et de la publicité (rédacteur-concepteur, chef d'études media). Toutes ces professions se développent très rapidement; ainsi les intermédiaires de la presse et des relations publiques passent de 17 000 à 23 000 en 1975. Mais ce sont les spécialistes de la publicité qui connaissent un essor exceptionnel : ils étaient 5 000 en 1968, ils sont 12 000 en 1975. Au moment de la création du code, ces pro-

1. Voir Geng, *L'Illustre Inconnu* (10-18).

fessions intellectuelles diverses étaient peu représentées et leur assimilation avec les instituteurs ne portait pas à conséquence. Aujourd'hui, au contraire, en les réunissant avec d'autres métiers analogues tels les acheteurs déjà rencontrés, et en les séparant des enseignants, on verrait mieux que les premiers stagnent, après le passage de la vague du « baby boom » consécutif à la guerre, et que les seconds connaissent une croissance rapide fondée sur une extension des services commerciaux et publicitaires. » (Laurent Thévenot, *Les catégories sociales en 1975 : l'extension du salariat.* Extrait d'*Economie et Statistique,* juillet-août 1977).

Le poste « journalistes » rejoint aussi en 1975 celui des « hommes de lettres », dont il avait été séparé en 1954. Il n'est évidemment pas facile d'interpréter les modifications subies par la nomenclature de l'INSEE, mais elles ne sont jamais indifférentes : l'air de rien, elles condensent l'air du temps, non sans malice. Elles illustrent à leur manière le jeu d'échecs des places hiérarchiques : quand une pièce conquiert une case, toutes les autres pièces de l'échiquier voient leurs positions réciproques se recomposer. La permutation des différents éléments de la société intellectuelle n'est jamais de type mécanique (ôte-toi de là que je m'y mette) mais organique (toutes les places changent de place ensemble). Ce synchronisme des déplacements peut faire croire à chacune des pièces en mouvement que rien ne bouge mais il s'agit alors d'une illusion optique.

En résumé, dans la période ouverte par mai 68, deux phénomènes ont fini par éclater, ensemble, chacune des déflagrations servant à l'autre de détonateur :

1) les diffuseurs de la pensée sont dissociés des producteurs,

2) les diffuseurs déterminent non seulement le volume mais la nature de la production. A la séparation maximale des producteurs et des vecteurs correspond la subordination maximale des premiers aux seconds. D'où la pirouette dialectique, tout au bout de la chaîne : si les diffuseurs sont les maîtres de la pensée des autres, pourquoi ne diffuseraient-ils leur propre « pensée »? Les deux instances finissent par fusionner, mais à l'économie, au bénéfice de la plus commerciale des deux. Ceux qui nous donnent le monde à voir ne vont donc plus nous faire voir que leur vision du monde, et ce sera la vérité ultime de ce monde. Gicquel et Zitrone — les hommes les plus vus et les plus entendus de France — sont en position de nous imposer comme théorie générale de l'être français l'idée sans doute singulière qu'ils s'en font : en attendant, les derniers « nouveaux » (romantiques) annoncent déjà le jeu futur : les chefs d'école se choisissent au vu et en fonction de leur seule légitimité médiocratique : celui-ci une émission à la radio de grande écoute, celui-là un journal télévisé, tel autre un cirque hebdomadaire. La production culturelle redouble en tautologie le système de sa diffusion.

Ce qui s'enfonce derrière notre dos, c'est peut-être un régime de pensée où l'information pouvait informer ses supports, et non l'inverse; une technologie culturelle où les besoins de la production pouvaient encore l'emporter, en certains points privilégiés du système, sur les impératifs de la diffusion. La variété des positions, des sensibilités et des profils — qui a fait le luxe des époques antérieures — on se demande sur quels vecteurs elle pourrait aujourd'hui prendre appui, à quelle souveraineté territoriale se rattacher. La richesse des anciens messages, comment résistera-t-elle à l'homogénéisation des supports qui alignent les contenus de pensée sur les demandes d'un marché unique? Mutation peut-être corollaire d'une recomposition économique d'ensemble des pays industriels avancés, où la sphère de la circulation s'alourdit en satellisant la sphère de la production matérielle. Mais la nature des enjeux ajoute ici une note comique, tant est forte la « contradictio in terminis » entre le principe d'individuation propre aux « créations de l'esprit » et le principe de rendement propre aux productions industrielles. Entre le principe de l'information, qui est le différentiel, et le principe du « marché de l'information », qui est l'identité. La permutation d'instances au sein du corps intellectuel n'a donc pas seulement produit un renversement des rapports de forces entre la revue et le magazine, le livre et la presse, les « écrivains » et les « journalistes » (savoureusement croqué par Gilles Deleuze dans une feuille volante et non marchande [1]). La nouvelle suprématie sociale des diffuseurs sur les producteurs, c'est la traduction en émissions culturelles des contraintes internes à la diffusion. Ces contraintes étant

1. Voir fin de chapitre.

les mêmes pour tous, à un moment et en un lieu donnés, l'uniformité des canaux finira par résorber la multiplicité des forces canalisables. On n'a jamais pensé qu'aux extrêmes. Or la médiocratie est centripète par nature puisque la rentabilité maximale est dans le juste milieu. La France ne veut pas seulement « être gouvernée au centre », elle veut être pensée au centre, c'est-à-dire décérébrée; selon son plus petit dénominateur commun, celui qui permettra aux diffuseurs d'additionner tous leurs auditoires potentiels et de rafler ainsi redevances, budgets et clientèles. Un médiocrate exulte lorsqu'il peut renvoyer dos à dos la gauche et la droite : c'est son bon de garantie, qui lui certifie non seulement d'être dans l'axe de la saine raison et de la nature humaine mais à son optimum industriel [1]. La comédie philosophique et politique des Droits de l'Homme qui tient l'affiche chez la haute intelligentsia médiatisée — qui n'est pas Homme? — n'est sans doute qu'un lever de rideau dans la course à l'écoute garantie maximale et au crédit gagé d'avance.

Peut-être faut-il retourner l'adage de la Raison classique — la vérité est une et l'erreur multiple. « Il n'est pas étonnant, ajoutait en son temps Simone de Beauvoir, que la droite professe le pluralisme. » Le monisme de l'idée vraie est peut-être la vérité ultime de l'idéalisme : auquel cas éclaterait sa fausseté. N'est-ce pas dans le théorique qu'il y a multiplicité? Peut-être est-il de l'essence des idéologies quand elles sont dominantes d'être uniques. Les idéologies dominées apparaissent par contre éclatées, réfractées, proliférantes; pour beaucoup de raisons, dont la plus prégnante, sinon la plus actuelle, est sans doute la dispersion de leurs supports et moyens de transport, tous hors Etat et hors de prix, donc non conformes et non standard. Les media qui doivent *monter* fléchés de bas en haut sont techniquement frappés d'hétérogénéité, conformément à leur vocation qui est de véhiculer l'hétérogène. Seuls ceux qui *descendent* peuvent se lier en faisceaux (et sans doute ne peuvent-ils pas faire autrement);

---

1. *Le Point*, prospectus 1978, 4 volets. 1er : « *Si on recherche l'information à travers la gauche...* (passoire). 2e volet : « *Si on recherche l'information à travers la droite...* (passoire). 3e volet : « *Si on recherche l'information telle qu'elle est* » (images de plénitude, 5 couvertures du Point). 4e volet : *Le Point. L'hebdo qui n'a de comptes à rendre à personne.* Manque le 5e : « *parce que, n'ayant rien à dire à personne, il peut le dire à tout le monde* ». Même rhétorique ailleurs.

l'amalgame est leur avenir et l'amorphe leur destin. La vérité est complexe, et l'erreur est simple. Les mass média sont une machine à produire du simple — en éliminant le complexe. Dans nos sociétés, c'est la droite qui exerce l'uniformité tout en professant le contraire : si le pluralisme est sa foi, les média sont sa pratique. Et son être social finira par déterminer sa pratique politique. Aujourd'hui, en théorie comme en pratique, le pluralisme a changé de signe. Il est médiologiquement de gauche.

« Le public peut croire qu'il y a plusieurs journaux, mais il n'y a en définitive qu'un seul journal » — notait Balzac en 1840, au sortir d'un petit bureau dirigé par M. Havas, ex-banquier « à la source duquel puisent tous les journaux ». La plaisanterie est devenue réalité, le mot d'esprit, mort de l'esprit — public et privé. C'est un fait véritable à l'échelle du pays comme à l'échelle du monde riche — et qui n'est pas seulement dû au monopole mondial dont jouissent quatre agences de presse (UPI, AP, Reuter et AFP) qui se recopient les unes les autres, ni à l'exclusivité nationale de l'AFP, ex-Havas, comme source à laquelle les journaux de l'hexagone puisent 75 % des informations publiées. Ce que Balzac ne pouvait prévoir, c'est la conséquence « intellectuelle » de son axiome cent cinquante ans après. Le public peut croire aujourd'hui qu'il y a plusieurs intellectuels, il n'y en a plus qu'un en définitive. La matrice du système médiatique tirera autant de copies que nécessaire — seul le moule est original. De même qu'il n'y a plus de frontières ni de postes de douane entre *L'Express*, *Le Point* et *Le Nouvel Observateur* (ou ailleurs *Newsweek* et *Time*) pas plus qu'entre les trois chaînes de télévision, ou entre *France-Inter*, *Europe 1* et *Luxembourg* — ce qui permet de circuler « librement » de l'un à l'autre, sans passeport ni carte d'identité politique, esthétique ou morale; de même traverse-t-on désormais de celui-ci à celui-là, en passant par cet autre (le Club n'est pas si nombreux), d'un extrême politique à l'autre, sans se sentir un seul instant dépaysé : même rapidité d'exécution, mêmes à-peu-près sémantiques, même partition d'équidistance, d'innovation et « remue-méninges ». Mêmes tables rondes, même temps de parole, mêmes discours, à la teinture près. Mêmes supports, mêmes personnifications, même personnage. Un seul journal, un seul idiome, un seul Maître-Jacques. Mais c'est la Voix publique à plusieurs registres qui crée le Maître collectif à plusieurs voix.

NOTES COMPLÉMENTAIRES

P. 64, note 1.   La lecture d'une recherche passionnante menée par C. Charle sur « Les Ecrivains et l'affaire Dreyfus » (*Annales,* mars-avril 1977) me conduirait à compléter ces appréciations, sans revenir sur l'essentiel. Charle montre comment le champ littéraire s'est divisé entre dreyfusards et antidreyfusards d'après une ligne de démarcation opposant un pôle dominé (symbolistes et naturistes) et un pôle dominant (Académie française, Parnasse et Psychologues). L'ambiguïté venant de l'éclatement en deux du secteur intermédiaire (Anatole France, Hervieu, Sardou). Le rôle dominant rejoint la classe dominante, les avant-gardes esthétiquement dominées les positions politiquement dominées. Zola, auteur doté d'une audience de masse mais d'un non-conformisme idéologique, se trouvait au départ à cheval sur les deux camps. Mais la véritable surprise fut Anatole France, membre de l'Académie française (depuis 1896), romancier psychologique, chroniqueur littéraire du *Temps* : cette autorité mondaine considérable choisit pourtant le camp des perdants, dans le sillage de Zola, renvoyant par exemple sa Légion d'honneur après la suspension de Zola par cet ordre. Après le *J'accuse* de Zola, ce sont les jeunes de la *Revue Blanche* (Marcel Proust, E. Halévy, F. Gregh) acquis à l'avant-garde qui prirent l'initiative des pétitions en s'adressant aux maîtres consacrés. Voir aussi, *ibidem, Le Monument Henry* de S. Wilson (ou la structure de l'antisémitisme en France 1898-1899).

P. 65, note 2.   La position socialement dominée des grands universitaires face aux « grands écrivains » est illustrée par Brichot, dit Chochotte, professeur à la Sorbonne, pilier du salon Verdurin, dont il contribue à accroître « l'énorme retard que l'erreur mondaine de l'affaire Dreyfus lui avait infligé », en même temps que ces écrivains de second rang attirés par la Patronne et « qui ne lui furent d'aucun usage mondain parce qu'ils étaient dreyfusards » (La Prisonnière, Pléiade III, p. 236). Par contre, Bergotte, l'Ecrivain, fréquente chez madame Swann, la future madame de Torcheville, aux penchants nationalistes et antisémites, et qui supporte mal l'insolite dreyfusisme de son mari.

P. 109, note 1.   « ... Le journalisme, en liaison avec la radio et la télé, a pris de plus en plus vivement conscience de sa possibilité de créer l'événement (les fuites contrôlées, Watergate, les sondages?). Et, de même qu'il avait moins besoin de se référer à des événements extérieurs, puisqu'il en créait une large part, il avait moins besoin aussi de se rapporter à des analyses extérieures au journalisme, ou à des personnages du type « intellectuel », « écrivain » : le journalisme découvrait en lui-même une pensée autonome et suffisante. C'est pourquoi, à la limite, un livre vaut moins que l'article de journal qu'on fait sur lui ou l'interview à laquelle il donne lieu. Les intellectuels et les écrivains, même les artistes, sont donc conviés à devenir journalistes s'ils veulent se conformer aux normes. C'est un nouveau type de pensée, la pensée-interview, la pensée-minute. On imagine un livre qui porterait sur un article de journal, et non plus l'inverse. Les rapports de forces ont tout à fait changé, entre journalistes et intellectuels. Tout a commencé avec la télé, et les numéros de dressage que les interviewers ont fait subir aux intellectuels consentants. Le journal n'a plus besoin du livre. Je ne dis pas que ce retournement, cette domestication de l'intellectuel, cette journalisation, soit une catastrophe. C'est comme ça : au moment même où l'écriture et la pensée tendaient à abandonner la fonction-auteur, au moment où les créations ne passaient plus par la fonction-auteur, celle-ci se trouvait reprise par la radio et la télé, et par le journalisme. Les journalistes devenaient les nouveaux auteurs, et les écrivains qui souhaitaient encore être des auteurs devaient passer par les journalistes, ou devenir leurs propres journalistes. Une fonction tombée dans un certain discrédit retrouvait une modernité et un nouveau conformisme, en changeant de lieu et d'objet. C'est cela qui a rendu possibles les entreprises de marketing intellectuel. »

(Gilles Deleuze, à propos des « Nouveaux Philosophes » et d'un problème plus général.)

Année 1976-1977
PERSONNEL ENSEIGNANT DES UNIVERSITÉS
Nombre de postes

Titres	Disciplines						Total
	Lettres et sciences humaines	Droits et sciences économiques	Sciences	Médecine	Odonto-logie	Pharmacie	
Professeurs	554	(a) 538	767	806	—	163	2 828
Maîtres de conférence	1 618	831	2 445	2 220	—	322	7 436
Maîtres assistants	3 395	1 078	6 709	—	—	577	11 759
Chefs de travaux	—	—	—	1 138	—	—	1 138
Assistants	2 624	1 845	4 794	4 826	448	594	15 131
Professeurs :							
Catégorie exceptionnelle	—	—	—	—	22	—	22
1er grade	—	—	—	—	134	—	134
2e grade	—	—	—	—	231	—	231
Lecteurs	853	—	—	—	—	—	853
TOTAL	9 044	4 292	14 715	8 990	835	1 656	39 532
Autres professeurs							2 373
TOTAL							41 905

N.B. — Le personnel des Antilles-Guyane (77) et de la Réunion (62) est compris dans ce tableau.
(a) Dont 823 agrégés de droit.

CHAPITRE III

LA LOGIQUE DU POUVOIR

1. MORPHOLOGIE : PLAN CAVALIER

2. ANATOMIE : PLAN DE COUPE

3. ECONOMIE : L'INFRASTRUCTURE

4. NOUVELLE RARETE, NOUVEAU POUVOIR

1. MORPHOLOGIE : PLAN CAVALIER

Vue d'avion, l'intelligentsia d'aujourd'hui se détache dans le paysage français sous forme d'un triangle nettement repérable, Université — édition — media, « le milieu intellectuel » désignant l'aire ainsi circonscrite [1]. Aire *logique* définissant une certaine classe, ou ensemble d'êtres pourvu d'un même jeu d'attributs : pourra être dit membre de l'intelligentsia tout individu tirant ses moyens de subsistance de l'une au moins de ces trois branches d'activité (l'addition des attributs mesurant les niveaux hiérarchiques inhérents à la classe). Aire *sociale* caractérisée — apparemment — par une certaine communauté d'intérêts, d'habitus et d'idiomes. Aire *territoriale* enfin, délimitée par un périmètre urbain au cœur de la capitale (V°, VI° et VII° arrondissements), auquel correspond la plus forte densité d'implantation. Concentration historiquement et matériellement déterminée, comme chacun sait, par le suréquipement intellectuel de Paris qui réunit les universités les plus prestigieuses, les meilleures bibliothèques, les galeries d'art, les grandes écoles et les centres de recherche (CNRS, Maison des Sciences de l'Homme, Ecole Pratique, Fondation Nationale des Sciences Politiques, etc.); les principaux éditeurs, avec leurs dépendances respectives (revues et périodiques culturels) : sur près de 400 éditeurs français, 300 ont leur siège social à Paris; et enfin la totalité des grands media, avec leurs annexes et anneaux périphériques : hebdomadaires,

1. Voir « L'intelligentsia », par Claude Sales, in *Le Monde de l'Education*, février 1977.

grands quotidiens, radio (France-Culture), télévision, etc. Pour une idée comme pour un fabricant d'idées : hors de Paris, point de salut.

Milieu intellectuel, milieu de vie. Au sens que donnent au mot von Vexküll et les éthologues. Cet *Umwelt* spécifique présente à première vue toutes les apparences du maquis, voire de la jungle. Déroutante opacité qui ne tarde pas à livrer, pour peu que l'observateur s'arme de patience et de jumelles, certaines lois d'ordre, certaines régularités dans le comportement professionnel, alimentaire, sexuel et agonistique de l'espèce. Son rythme diurne et saisonnier, ses parcours, ses points d'eau. Pour les conduites de parade, par exemple, on a remarqué que la branche à dominante universitaire se rendait plutôt au *Balzar*, la journalistique chez *Lipp*, l'éditoriale à *La Closerie des Lilas*, et toutes pêle-mêle à *La Coupole*. Pour les activités de combat, de prédation ou d'exploitation mutuelle, les débits de boisson ou lieux publics de rencontre jouxtent l'habitat des familles : la branche Gallimard contrôle le bar du *Pont-Royal*, Grasset le *Twickenham*, le Seuil le *Pré aux Clercs*, et ainsi de suite. Parade et prédation culminant dans le *déjeuner*, où se discute le contrat, où se prépare l'émission, l'interview ou l'article, où se négocient entre grandes puissances coupes, titre et mise en page : rite indispensable qui a lui aussi ses lieux d'élection, son protocole, ses langueurs et ses fulgurances (le tout très sévèrement minuté). Si cette gastrographie, qui donne à l'espace spécifique une très subtile mais nette structure d'ordre, canalise le plus clair de l'activité motrice, ce sont des rythmes temporels qui dominent le système neuro-endocrinien. Eté et hiver correspondent à un tonus normal, l'automne (septembre-octobre) et le printemps (mars-avril) à des périodes de stress : mois de « lancement » des produits dans le public. On note à l'échelon hebdomadaire l'apparition chronique de réactions fortes à des stimuli de haute intensité intervenant le jeudi — « bouclage » des hebdos et publication du *Monde des Livres* — et le samedi matin — mise en vente des trois hebdomadaires politico-culturels, et notamment du *Nouvel Observateur*. Forte décharge d'adrénaline le vendredi soir à 21 h 30, le plus gros de l'espèce se trouvant alors assis soit devant soit derrière un petit écran lumineux. Pour le rythme diurne, tachycardie prononcée et générale chaque jour entre 14 heures et 14 h 30 — sauf le dimanche. Le recours à l'ordinateur a permis de conclure à une corrélation forte entre le tracé anormal des cardiogrammes et la sortie en kiosque, dans le périmètre observé, du journal *Le Monde*. On voudra bien pardonner le caractère sommaire de ces études d'ethno-physiologie, principalement dû à l'absence de crédits et à la vétusté des laboratoires, dont les chercheurs sont les premiers à pâtir. Avec encore moins de moyens, la médiologie nous fera aller plus loin dans l'enquête.

2. ANATOMIE : PLAN DE COUPE

Une coupe médiologique en épaisseur permet en effet de dissiper l'idée du triangle, platitude et donc illusion, pour lui substituer celle, plus adéquate, d'une pyramide de niveaux subordonnés les uns aux autres. Dans l'intelligentsia contemporaine s'imbriquent trois strates sédimentaires correspondant chacune à un mode de production/diffusion, trois instances de légitimité, trois périodes historiques successives. Ces différents plans d'organisation s'étagent sous la prééminence du plus moderne, le dernier venu ayant la fonctionnalité la plus élevée et servant, à ce titre, d' « élément » ou d' « atmosphère » aux deux premiers. De plus en plus, la couche organique des *media* supporte, structure et promeut les anciennes couches dominantes devenues subalternes ou dominées. L'intelligentsia de la fin du xxᵉ siècle est une microformation sociale où coexistent, comme dans les grandes sociétés historiques de la fin du xixᵉ, différents mode de production, d'âge différent et de rapports inégaux, sous l'hégémonie du plus avancé. Et de même que les institutions idéologiques survivent aux conditions historiques qui les ont fait naître (quitte à changer d'idéologie), de même chaque strate institutionnelle, à l'intérieur de la couche des idéologues, survit à son déclassement fonctionnel, en s'adaptant aux exigences de la strate supérieure dont sa survie dépend. Somme toute, le clergé catholique a assez bien survécu à l'aristocratie foncière, et les partis communistes occidentaux

au prolétariat d'industrie révolutionnaire qui leur avait jadis
donné naissance. Mutatis mutandis, l'Université et l'édition
nous donnent aujourd'hui même la preuve de ces survies
négociées, de ces rachats sous condition par une instance
autrefois subalterne et désormais déterminante. Cette faculté
de rémanence propre aux institutions, quelles qu'elles soient,
nous vaut en France un corps intellectuel à la fois uniforme et
composite, conservateur et moderniste, où tout est resté à sa
place et plus rien ne fonctionne comme avant.

Tel corps, telle cellule. De même que chaque âge de l'intelligentsia inclut en lui les deux autres, mais dans un ordre
hiérarchique différent, de même chaque intellectuel organique
d'une époque donnée les résume toutes en sa personne. En ce
sens, le prototype contemporain constitue un véritable *écorché*
de l'hégémonie, exhibant à l'œil nu les organes d'influence
accumulés depuis un siècle, comme autant de couches sédimentaires disposées dans leur ordre d'apparition : université,
édition, media. Discrète pyramide ambulante, le gros bonnet
d'aujourd'hui se présente comme un simple producteur de
textes parmi d'autres, muni de sa seule force de travail intellectuelle, et déposant ponctuellement sa copie sur le marché,
comme tout un chacun, une fois l'an. Dépouillons l'apparence.
Notre sommité est d'abord professeur-titulaire, « maître de
conf' » ou directeur d'études dans un centre d'enseignement
ou de recherche; il est ensuite conseiller d'édition, directeur
d'une ou plusieurs collections et membre du comité de lecture
chez un grand éditeur; il est enfin journaliste, chroniqueur ou
éditorialiste d'un quotidien ou hebdomadaire de masse. Classique assiette des seigneuries à l'ancienne, à laquelle les nouveaux Nouveaux, parias traqués par tous les pouvoirs, ont
pris soin d'ajouter une tribune régulière au plateau Beaubourg,
une animation-FNAC, la production d'une ou deux émissions
de télévision, deux ou trois créneaux-radio. Les temps sont
durs, on n'est jamais assez persécuté. Petits ou grands, ces
Chéops individuels sont en tous les cas bâtis sur un même
plan : en bas, la légitimité (le savoir); en haut, l'effectivité (le
faire-savoir). L'important n'est pas le diplôme ou le titre —
mais la possibilité de les faire fonctionner. Le *cursus honorum*
des grades universitaires donne droit à la parole, mais c'est
un droit purement honorifique et abstrait s'il ne s'adjoint pas
la capacité de se faire entendre, soit par voie de presse soit,

encore mieux, par l'audio-visuel. La position médiatique est le couronnement logique d'une carrière intellectuelle. C'est elle aujourd'hui qui maintient les principautés et fait les rois.

Les seigneurs avaient leur maison, les maisons-mère ont désormais leurs succursales. Les vieux fiefs sont devenus firmes, l'industrialisation de l'intellectuel a sauvé les prérogatives de la féodalité intellectuelle. Chaque Prince de l'Esprit est un *konzern* à lui tout seul — intégrant à la verticale tous les stades du processus de production : fabrication, édition, distribution et promotion. Plus qu'un *cartel*, dans la mesure où il y a intégration réelle des entreprises. Moins qu'un *trust*, car l'intellectuel organique a souvent du mal à imposer une véritable unité de direction à ses activités complémentaires (les déchirements intimes sont fréquents). Disons : un groupe d'entreprises résumé en un seul PDG, ou un soldat-état-major.

Trois bureaux, trois secrétaires, trois téléphones — pour chaque moment de la journée ou selon les jours de la semaine. Trois sources de revenus (traitement, droits, salaire). Trois sphères de dépendance sociale concentriques les unes aux autres et dont l'intégration produit une autorité personnelle et matérielle, donc idéologique et morale, pour le moins digne de respect. Le professeur préside des jurys de thèse, confère des grades, débloque des crédits, le cas échéant, trie parmi les candidats aux postes qui dépendent du sien, vote ou non pour un collègue à coopter : premier cercle. Le directeur de collection accepte ou refuse les manuscrits, passe des commandes ou infléchit certains projets, fixe (ou propose) les à-valoirs, le moment de la parution, le volume du tirage, l'intensité d'un lancement, l'enveloppe-publicité, le nombre et l'emplacement des placards : deuxième cercle. Le journaliste acceptera ou non de faire le compte rendu de la thèse ou du livre de ses amis (ou de demander à sa rédaction qu'un tel le fasse à sa place), décidera entre le « grand papier », la note de lecture ou la seule mention dans les à-lire de la semaine, calibrera à sa guise l'enthousiasme, la considération ou l'intérêt poli : troisième cercle, qui englobe les deux premiers — à la fois par le volume de l'audience qu'il procure sur l'extérieur et la chaîne de répercussions qu'il peut ou non déclencher pour les bénéficiaires dans le milieu lui-même, au palier éditorial et au palier professionnel. Cumul de fonctions, cumul de clientèles. Cet homme a ici *ses* élèves — son école ou son labo. Là, *ses* auteurs — son écurie ou sa chapelle. Et chapeautant l'ensemble, *son* public — lecteurs, correspondants, obligés. Trois fois tulélaire : il patronne, il parraine, il parfume (style d'époque). Si c'est la relation d'ordre (transitivité, asymétrie, non-réciprocité) qui définit le rapport de pouvoir, cet homme en concentre trois sous l'hégémonie de la plus performante — celle des media, où l'asymétrie et la non-réciprocité entre l'émetteur et les récepteurs du message est la plus forte. Cinquante élèves peuvent poser des questions au professeur; cinq cents auteurs, virtuels ou réels, formuler des récriminations, par lettre ou de vive voix; un million de lecteurs ou cinq millions de téléspectateurs ne peuvent que recevoir : la communication de masse est à sens unique.

Le capital social ainsi accumulé par un haut dignitaire, autour de la quarantaine, lui assure une capacité de mobilisation, une puissance de feu et un rayon d'action qui font de lui une *puissance politique et militaire* avec laquelle alliés et adversaires devront nécessairement compter. Cet armement lourd ne se voit pas : il n'est fait que de relations immatérielles. La plate-forme du pouvoir culturel reposent sur des pilotis institutionnels, industriels et commerciaux dont la matérialité sensible échappe le plus souvent à ceux qu'ils supportent. Mais tel est l'appareillage aujourd'hui nécessaire pour quiconque sollicite son entrée sur le champ de manœuvres de l'hégémonie, afin d'y livrer bataille à armes plus ou moins égales. Ce champ est déjà surinvesti, avec une si forte densité d'occupation qu'il faut être soi-même assez bien cuirassé pour s'y tailler une place. Ou pour obtenir de son voisin et concurrent un minimum de considération, de respect humain, et, pourquoi pas, d'amitié. *Si vis pacem, para bellum.* Aucun Etat ne s'arme par plaisir, mais pour se défendre contre l'armement des autres. Dans la sphère des relations intellectuelles comme dans celle des relations internationales, nécessité fait loi. En dernier recours, les programmes d'équipement militaire les plus onéreux peuvent toujours s'autoriser d'un simple réflexe de conservation. La course aux armements médiatiques entre les « grandes puissances » intellectuelles du jour n'a peut-être commencé pour chacune d'elles qu'avec une petite milice d'autodéfense personnelle (conseil de rédaction d'une revue spécialisée, lecteur dans une maison d'édition, pigiste d'un journal de province, etc.). Mais les enchères, sur ce terrain-là, montent toutes seules. Si je n'occupe pas les hauteurs dominantes, celles d'où l'on peut pilonner les positions adverses et « couvrir » l'avance de ses propres escouades, ce sont les miennes qu'on arrosera. Je dois donc monter à l'assaut rien que pour préserver mes troupes et limiter les pertes : fédérer plusieurs revues en une seule, m'associer avec tel magazine contre tel autre, faire une percée au sommet d'un grand quotidien, consolider une position précaire de pigiste en creusant à la place une tranchée d'éditorialiste, permanente et intégrée à un dispositif militaire plus vaste. C'est parce que le terrain des rapports de forces n'est jamais désert mais toujours et par nature déjà occupé que tout hégémonisme politique et intellectuel peut se présenter comme résistance à une hégémonie existante. L'impérialisme ne se justifie que comme anti-impérialisme. Cette règle générale ne va jamais sans drôleries d'exécution, comme on le voit à présent sur la scène idéologique française, où le haut état-major qui a pris sous contrôle les principaux flux de communication ainsi que leurs centres d'aiguillage se présente, avec conviction, sous les traits pathétiques d'une poignée de francs-tireurs aux mains nues tirant leurs dernières cartouches, « le dos au mur et la tête vide », contre les bataillons lourds du marxisme-dogmatique-et-totalitaire, dont on serait bien en peine d'indiquer un seul rescapé encore en activité ou menaçant les lieux de la prise du pouvoir culturel, tous solidement verrouillés par les hérauts de l'anti-pouvoir. Les stratèges le savent bien : une offensive n'est victorieuse que si elle se lance comme contre-offensive, à but strictement défensif. Aujourd'hui, les officiers généraux sont maquisards. Et la soumission, subversion.

Il y a une morale politique mais on n'a jamais fait de la loi du cœur une législation civile. Machiavel ne contredit pas Kant, il parle une autre langue. Pour traduire l'une dans l'autre, il faut d'abord apprendre les deux, et, ensuite, à ne pas les confondre. La société intellectuelle est une société un peu plus politique que les autres, et le moraliste en société un « animal politique » comme un autre. Il y a de bonnes ou de mauvaises politiques intellectuelles, mais il n'y a pas une politique du Bien ou une politique du Mal. Il y a des intellectuels de grande valeur ou de peu de valeur intellectuelle, mais il n'y a pas de grands intellectuels qui n'observent certaines règles tactiques dans l'expression de leur pensée et les rapports avec

leurs pairs. L'ensemble de ces tactiques peut admettre un jugement de moralité, mais non s'en remettre à lui. Les jugements
moraux jugent autant les juges que les inculpés, et le comportement d'une espèce sociale ne relève pas des « lois de la
conscience », encore moins de celles du Code civil, mais des
lois objectives et contraignantes propres à un champ donné
d'activités.

De même que la haute intelligentsia ne constitue pas une
personne morale, ni immorale, la probité individuelle de ses
membres ne constitue pas un critère pertinent au moment
d'analyser leur stratégie sociale. Il y a des intellectuels intè-
gres, nous en avons rencontré [1]. Qui, au cœur même de la H.I.,
font un usage équitable, décent, et même altruiste de leur
matériel de guerre. Mais peu importe à notre propos, qui n'est
pas normatif mais descriptif. Nous intéresse ici la logistique
de l'hégémonie, non ses emplois politiques ou tactiques. La
question des transports et du ravitaillement pèse à parts égales
sur tous les combattants du signe, de l'image et du son, qu'ils
soient à droite, à gauche ou ailleurs. Le rôle des services logis-
tiques est devenu dans la culture industrielle ce qu'il était
déjà dans la guerre industrielle : primordial. A l'époque
moderne, l'intendance ne peut plus suivre : elle doit précéder
les troupes de choc. En qualité et quantité, les idées comptent
désormais moins que les vecteurs. De Machiavel à Trotsky, les
prophètes en Occident pouvaient être de deux sortes : armés
ou désarmés; heureux ou malheureux. Aujourd'hui la priorité
est à l'armement, les prophéties s'inventent après et sur
mesure. Quiconque fignole des idées-projectiles dans son coin,
sans se procurer d'abord un fusil, est un homme mort avant
de combattre. Un fou ou un idiot. Un intellectuel sans média
n'est plus un général sans troupes, mais un général pour
rire.

Ce qui apparaît plus étrange dans ces conditions, c'est la
sourcilleuse intolérance des experts en hégémonie à l'endroit
des professionnels de la politique. Aux vertus que les intellectuels exigent des politiciens, combien d'entre eux auraient
acquis leur position? Tout le savoir-faire politique du monde
semble s'être donné rendez-vous dans la haute intelligentsia
française, — à preuve ce paradoxe : les mêmes esprits qui

1. Séparer la position et la personne est l'ABC de toute morale politique
et intellectuelle. Faute de quoi l'enfer menace.

politisent ex-professo tout ce à quoi ils touchent (de la vie
sexuelle à la critique d'art), refusent de toucher de près ou
de loin à la politique professionnelle, dont un travers mérite
en particulier leurs sarcasmes : le cumul des mandats (muni-
cipaux, départementaux, régionaux, nationaux, européens). On
ne sache pas, en revanche, qu'ils aient jamais milité pour
l'incompatibilité des titres au sein de notre profession, où
l'on n'avait encore jamais vu autant de casquettes sur si peu
de têtes. Inconséquence doublement logique. Dans la logique
militaire du vieux monde, l'équilibre de la terreur et la dissuasion réciproque constituent les seules équivalences praticables
d'un impossible désarmement général et contrôlé : il faut
d'abord rentrer dans le club des surarmés pour avoir le droit
de négocier les conditions du désarmement. Revel contrebalance Dutourd, qui contrebalance Julliard, qui contrebalance
d'Ormesson, etc. Le cercle de famille est un système planétaire
où les gravitations s'équilibrent, où chacun s'adosse à tous.
« L'autorité de celui-ci n'a-t-elle pas pris beaucoup de poids
ces derniers temps — déjà trois comités de rédaction, une
quatrième collection aux éditions, et un travail régulier au
journal? » — « Oui, mais il fallait absolument faire contrepoids à celui-là, car au train où vont les choses, on n'allait
plus entendre et voir que lui, etc. » Immémoriale mécanique,
encore trop abstraite pour expliquer les nouvelles configu-
rations du pouvoir intellectuel, *hic et nunc*. La logique du
Nouveau Monde est dans son économie, ses servitudes pèsent
aux moralistes comme aux généraux.

3. ECONOMIE : L'INFRASTRUCTURE

Ne nous payons pas de mots, les chiffres, eux, ne spéculent
pas. Aujourd'hui, le prix public hors taxes d'un livre se décompose ainsi, pour chaque corps professionnel (et l'avenir ne
risque pas de modifier cet ordre de grandeur) : coût de fabrication (imprimerie) : 20 %; coût de production (éditeur +
auteur) : 25 %; coût de distribution (distributeur + détail-

lant) : 55 % [1]. Cette simple analyse recèle une grande complexité économique, et les complexités du monde intellectuel
une très curieuse simplicité. L'ordre des grandeurs comptables
fonde à lui seul un ordre hiérarchique, en indiquant à la fois
le taux de rentabilité moyen des diverses entreprises regroupées dans chaque konzern, et le taux d'activité recommandée
pour chacune d'entre elles. Pour chaque auteur la ratio idéale
des investissements en temps de travail et volume d'énergie
se décomposerait ainsi : un quart pour la fabrication des
manuscrits (bureau de travail à domicile), un autre quart pour
le travail de bureau chez l'employeur (édition et rapport avec
les autres auteurs), et la moitié restante pour la distribution
et vente (promotion du produit + publicité du producteur).
Cette dernière moitié pouvant se décomposer, selon des proportions variables et somme toute indifférentes, en déjeuners,
« télés », présentations, interviews, articles, tables rondes,
polémiques de presse, communiqués, appels au pays, photos-
cinémas, arrestations télévisées, manifestes, désordres sur la
voie publique etc. Toutes les données fournies par l'observation empirique de la « vie intellectuelle » confirment les
proportions induites par raisonnement. Que la médiatisation
du produit sur le marché ait pris le pas sur la production
est un fait objectif, et l'agenda des grandes firmes en activité
répercute à sa manière cette permutation des rapports entre
distribution et production au sein des industries culturelles.
Le stade chronologiquement final du processus productif est
logiquement le premier, l'aval est devenu l'amont, le maillon
stratégique est au bout de la chaîne. Traduction concrète, à
l'échelle individuelle : les articles sur mon livre ont plus d'importance que mon livre, le publiciste doit primer en moi l'écrivain. Créateurs, sauvons-nous nous-mêmes, devenons nos
propres journalistes. Une gestion sérieuse stipule : finish
d'abord. Etre quelqu'un avant de faire quelque chose. Faire
parler de soi avant d'articuler quelque parole que ce soit. Un
bon auteur assure le service après vente *avant* la confection
de l'œuvre.

La recomposition du corps intellectuel a donc décalqué
celle de l'industrie, où la commercialisation est devenue le
secteur clé, comme, là, le secteur média. Dans le circuit du

1. Voir Asfodel, *Le métier de libraire*, p. 28.

livre en particulier (et de l'imprimé en général), le lieu stratégique n'est plus la fabrication, ni l'édition, mais la *distribu-*
tion. Il peut se fonder autant de maisons d'édition qu'on veut
(et de fait la concentration au sommet n'empêche pas la
prolifération en bas et sur les marges de petites maisons
artisanales), pour la même raison qu'il peut s'écrire autant
de manuscrits et s'imprimer autant de livres en France que
le peuvent ou le veulent les citoyens et les imprimeurs : rira
bien qui rira le dernier. Il existe près de sept cents éditeurs
répertoriés, mais quatre maisons-mères assurent la moitié du
marché du livre. Dans l'édition comme dans la création, le
pluralisme de l'amont est soumis au monopole de l'aval. C'est
l'éditeur qui juge de la *mise en place*, mais c'est le libraire
qui décide de la *mise en valeur* sur le point de vente. Or les
libraires sont de plus en plus écartés par les grandes surfaces
contrôlées par les distributeurs, ou réduits à la condition de
simples *dépositaires*. C'est le distributeur et non l'éditeur
(lorsqu'ils sont dissociés) qui négocie les remises avec les
libraires. Hachette ou les Presses de la Cité ont donc toutes
les raisons de se faire courtiser par les éditeurs qui ne peuvent
avoir, à l'instar des très grands (Gallimard, Laffont, Le Seuil,
Flammarion), leur propre distributeur, tout comme les dirigeants du réseau médiatique, par les auteurs, petits ou grands,
de gauche ou de droite, sociologues ou romanciers, bouddhistes
ou monarchistes, qui tous dépendent d'eux (dans leur réalisation en tant qu'auteurs-à-la-recherche-d'un-public). Si le sort
de la création comme celui de la production intellectuelle
(de livres, de disques, de cassettes, de gravures, etc.) est entre
les mains d'un nombre de plus en plus réduit de *décideurs*,
il y a nécessité pour l'intellectuel comme pour l'entrepreneur
d'être là où s'effectue la décision. Physiquement et mentalement. Les critères de l'éditeur (dans le choix des manuscrits ou
l'allocation des à-valoirs) sont devenus ceux des filtreurs,
dans le même temps et pour les mêmes raisons que les critères des auteurs deviennent ceux des média. « Désolé, cher
ami, votre livre n'est pas bon pour la course », fait l'éditeur
à l'auteur en lui rendant son manuscrit; et l'auteur : « Mon
dernier livre n'a pas eu de presse, c'est vrai, mais je m'en
vais rectifier le tir avec le prochain. » L'éditeur n'est pas
cynique, et l'auteur n'est pas opportuniste, ou, s'ils le sont,
ils ont toutes les raisons de l'être. Au fond, l'un et l'autre ont

subi la même *diminutio capitis*, l'un vis-à-vis de ses diffuseurs, l'autre vis-à-vis des médiocrates. Le bouleversement des méthodes de diffusion a fait de l'édition d'un livre à vente difficile (comme de sa seule conservation en librairie) un acte de philanthropie : la rotation accélérée des stocks, les frais de stockage et de comptabilité, les impératifs de circulation étranglent éditeurs et auteurs dans le même goulot [1]. Un écrivain tenu à l'écart par les média est devenu une calamité économique (pour son éditeur), sociale (pour son entourage) et médicale (estomac et coronaires), comme le sera demain pour n'importe quel éditeur un livre refusé par la FNAC, laquelle assure déjà près d'un tiers du chiffre d'affaires de la librairie parisienne (1977). La FNAC sera-t-elle bientôt en mesure, comme certains le craignent, de refuser ou d'imposer tels titres ou tels noms? Jadis, une maison d'édition pouvait vivre sur un fonds, avec des titres qui s'écoulaient lentement, sur plusieurs années. Aujourd'hui les livres de rotation lente ne couvrent même pas le loyer correspondant à l'emplacement qu'ils occupent chez le libraire. « On estime qu'un titre qui se renouvelle moins de quatre fois dans l'année non seulement ne rapporte pas d'argent mais en coûte » (*ibidem*). Or les bénéfices de l'éditeur dépendent de ceux du libraire. Puisque c'est le fonds qui coûte le plus et qu'il faut bien vivre, on ne peut plus vivre qu'en montant des « coups » — procédure désormais commune aux éditeurs, aux auteurs et aux vendeurs puisque d'intérêt commun pour tous : seuls sont rentables les succès du jour (à moins de se borner au dictionnaire, aux livres de cuisine ou à la Bible). En se concentrant lui-même, le commerce de librairie se concentre sur eux, obligeant par contrecoup l'éditeur à faire de même; donc l'auteur qui vit de ce que l'éditeur lui donne ou plus exactement lui rétrocède; et, ultime ricochet, le lecteur lui-même. Pour l'éditeur, l'optimum économique veut dire maximum de ventes à prix de revient minimum; donc les grandes surfaces à discount font leur affaire puisque ces dernières se flattent d'offrir au lecteur un choix maximum pour un prix de vente minimum. Mais, par un mécanisme au demeurant classique et en l'occurrence fort bien expliqué par Jérôme Lindon, la monopolisation

---

1. Voir — lecture obligatoire — Jérôme Lindon, *La FNAC et les livres.*

de la diffusion débouche, à terme et paradoxalement, sur un choix minimum pour un prix maximum. Que ces pronostics soient ou non pessimistes, reste le diagnostic d'un phénomène indiscutable : le même phénomène de concentration en amont — fonctionnelle chez les managers de l'idéologie, économique chez les entreprises éditoriales — comme effet pervers en retour de la diffusion sur la production. En tout cas, si la fatalité de la concentration industrielle est pour la petite production artisanale un virus mortel, elle a stimulé le tonus d'un monde intellectuel beaucoup moins archaïque qu'il ne paraît et très sensible à la nouveauté. On découvrira dans cent ans que les modestes artisans-propriétaires des Lettres de la fin du xxᵉ siècle étaient plus en avance sur leur temps que beaucoup de patrons du textile et de la sidérurgie. En désertant abbayes, séminaires, cénacles et salons d'antan pour programmer et animer, par exemple, les « rencontres » de la FNAC, les nouveaux intellectuels ont fait preuve d'un instinct très sûr en matière de redéploiement industriel et de compétitivité. Une entreprise qui draine le tiers de la clientèle « sur » Paris constitue l'un de ces « nœuds de forte communication sociale » où l'animation culturelle s'impose comme une nécessité. Dans une société où la circulation des marchandises règle la communication entre les hommes, l'accélération de la rotation des stocks détermine celle des « modes de pensée ».

Les rythmes culturels sont aussi lents que les rythmes de la nature : un roman pousse en dix années de vie, un concept éclôt après dix ans d'étude; ceux de la marchandise, de plus en plus rapides, les prennent à contre-pied, et cet incontrôlable affolement des cycles du profit a le même effet dévastateur sur le paysage d'une culture que sur les rivières et les forêts d'un pays. La mise au poste de commande économique de la diffusion transforme le producteur en travailleur sur commande. Or, pas plus qu'il n'y a, en matière théorique, de demande sociale de vérité (religions et mythologies apportant par définition plus de satisfactions imaginaires), il n'y a jamais eu, en matière artistique, commande sociale de nouveautés. L'innovation esthétique ou littéraire se heurte à l'hostilité ou à l'indifférence du public immédiat, aussi sûrement qu'une découverte scientifique à l'hostilité ou à l'indifférence des prêtres et sorciers en poste. Si les réponses du public doivent calibrer au fur et à mesure la nature des questions

que les artistes, créateurs ou philosophes peuvent se et lui
poser; s'il n'existe plus pour les valeurs symboliques d'autre
forme de circulation que marchande, à rentabilité immédiate,
donc massive et ponctuelle, c'est toute une civilisation qui va
pivoter sur ses gonds, sacrifiant l'innovation à la sécurité, la
conquête à la protection des valeurs acquises, l'avenir au passé.
Et le vif, au mort. Beckett en 1952 a vendu, aux Editions de
Minuit, 125 exemplaires d'*En attendant Godot*. Si la rentabilité d'un livre doit désormais se calculer sur l'année — ou plus
exactement les trois mois — de sa parution, il ne paraîtra
bientôt plus que des vieilleries habillées en nouveautés. Le
plus « neuf » n'est pas toujours le plus rentable, et le commerce de livre a ses rentes de situation. Sans doute n'y a-t-il
pas correspondance mécanique entre les succès réels de librairie et la surface des célébrations publiques. Il existe des clientèles fixes et des monopoles de marché, à l'écart des guichets
de la rareté que constituent les mass média. Druon, Cesbron,
Pauwels, Des Cars, représentent des lignes de produits fiables,
réfractaires aux fluctuations boursières de la conjoncture, et
c'est surtout dans l'entre-deux de la production « idéologique »
(entre la fiction et la vérité, le romanesque et le scientifique)
que joue l'arbitrage médiatique, qui sépare le « périmé » du
« novateur », « l'archaïque » du « moderne » — le bon grain
de l'ivraie. Le malheur c'est que, par une loi dont les effets
sont du domaine public, il n'y a de nouveautés authentiques
qu'en différé; et, si le rythme du « grand » commerce doit nor-
mer la « petite » production littéraire, il n'y aura plus de
littérature qu'à l'école (pour autant qu'il y aura de l'école),
et de catalogue qu'en bibliothèques (pour autant que...). « Il
faut savoir qu'au sein du catalogue de n'importe quel grand
éditeur de littérature générale, la majeure partie des titres —
qu'il s'agisse de Faulkner ou de Georges Bataille, de Valéry
ou de Conrad — ne se vendent pas à 300 exemplaires par an,
dans le monde entier » (Lindon, *ibidem*). Aussi sûrement que
la libre concurrence économique se retourne en fin de la
concurrence, l'impératif commercial de nouveauté, par une
autre sorte de retournement, débouche sur la répétition mécanique de l'ancien — comme on le voit depuis quelques années
sur le marché idéologique français, où chaque bond en arrière
dans l'exhumation des ancêtres se présente comme un pas
en avant dans l'invention saisonnière du neuf [1].

Entendons-nous bien : il n'y a jamais d'*incipit*, pas plus dans la vie d'un peuple que dans celle d'un homme, et la culture est un sourd tissage de recommencements. Le nouveau n'advient dans l'histoire que par répétition de l'ancien : Marx et Nietzsche, chacun à sa manière, ont définitivement établi cette loi. Mais une culture involue dès lors que les répétitions cessent d'être cumulatives en renchérissant l'une sur l'autre pour devenir régressives par appauvrissements successifs. La scène culturelle française offre depuis quelque temps le spectacle alarmant d'une séquence rétrograde de pastiches involontaires, dont on pourrait accepter, eu égard aux impératifs du commerce, qu'ils se présentent comme des innovations, mais non pas qu'ils édulcorent l'original en plaçant notre présent en *retrait* par rapport à notre passé. Les répétitions sont libératrices lorsqu'elles s'éprouvent et se connaissent comme telles : en Occident, chaque révolution a singé la précédente, mais n'en serait que l'ombre si elle ne savait pas qu'elle singe. Ce qui inquiète dans nos révolutions idéologiques annuelles, c'est qu'elles ne donnent pas leurs sources, moins par astuce que par inconscience. D'où, dans l'énonciation, ce mélange de fureur et de surplace; et, dans les énoncés, ce déjà-vu prophétique [1]. On a compris qu'il n'y avait pas là plagiat mais exploitation à l'aveuglette d'un filon lucratif : l'inculture historique et l'amnésie idéologique et sociale qui ont gagné la société des idéologues, à la faveur du règne de l' « actualité ». Loin d'en diminuer l'importance ou d'en entraver le fonctionnement, l'analphabétisme croissant de la société dominante facilite et valorise le travail de ses intellectuels, en abaissant chaque fois d'un cran le seuil des qualifications. Tel idéologue qui serait passé il y a encore

---

1.   Exemple de ces galops à rebours, en matière de « pensée politique ». *1976 :* fulmination à droite de « la mort de Marx » (la quatrième depuis sa mort physique) et de « la nouvelle philosophie », ou découverte de la production (thèmes et style) des « non-conformistes des années trente ». *1977 :* invention à gauche, sous étiquette de « nouvelle culture politique ». d'une équation fort banale dans les années 1910 : Sorel + Péguy, comme réplique et

Proudhon

alternative à la « barbarie » léniniste. *1978 :* Clavel et ses amis défrayent chaque semaine la chronique avec les anathèmes et les sarcasmes de Bonald et Joseph de Maistre, dont l'appréhension de la Révolution française, de la Raison abstraite et de la Terreur devient le dernier cri des avant-gardes « intellectuelles » hexagonales. « L'ouragan » des *années 80* arrivera vraisemblablement du côté de l' « empirisme organisateur » — Maurras étant tombé dans l'oubli.

trente ans pour un demeuré un peu vieux jeu aux yeux de la confrérie fera aujourd'hui figure de novateur aux yeux du « grand public ». L'ancienne communauté, dépossédée de ses moyens institutionnels d'existence, ayant dû abdiquer devant « l'opinion », n'a simplement plus voix au chapitre — à moins qu'elle n'achète sa survie en joignant la sienne au chœur des médiocrates.

Dans la culture, prendre systématiquement le parti du « nouveau » n'est pas faire œuvre de novateur, mais de commerçant. En politique, prendre spontanément le parti de la majorité n'est pas agir en démocrate mais en collabo. De même qu'historiquement ce sont les résistants et les minoritaires — parfois même les « terroristes » — qui réinventent la démocratie, chaque printemps remplit les poubelles de la culture des succès de l'hiver et des derniers cris de l'automne. Ce qu'on appelle le goût du public est celui que la caste des hommes de goût mis sur le moment en position d'arbitre lui impose comme naturel, de même que l' « opinion publique » des sondages est un artefact construit par les sondeurs, où les réponses des sondés sont déjà dans les questions. Si ce sont les récalcitrants à la culture de leur époque qui font avancer la culture de cette même époque, la nouvelle économie de la production culturelle donne au conformisme, habillé si possible en dissidence, des armes et une base incomparables. Tout y est programmé — conditions techniques de diffusion et mise en condition publicitaire du public — pour la reconnaissance immédiate et à moindres frais. Age d'or donc pour l'intelligentsia — tout intellectuel se soutenant de la reconnaissance d'autrui; et âge de fer pour la création — le chef-d'œuvre se confirmant de la méconnaissance des contemporains. Pronostic : exaspération des produits, disparition des œuvres. Il faut choisir entre être quelqu'un et faire quelque chose — ce dilemme est de tout temps. Ce qui va devenir de plus en plus difficile, c'est de choisir la portée contre l'importance, la dure méconnaissance contre toutes les gratifications en cash de la reconnaissance. Nous savons bien que les « quelqu'un » d'une époque donnée ne coïncident jamais avec ses « quelque chose » mais comment allons-nous pouvoir prendre du champ sur la nôtre? Ce ne sont pas les *grands écrivains* du début du siècle, les Papes et Princes de la Jeunesse — les Anatole

France, les Paul Bourget, les Maurice Barrès qui ont remanié le champ littéraire de ce temps, ni ses « grands savants » en titre et en poste son champ discursif. Interminable et rigolote serait la liste des quiproquos par lesquels la grande écrivance d'une époque se fait prendre à chaque fois pour son écriture (ou son idéologie pour théorie). Cette classique illusion optique, inhérente à la contemporanéité, qui donne aux nains l'apparence de géants et vice versa — quel habitant de la planète Mars pourra demain s'y soustraire? Si ce qui se met en place aujourd'hui sous nos yeux, c'est l'économie du malentendu ou une optique de la bévue...

4. NOUVELLE RARETE, NOUVEAU POUVOIR

L'Europe d'aujourd'hui vit en état de famine symbolique et de gavage culturel. Loin d'être paradoxale, cette situation confirme une règle bien connue des historiens : les périodes de décadence sont toujours pléthoriques. C'est quand la valeur des valeurs s'effondre que ces dernières pullulent, la prolifération des cellules n'annonçant rien de bon aux organismes déjà mûrs. La dévaluation du sens répond à l'inflation des signes comme celle de la représentation au foisonnement des spectacles. La crise du théâtre, du cinéma, de la peinture, etc. dont on nous rebat justement les oreilles, n'a jamais signifié qu'il n'y avait pas assez de pièces, de films ni de tableaux pour satisfaire la démarche du public — mais plutôt le contraire... Il ne sera néanmoins ici question que du livre.

« La richesse des société dans lesquelles règne le monde de production capitaliste s'annonce comme une immense accumulation de marchanses » — et l'annonce est mieux perçue encore par ceux qui arrivent de sociétés démunies. Débarquer dans les rues de Paris en provenance d'un quelconque pays du Tiers ou du Quart Monde, c'est subir un choc confinant à la panique. Parmi le foisonnement des choses, l'imprimé fait signe au premier rang : journaux, périodiques, magazines — mais aussi livres. Vertige des devantures. Forêt des titres, splendeur des jaquettes, clin d'yeux des bandes. Et partout, les gémissements des professionnels implorant grâce — victimes supposées bénéficiaires. Les libraires croulent sous les offices, les éditeurs sous les manuscrits, les journaux sous les appels des auteurs édités, les critiques sous les services de presse quotidiens, les jurys littéraires sous les romans de l'automne, les étalagistes sous les piles, et les lecteurs sous cette interminable avalanche d'écritures. Le Paris du livre n'est plus une fête mais une foire — Gutenberg a la gueule le bois.

Traduction statistique :

Nombre de titres déposés par les éditeurs [1]	1962	1969	1970	1976*
Nouveautés	6 019	9 464	10 924	10 729
Réimpressions	6 603	10 370	9 241	11 310
Total	12 622	19 384	21 571	23 363

Le nombre de titres a donc doublé depuis vingt ans, bien qu'un palier de stabilité ait été atteint vers 1970 [2]. Il était demeuré pratiquement stable depuis un siècle, passé le bond en avant entraîné par la scolarisation massive et l'industrialisation. Au temps de Balzac, il se publiait dans le royaume un peu moins de cinq mille ouvrages par an; huit mille sous l'Empire (1856); mais plus de quatorze mille sous la République (1889) — seuil maintenu, avec quelques variantes, jusqu'à notre mi-siècle. En nombre d'exemplaires, la production est passée de 180 millions d'exemplaires à 325 en 1976, et le

* Statistiques 77 du SNE. Nouveautés : 11 959. Total : 25 823.
1. ASFODEL (Association nationale pour la formation et le perfectionnement professionnels en librairie et papeterie), *Le Métier de Libraire*, 1978, p. 20.
2. A titre d'élément de comparaison, le dernier annuaire statistique de l'UNESCO (1976) donne pour l'URSS 80 196 titres en 1973, pour les USA, la même année, 83 724, pour la Grande-Bretagne 35 177 et 48 034 pour la RFA. Le chiffre retenu pour la France est de 26 247 en 1974. Chiffres gonflés par l'imprécision des critères distinguant ici ou là le livre de la brochure, le livre commercial de la publication non commerciale, etc.

chiffre d'affaires de l'édition a dans le même temps quadruplé (4 269 millions de francs en 1976). Le fonds de l'édition française compte aujourd'hui 220 000 titres disponibles. Sans doute ces chiffres doivent-ils être très précisément passés au crible, modulés dans l'espace et le temps selon diverses catégories [1]. La catégorie *littérature générale* (déduction faite des « poche » et « policiers » qui y sont normalement inclus) représente une production elle aussi stabilisée mais proportionnellement la plus importante par le nombre de titres (4 500 en moyenne) et d'exemplaires (35 millions) ainsi que par le chiffre d'affaires. Dans cette catégorie, la progression des livres d'histoire et d'actualité compense une certaine régression du secteur belles-lettres (romans, poésie, théâtre, critique et essai littéraires). Reste que les catégories « littérature » (grâce au tirage des prix littéraires) et « encyclopédies et dictionnaires » représentent à elles deux environ la moitié du chiffre d'affaires de l'édition (45 % en 1976). En pourcentage de chiffre d'affaires, la troisième place est occupée depuis 1975 — signe des temps — par la catégorie « livres pratiques »; elle l'était jusqu'alors par les livres scolaires [2].

La société française fabriquerait-elle, chaque année, plus de livres que de lecteurs? Rassurons-nous : « La France se met à lire. » Comme titre un hebdomadaire peu porté à l'inquiétude sur la foi d'un sondage « réalisé entre le 25 septembre et le 6 octobre 1978 auprès d'un échantillon national de 2 000 personnes, représentatif de la population âgée de dix-huit ans et plus ». « Conclusion sans appel, surprise, stupeur même : le pourcentage des Français qui lisent a augmenté de 15 % [3]. » Depuis quelle année, quels Français et quelles lectures? — un jeune cadre pressé n'a pas le temps de s'arrêter

1. Les statistiques du Syndicat national des éditeurs distinguent les catégories suivantes de livres : scolaires; scientifiques; professionnels et techniques; sciences humaines; littérature; encyclopédies et dictionnaires; beaux-arts; livres pour la jeunesse; livres pratiques.
2. Ces chiffres ne se peuvent déchiffrer qu'avec un certain recul et l'on n'oubliera pas que les pensées de survol et les fausses extrapolations dont les media passent chaque semaine commande aux instituts spécialisés reposent précisément sur une vue « cavalière » de statistiques, réduite à des résultats parfaitement abstraits puisque coupés de toutes leurs procédures d'établissement.
3. Voir *L'Express*, 11 novembre 1978, p. 152. Enquête de Janick Jossin, Sondage Louis Harris, flash en couverture. Ce magazine s'exalte de « constater » que 43 % des Français seulement restent étrangers au livre. Une enquête SOFRES de 1972 avait déjà fait baisser à 41 % le nombre des Français ne lisant jamais de livres : faut-il en conclure, à la manière de, que la France s'est arrêtée de lire entre 1972 et 1978?

à ces vétilles. Même à prendre le chiffre — invérifiable — pour argent comptant, on en conclura qu'en vingt ans la production de livres a progressé dix fois plus que celle des lecteurs de livres. Que l'enquête de 1960 — commandée par l'édition — indiquant que 57 % des Français ne lisent jamais de livres doive être ou non corrigée en baisse ne change pas le fait fondamental que seulement un petit quart de la population française (22 % en 1960 comme en 1978) — celui des « gros lecteurs » — absorbe la plus grande partie de la production livresque française. Les capacités nationales de production intellectuelle (avec la démocratisation scolaire, l'extension des loisirs et activités culturelles, la formation permanente et les mauvaises fréquentations des adultes, émoustillés par l'environnement) ont grandi à un tout autre rythme que la capacité de consommer, socialement et naturellement limitée. Pourtant, les éditeurs n'étant pas tous philanthropes, ils n'auraient pas augmenté leur production si elle ne s'écoulait sur le marché. Ce qui a donc changé depuis vingt ans, c'est non seulement le volume mais l'équilibre interne de ce marché. Un nombre relativement stable de lecteurs achète un beaucoup plus grand nombre de livres : cela veut dire en fait qu'un plus petit nombre de livres est acheté à un plus grand nombre d'exemplaires, et un plus grand nombre de titres à un plus petit nombre d'exemplaires. Le public moyen de l'écrivain (quand il n'est pas une vedette) c'est de plus en plus les autres écrivains : on tend à la superposition sociologique des auteurs et des lecteurs. Le drame c'est que lecture et écriture s'excluent comme activités pratiques, parce qu'il n'est pas possible — ni mentalement ni physiquement — d'écrire et de lire à la fois. Les écrivains sont les derniers à pouvoir lire les écrivains, mais s'ils commencent à se lire les uns les autres ils ne sont plus écrivains : cette aporie résume les rapports névrotiques unissant chaque écrivain à ses amis du métier. Il attend d'eux une critique, une appréciation, un encouragement — car sinon, de qui ? Mais eux à leur tour attendent de moi la même chose pour leur dernier livre — que je n'ai ni le temps ni l'envie de lire puisque je suis en train d'écrire le mien. Ce tourniquet burlesque produit un chassé-croisé très incommode entre les membres de la confrérie. Il n'y a pas d'amitié possible entre écrivains. Ni non plus, mais pour d'autres raisons, entre intel-

lectuels. Les pairs ne font pas des couples. Quand un séducteur
professionnel rencontre une séductrice professionnelle, tout
peut advenir entre eux — sauf l'amour.

Les statistiques éditoriales, lorsqu'elles évaluent entre 14
et 15 000 exemplaires le tirage moyen global de chaque titre,
et à 8 000 exemplaires le tirage moyen d'un livre dit de littérature générale, témoignent d'une même drôlerie dans le
sérieux (ou vice versa) que l'annuaire statistique des Nations
Unies, qui évalue le revenu per capita de la Colombie à
515 dollars (1975) ou celui de l'Inde à 136 dollars, avec cette
différence que si l'abîme séparant les per capita d'en haut et
ceux d'en bas est une donnée permanente des sociétés colom-
bienne et indienne, il n'en a pas toujours été ainsi dans la
société littéraire française, où le fossé s'accroît chaque année
entre les très petits et les très gros. Dans le monde des livres
comme dans le monde tout court, les faibles sont de plus en
plus faibles et les forts de plus en plus forts. L'inégalité, la
petite sœur maudite du libéralisme, ne cesse de grandir. Un
éditeur pudique en a fait la remarque récemment : « Nous
assistons, a-t-il dit, à un tassement fâcheux des livres qui se
vendaient moyennement » (J.-C. Fasquelle), dont on conviendra
qu'il est encore plus fâcheux pour les auteurs que pour les
éditeurs. Les courbes de diffusion de l'imprimé ressemblent à
une cloche de Gauss à l'envers, le convexe s'est inversé en
concave : ventre creux au milieu, extrémités enflées de part
et d'autre. L'édition marche désormais au best-seller. Les
maisons répartissent les risques en publiant beaucoup d'auteurs, dont un se vendra énormément et neuf pas du tout.
L'entre-deux tend à disparaître — cette immense plage des
3 000/10 000 où se tenait jadis — surtout entre les deux
guerres — tout ce qui a compté dans la littérature et l'essai.
Cette honnête moyenne a rassemblé pendant près d'un siècle
les plus hauts fleurons, nos classiques à la longue. Désormais,
c'est pour tout un chacun le bide ou le boom. Ainsi le veut
l'homogénéisation d'une production soumise aux lois de la
diffusion. Pourquoi? Parce que la sélection opérée par les mass
média dans la production idéologique et esthétique est brutale,
massive et sans appel; et qu'il *n'y a pas de milieu dans la
sphère des média*, où joue, sans détails ni nuances, la loi du
tout ou rien. Etrange destin pour un « ouvrage de l'esprit »
de n'avoir le choix qu'entre « marcher très fort » ou mourir

aussitôt né! Plus exactement : ou la machine démarre, et fait boule de neige; on en parle parce qu'on en parle parce qu'on en parle et ainsi de suite : le médium va au médium et la célébration aux célébrités comme l'argent va aux riches. Ou aucune pièce ne bouge. Pour la simple raison qu'à l'inverse de la Nature selon Buffon, où tout se fait par degrés, et de la Vérité selon Constant qui n'est que dans les nuances, les média ignorent la graduation (positive ou négative). Au lieu de diversifier, la concurrence uniformise. Quand un auteur « a » *L'Express*, il est presque sûr d'avoir *L'Observateur*, et par là même *Le Point*, car l'autre du médium c'est le même, et l'horizon de *L'Express*, *L'Observateur* ou vice versa. Pour les média, le monde objectif — ce dont il y a quelque chose à dire — c'est ce qu'en disent les autres média. Enfer ou paradis — il nous faut vivre désormais dans ce palais de glaces ensorcelé où le miroir reflète le miroir et l'ombre mord la queue de l'ombre. On peut voir là l'effet pervers causé sur les média par leur propre domination. Esclaves de leur maîtrise, ils involuent en s'enroulant en quelque sorte sur eux-mêmes : c'est l'implosion. A l'âge précédent, il était habituel pour un journaliste de s'entendre dire par son rédacteur en chef : « Tiens, tu devrais faire un papier sur ça : c'est intéressant, personne n'en parle. » Aujourd'hui, le même journaliste qui propose un papier sur un ça encore non traité s'entendra répondre par le même rédacteur en chef : « Non, ce n'est pas intéressant, personne n'en a parlé. » Ou bien : « Attendons de voir ce qui se passe ailleurs. » Sans avoir l'air d'y toucher, toute faille médiologique met le vieux monde sens dessus dessous. Comment orchestrer l'unisson tout en variant à mesure les tonalités : cet insolite traité d'harmonie fait danser toute l'assistance sur une piste unique, au même rythme, d'affaire en polémique, de l'émission de la semaine à la « révélation » du jour, en passant par le livre du mois et l'homme de l'année, sous la baguette d'un chef d'orchestre qui a depuis belle lurette déserté son pupitre : ça se joue tout seul, par inertie. Les orgueilleux qui se refusent à rentrer dans la danse devront prendre sur eux d' « assister éternellement au tirage d'une loterie où ils n'ont point de billets. » (Chamfort.)

Par-delà les vraisemblances, une certitude : dans la société française, où se produit le double de livres qu'il y a vingt ans,

se produit aussi moitié moins de journaux[1]. Foisonnement
de la production idéologico-culturelle, rétrécissement des
organes de critique/diffusion. Il y a de plus en plus à verser
dans l'entonnoir, mais le tube de l'entonnoir est de plus en
plus étroit. D'où l'hypertrophie fonctionnelle des intermédiaires. Selon qu'ils placent ou non l'entonnoir à la bonne
place ou au bon moment, les producteurs auront, ou non,
travaillé à bon escient ou en pure perte. On écrit pour être lu,
énormément et de façon dispersée. Mais le public déjà limité
des lecteurs disponibles — des acheteurs de livres — s'oriente
vers le produit que les appareils centralisés de triage et de
canalisation avec lesquels il se trouve quotidiennement (radio-
télé) ou périodiquement (hebdos-magazines) en contact (donc
en confiance) lui indiquera comme répondant à ses besoins.
Le dispositif des supports d'information susceptible de canaliser la demande sociale de biens culturels vers tel ou tel
produit s'est vu soumis dans la dernière période à une draconienne concentration, de telle sorte que la sélection à
effectuer parmi les ouvrages de l'esprit — entre ceux qui
vivront en trouvant un public et la piétaille de ceux qui
mourront de silence, devient elle aussi draconienne. Quarante
médiocrates (au grand maximum) ont pouvoir de vie ou de
mort sur quarante mille auteurs. Pour ces derniers, publier
un livre veut dire : déférer au tribunal des Quarante, le
mutisme du jury valant pour sentence capitale. Or les jurés
n'ont ni le temps ni l'espace pour rendre un verdict adapté
à chaque inculpé. La disproportion entre les canaux disponibles et le volume de la production à canaliser; entre une
offre de plus en plus nourrie, et une demande à croissance
limitée; entre le nombre des ouvrages reçus et l'espace restreint (ou le temps limité à la radio-télévision) consacré à la
critique des livres ou à la présentation des auteurs rend
matériellement inéluctable le principe d'une sélection : « On ne
peut parler de tout le monde à la fois ». Mais les agents

1. Façon de parler. Voici les chiffres pour Paris : de 1960 à 1975, les
quotidiens parisiens d'informations générales ont vu leur tirage passer de
4 068 304 à 3 116 235, et leur vente de 3 309 752 à 2 364 424 exemplaires.
Avec 9,6 millions d'exemplaires la presse quotidienne française n'a pas rejoint
en 1975 le point le plus bas de sa courbe de diffusion depuis la Libération
(1952), alors que depuis 1945 près de 70 titres sur 203 ont sombré. A Paris,
il existait soixante quotidiens en 1914, trente en 1939, et une dizaine aujour-
d'hui. Le seul groupe Hersant contrôle près de la moitié des journaux nationaux.

d'exécution du principe ont la réalité du pouvoir entre leurs mains. Pour les travaux des uns et des autres, ils constituent le sas à passage obligatoire séparant l'événement du non-événement, l'être du néant, l'utile de l'absurde. Or, plus que jamais, les décideurs sont les décimateurs. Placés à la tête du nouvel « appareil de discernement » (Péguy), les membres de ce micro-milieu occupent le lieu stratégique du dispatching, avec une double fonction : décloisonner les micro-milieux professionnels de l'intelligentsia (sciences, arts, spectacles, et plus précisément : mathématiciens, médecins, philosophes, biologistes, romanciers, etc.) en assurant la circulation des messages entre les uns et les autres; et lever les barrières séparant chacun de ces micro-milieux du public des honnêtes gens (et même pour un lieu et un moment donné, avec le médium télévisé, du plus grand public possible). En somme, si publier pour un auteur consiste à mettre une lettre à la poste, à destination de ses contemporains, c'est au centre de tri des média qu'il sera décidé si elle arrivera ou non à ses destinataires inconnus — ou plus exactement : que l'adresse sur l'enveloppe sera libellée en clair ou laissée en blanc. A son niveau, qui est le plus élevé, le journal *Le Monde* remplit ce double office : bulletin officiel de la société française, il sert aussi de boîte aux lettres entre la haute intelligentsia et le haut personnel de l'Etat, par le truchement de laquelle l'une peut chaque jour s'enquérir de l'autre, formuler ses demandes ou répondre à ses requêtes. Tout ce qui en France jouit du (ou prétend au) statut de personnalité — politique, intellectuelle, scientifique ou artistique — le sait bien : un événement, une mise au point, un communiqué, une manifestation n'existent pas tant que *Le Monde* n'en a pas donné acte par voie d'impression. C'est donc *Le Monde* qui sert de registre d'état civil pour toutes les productions symboliques émises sur le territoire national (ou immigrées en traductions). Qui contrôle *Le Monde* — particulièrement les sections *Monde des Livres* et *Monde des Spectacles* — tient en partie sous sa dépendance la totalité des aspirants à la vie. Dix hommes et femmes décident pour cinq mille, selon qu'ils décident ou non de se pencher sur leur sort. Beaucoup de déchet. En 1976, à peu près six mille nouveautés sont parues (sciences humaines et littérature). Près de 4 000 ont été envoyées au *Monde des Livres*, pour ratification. 881 ont fait l'objet d'articles (ou

actes de baptême), 768 plus modestement du laconique extrait
de naissance que constitue le « Vient de paraître ». Le reste :
au crématoire. Le *Monde des Livres* compte sept permanents
(entre chef de département, feuilletoniste, chefs de rubrique
et rédacteurs), plus une vingtaine de chroniqueurs et collaborateurs sélectionnés au sein de la HI. Le plus sélect des cribles
n'est pourtant pas le plus sélectif. Plus vulgaire mais infiniment plus efficace, la télévision — sans laquelle il n'est plus
guère de best-seller concevable — est encore plus sévère. Là,
c'est la décimation à rebours : chaque triomphateur s'y dresse
sur les corps invisibles de neuf d'entre ses chers camarades
de plume.

Où est la plus grande rareté, là est le lieu du pouvoir. La
raréfaction des grands moyens de communication — ou, en
bon français, l'étranglement par le goulot — a déplacé inéluc-
tablement dans la sphère des média le lieu du pouvoir
intellectuel. Il y a quinze mille postes d'assistants dans les
universités, il y a trois cents places de conseillers, attachés ou
directeurs de collection dans les maisons d'édition, il n'y a
que trente postes importants d'éditorialistes, chroniqueurs ou
critiques dans les mass média; où l'on ne recrute pas sur
concours mais sur « relations ». Chaque place coûte donc cher
(et d'autant plus que sa valeur n'est pas fixée par l'arithmétique mais par l'algèbre qui préside aux calculs de stratégie).
Les universitaires produisent des manuscrits, les employés
d'éditions les corrigent et en font des livres, mais c'est à
l'embouchure, dans les média, que se déterminent les débouchés. Plus forte l'affluence à l'entrée du système, plus dures
les luttes d'influence pour en contrôler les vannes et les issues.
L'ensemble du processus de mise en valeur se décide in
extremis et c'est parce qu'il y aura de moins en moins de place
dans le canot de sauvetage qu'on s'entretuera de plus en plus
pour y monter. C'est la saturation du marché intellectuel,
l'exceptionnelle densité de talents, de compétences et d'ambitions propre à un pays (ou une métropole) de haute civilisation
qui crée des conditions d'une cruauté inégalée dans les mœurs
de l'intelligentsia. Plus culturisé un pays, plus sauvages ses
intellectuels. Seuls les grands fauves survivent. Si je n'étouffe
pas les autres, c'est moi qu'on asphyxie. Et dans cette jungle,
survivre c'est tuer, grandir c'est abaisser, se propulser c'est

expulser. Il n'y a jamais eu de place, en France comme ailleurs, pour vingt mille auteurs célèbres, car s'il y a vingt mille célébrités dans le même temps et le même lieu, il n'y a plus de célébrité pour personne. Mais les supports de la célébration sont devenus si exigus et les enjeux, par conséquent, si élevés; mais la nature intrinsèque des mass média, qui fonctionnent à la personnalité et donc à l'exclusive, à l'originalité et non à la solidarité d'un collectif; mais la concentration typiquement française de ces instances de consécration dans une aire réduite et entre quelques mains (cent chaînes de télévision aux USA émettent jour et nuit, cent cinquante stations émettrices privées en Italie, etc.) font de l'éternelle lutte pour la reconnaissance, qui est le destin de l'intellectuel, cette lutte à mort pour arracher son petit morceau de média à quoi se résume désormais la carrière de l'intellectuel hexagonal. Cette bribe-là est devenue la seule monnaie d'échange me permettant d'entrer dans le cycle de circulation et de réalisation des valeurs marchandes individuelles. « Fondée sur l'inégalité, exacerbant constamment le désir d'*avoir* sans donner à tous la possibilité de le satisfaire, il est inévitable qu'elle sécrète ses délinquants », écrit Maschino de la société de consommation, à propos des délits de droits communs. Fondée elle aussi sur l'inégalité, qu'elle a pour fonction de reproduire et d'aggraver, exacerbant constamment le désir de paraître sans donner à tous la possibilité de le satisfaire, il est inévitable que l'institution des mass média, effet de cette société, sécrète ses délinquants intellectuels, ses faussaires et ses escrocs, ses plagiaires et ses sophistes. A ceci près que les délinquants en matière intellectuelle disent la loi et dictent la norme, leur multiplication en plein centre obéit au même effet d'entraînement que celle des banlieues.

On n'a encore jamais vu les écrivains faire des pieds et des mains pour voir leur nom figurer sur le catalogue de leur éditeur ou à la *Bibliographie de la France*; pas plus que les électeurs n'en viennent aux mains pour figurer sur les listes électorales de leur commune. On en a vu par contre s'empoisonner la vie et celle de leurs concitoyens pour figurer sur les listes de candidatures, et les candidats aux élections qui ne se disputent pas les préaux d'école se battent jour et nuit pour décrocher deux minutes aux informations de 20 heures. De même ce qu'on voit tous les jours en milieu intellectuel lorsqu'il s'agit d'avoir son nom en gros à la une ou sa tête au petit écran défie la narration. Et Candide de réfléchir.

Le catalogue annuel ou le bulletin mensuel par lequel un éditeur donne à connaître la liste de ses publications ne constitue pas une donnée limitée mais indéfiniment extensible : quand apparaît un nouveau génie, en sus des précédents, il suffit de rajouter une page, et voilà une place de plus au soleil. C'est sans doute la raison pour laquelle aucun écrivain ne ressent comme une promotion en contemplant son nom ou sa photo dans le catalogue des auteurs par ordre alphabétique. Le seul fait que tous les collègues s'y trouvent ne le rend intéressant pour aucun d'entre eux. En somme, la surface imprimée n'est pas pour l'instant un enjeu, ni un moyen, de pouvoir. Elle le deviendrait aussitôt en cas de pénurie de papier ou d'encre. Comme on le voit en certains pays sous-développés, socialistes ou non, dans lesquels la limitation objective (faute de techniciens compétents ou coût très élevé du papier) des capacités de production des imprimeries transforme au sein de l'intelligentsia la seule édition d'un recueil de poèmes en symbole hiérarchique, marque de faveur et critère de réussite. N'importe qui, en société capitaliste avancée, peut faire imprimer n'importe quoi — fût-ce à compte d'auteur, pour offrir aux amis ou éblouir la famille. L'égalité des chances à ce niveau devait donc déplacer le lieu des démarcations : on n'a encore jamais vu un auteur de « la Pensée Universelle » invité chez Pivot ou faire l'ouverture du culturel à *L'Observateur*.

Quels que soient les facteurs externes de rareté — en l'occurrence celle des grands média d'influence —, et même s'ils venaient à proliférer, les compétitions ne cesseraient jamais au sein de l'intelligentsia, pour la simple raison qu'elles ont, en dernière analyse, un enjeu « éternel » — qui est le temps. Le pouvoir culturel, comme l'autre, c'est le pouvoir d'occuper le temps d'autrui. Or le temps constitue pour ce qu'on appelle la consommation culturelle une condition naturelle par définition rare. Son élasticité relative est une chose, sa limitation absolue en est une autre, qui ne se contredisent pas. La proportion entre temps libre et temps de travail n'a cessé de varier et continuera de le faire à l'avenir pour les travailleurs au fur et à mesure des progrès technologiques (gain de productivité) et des luttes de classe (réduction négociée du temps de travail). Et plus grand sera le temps libre socialement disponible, plus vastes seront les débouchés de la production culturelle. Mais la société d'abondance la plus achevée ne pourra jamais ajouter une vingt-cinquième heure à la durée d'un jour, ni permettre la vision simultanée de deux vidéo-disques, ou la réception par le même amateur des deux programmes de télévision de meilleure qualité se donnant en même temps. Elle pourra ajouter une dixième chaîne TV aux neuf existantes, c'est-à-dire augmenter les virtualités de choix mais non la quantité de temps consommable. La télévision la plus libérale du monde ne lèvera jamais la nécessité de répartir des temps d'antenne par nature insuffisants et inégaux entre eux : et quand bien même « tous les créateurs » jouiraient d'un droit d'accès égal à l'antenne, il faudra bien quelqu'un pour allouer à un tel plutôt qu'à tel autre la tranche 20 h 30-21 h 30, celle de la plus grande écoute, donc de la plus grande influence, et donc la plus enviée, comme enjeu et instrument de suprématie. Il y a fort à parier qu'aucune consultation libre, démocratique (etc.) entre auteurs et réalisateurs ne résoudrait la question de savoir comment répartir « équitablement » un bien dont la seule répartition recrée l'inégalité. Pénurie et autorité sont corrélatives. La pénurie totale engendre le « totalitarisme » et la pénurie relative un autoritarisme tempéré par les syndicats. Il n'y aura jamais abondance de temps, et la lutte pour le pouvoir n'aura jamais de fin — encore moins entre producteurs de biens dont la valeur ne peut se réaliser que par une consommation importante de temps libre. La révolution de la lune autour de la terre et de la terre autour du soleil n'a pas fini de se moquer des niaiseries prétendues programmes nous annonçant la révolution de l'audio-visuel, la totale démocratisation de l'information et le libre accès de tous au petit écran comme clef de l'émancipation du genre humain.

CHAPITRE IV

L'ACOUSTIQUE COMME FIL CONDUCTEUR

1. TECHNOLOGIE DE L'INFLUENCE : « L'AMBITION »

2. ELEMENTS POUR UNE HISTOIRE LITTERAIRE

3. DYNAMIQUE DE L'INFLUENCE : « LA CORRUPTION »

1. TECHNOLOGIE DE L'INFLUENCE : « L'AMBITION »

1978, Hong-Kong. Un jeune réfugié chinois rencontre un journaliste occidental.

« Je me préparais à entrer à l'Université quand la révolution culturelle est survenue. J'y ai participé très activement. Quand elle s'est terminée, j'ai été envoyé, comme la majorité de la jeunesse éduquée du pays, aux travaux des champs dans un village perdu. C'est-à-dire que mon éducation s'est arrêtée à la fin des études secondaires.

— Vous ne vous considérez donc pas comme un intellectuel?

— Si, parce que je tente, par ce que j'écris, d'influencer les gens [1]. »

Admirable densité. La vérité de l'Occident s'énonce aux antipodes. Ce n'est pas le niveau d'instruction qui fait l'intellectuel mais le projet « d'influencer les gens ». Ce projet moral est d'essence politique : il vise à la direction des autres, c'est-à-dire à corriger les directions déjà prises par ailleurs. C'est comme *Directoire de l'opinion* que la haute intelligentsia, pour a-politique qu'elle se veuille, se trouve nécessairement en compétition avec les autres pouvoirs politiques. Deux cas de figure : en Chine (et dans les régimes similaires), l'unité de direction fait du Parti-Etat le seul directoire possible : l'intellectuel est donc, par nature, l'adversaire à réduire car il incube

1. Henri Leuwen, *Le Monde*, 26-27 février 1978.

du fait de sa fonction les germes du séparatisme et du divisionnisme. En Occident, où l'Etat repose sur la division des tâches de direction, il y a (depuis la dernière période historique) aménagement possible d'un territoire intellectuel doté d'un régime d'autonomie interne, dans les limites et sous les conditions de la souveraineté étatique. Solution fédérale qui permet la coexistence sans exclure les tensions.

Il y aurait donc une géographie de l'intelligentsia mondiale, qui serait à discriminants institutionnels et politiques. Il y aurait surtout, dans un cadre géographique donné, une histoire possible de l'intellectuel, qui serait celle de ses moyens d'influence disponibles à chaque époque, et tel serait l'objet de la médiologie appliquée. Pour influencer il faut d'abord pouvoir se faire entendre (ou dire, ou voir) donc accéder aux lieux ou aux formes permettant la *meilleure écoute*, toutes choses égales par ailleurs. La volonté de « parler » aux hommes est sans âge, mais la parole publique a une histoire, qui est celle de ses chambres d'écho successives. La zoologie finit où la médiologie commence. C'est par l'acoustique que l'espèce intellectuelle sort de plein droit du Jardin des Plantes. Direction : le champ de bataille. La tour d'ivoire n'existe que dans l'imaginaire des artistes. L'histoire de l'acoustique n'est pas celle de la musique. Elle dit le bruit et la fureur; elle dit pour chaque époque le meilleur canal du dire, c'est-à-dire celui qui suscitera le plus de bruit et de fureur. L'homme d'influence est une espèce du genre homme d'action. L'exercice de la violence symbolique, un substitut à la violence tout court. En temps de guerre, l'action de l'homme sur l'homme se fait par commandement et se décide dans l'affrontement physique. En temps de paix, elle s'exerce par la « persuasion », le « prestige », l' « autorité » et se décide sur le terrain des confrontations intellectuelles. Accéder aux lieux institutionnels de la décision, c'est cette volonté qu'on appelle « ambition ».

Or ces lieux sont combles par définition. D'où la mêlée, les blessures, calculs et ulcères. De manière générale il y a toujours affluence aux plus hauts sites de l'influence. En période de calme, il y a même bousculade. La logique veut et l'histoire de France confirme que les luttes d'influence sont beaucoup plus intenses en temps de paix qu'en temps de guerre. Si elles **sont devenues** aujourd'hui aussi oppressantes au sein de la

gent intellectuelle, c'est que l'Europe et la France en particulier traversent une période de paix internationale et civile
anormalement longue. La violence n'a plus de débouché sur
le dehors, elle macère à l'étroit sur des enjeux mineurs, qui
en deviennent cruciaux. Les hommes d'action, en chômage
historique, rongent leur frein, et les hommes d'influence prennent leur place sur le devant de la scène (ou le dessus du
panier); sans compter avec le transfert inverse : beaucoup
d'hommes d'action et d'organisation, faute d'avoir où s'em-
ployer, compensent sur l'influence, et rentrent dans la bataille
intellectuelle faute de mieux. Fantôme de bataille ou bataille
d'ombres? Sans doute, mais elle fait de la poussière (qui salit
et s'incruste partout), car si les temps de guerre renforcent
la cohésion en faisant monter les enjeux, ils redonnent de la
valeur aux valeurs communautaires et trans-individuelles. La
paix cloisonne et pulvérise, en faisant retomber l'individu sur
lui-même. Donc — même opération — en faisant remonter
l'individualité intellectuelle au plus haut de la Bourse des
valeurs sociales. Une guerre comme une révolution annoncent
de grands malheurs pour l'espèce intellectuelle — non seulement parce que tout ce qui renforce la cohésion d'un corps
civique diminue les marges de tolérance individuelle mais parce
qu'elle y perd le monopole des fonctions symboliques, confisqué
par d'autres. La paix et les périodes de réaction étale offrent en
récompense à l'espèce le meilleur environnement possible pour
croître et multiplier; alors les hommes d'influence luttent à
visage découvert, chacun sous son drapeau, sans uniforme ni
roi de Prusse, sans concurrence déloyale. Seuls maîtres du
terrain puisque le verbe règne. Ce sont eux, alors, les « hommes
importants ». Ils peuvent enfin tirer à bout portant avec leurs
armes propres. Qui sait mieux que les hommes de lettres
viser avec les mots? Ils s'enivrent souvent de leur propre crédit, oubliant dans leur ébriété ou leur « ubris » que c'est simplement l'Etat qui leur fait crédit en leur déléguant l'autorité, car les moyens et vecteurs de l'autorité sont sous contrôle
de l'Etat (aujourd'hui, en France : radio/télévision/media
écrits). Les concessionnaires de l'influence se prennent naturellement pour ses propriétaires de droit, mais leurs effets se
réescomptent sur la Banque de France et ils préfèrent ne pas
le savoir. Ces périodes de transfert, où le centre de gravité
politique passe de la coercition à l'hégémonie, ne marquent

pas un recul de l'Etat, monstre repoussé dans l'ombre par des milliers de blanches mains, mais une autre façon pour l'Etat de fonctionner. Comme le disait à la radio d'Etat un homme d'Etat (décembre 1978) appelant à une nouvelle mobilisation intellectuelle des forces « gaullistes » : « Depuis 1968, le gouvernement doit convaincre et séduire; il ne peut plus ordonner. » Convaincre et séduire — c'est précisément le métier des hommes d'influence. Aussi bien les gens du métier ont-ils rarement connu position plus enviable qu'aujourd'hui : puisqu'ils sont au gouvernement il est logique qu'ils ne veuillent rien moins qu'en changer; aucun régime n'est plus favorable au Directoire de l'opinion que l'actuelle régence bourgeoise. Cette dernière en effet n'a pas en elle-même les moyens intellectuels de sa politique — étant donné la pauvreté des élites politiques dominantes en ressources symboliques. Elle doit donc vivre à crédit; d'où la complémentarité des tâches, délégation de pouvoirs et échange de courtoisies : jamais les grands supports de masse (radiotélévision et magazines) n'ont ouvert aussi largement leurs portes à la haute intelligentsia française. Une ambition politique est intellectuelle ou n'est pas. Conséquence : rarement l'ambition intellectuelle ne fut aussi immédiatement politique qu'à présent, dans ses ressorts comme dans ses effets. Rarement la technologie culturelle ne s'est aussi exactement superposée à la technologie politique d'une époque qu'en la nôtre. En « parlant technique » — et histoire de la technique — nous ne cesserons donc de « parler politique » — mais, à la racine des choses, les mots s'évanouissent.

Une histoire de l'hégémonie pourrait fort bien s'écrire comme une histoire de l'ambition personnelle à travers les âges et les cultures, et ce serait en partie une histoire de l'Etat. Aux lisières des guerres napoléoniennes, le petit Julien Sorel hésitait encore entre le Rouge empire et le Noir restauration. Lieutenant de hussards ou grand abbé de Cour? Gendelettre ou gendarme? Au même âge, dans une autre après-guerre, d'autres se demanderont : aviateur ou romancier? La nature des temps répond au moins autant à cette sorte d'anxiété que celle des individus. Quel jeune loup aujourd'hui, dans quelle Franche-Comté, rêverait, tel Julien, à « ce bel état de prêtre qui mène à tout? » Vingt ans après l'amant de

Mme de Reynal, il était déjà plus naturel dans une ville de province de se rêver « écrivain » : c'est devenu à la fois un métier (on peut vivre de sa plume) et une position (privilé-giée et disputée). Entre-temps, la prêtrise était devenue voie étroite. Poète à Angoulême, Lucien rêve d'être Hugo à Paris. Le rêve naufrage, le voilà Walter Scott : il écrit un mauvais roman historique. Tant pis pour l'échec : il sera critique litté-raire dans un grand journal. C'était couru. D'Arthez avait prévenu Rubempré lorsqu'il papillonnait encore autour de son cénacle saint-simonien : « Tu serais si enchanté d'exercer le pouvoir, d'avoir droit de vie et de mort sur les œuvres de la pensée, que tu serais journaliste en deux mois. Etre journa-liste, c'est passer proconsul dans la République des Lettres. » Compte tenu des brefs délais qu'il s'était fixés, de son intolé-rance à la solitude et d'une anxiété névrotique, le journalisme littéraire offrait à Lucien un optimum de pouvoir social, toutes choses égales par ailleurs. Or les choses changent — et avec elles les profils de carrière, le calcul des gratifications, les échelons de l'influence. Pour une demande de magistrature supposée constante, l'offre varie selon les époques avec les moyens matériels du magistère. Ce marché social a pour régu-lateur l'état du développement technologique. C'est ce dernier qui sert de matrice aux plus secrets projets des adolescents, de fil directeur aux « scènes imaginaires » des talents mécon-nus. Les rêveries de puissance des hommes du Signe sont canalisées par les réseaux de la communication sociale et viennent buter à leur insu sur certains seuils-limite de capacité acoustique (eux-mêmes dépendants des forces productives de la période). Mais elles les franchissent à la période suivante. « Le refoulement de la culture par la technique » (Aron) : inusable cliché. Aucun système technique ne « refoule » un projet culturel : il le modèle et l'organise.

Quels seuils et en quelles salles? A « l'intellectuel » de répondre — comme tête chercheuse du pouvoir. Pas de meil-leur chien de chasse que le « chien de garde » pour nous mettre sur la piste du lieu d'où peut s'exercer comparativement le mieux la direction idéologique d'une société donnée. La tribune d'où la parole retentit le plus fort et porte le plus loin; d'où le maître du discours peut interpeller les princes d'égal à égal, faire réfléchir les importants et frissonner les belles. Le lieu où l'asymétrie est la plus grande entre l'émetteur et le

récepteur de messages — tel est le lieu du pouvoir; allez-y;
vous pouvez être sûr d'y trouver les « grands intellectuels »
du moment. Les plus en vue et les plus écoutés, car ce lieu
combine la visibilité sociale la plus élevée à la meilleure résonance. C'était en 1680 la chaire du prédicateur; en 1750, la
scène du théâtre; en 1850 l'estrade du professeur; en 1890 le
barreau de l'avocat; en 1930, la une d'un quotidien; en 1960,
la rédaction en chef d'un news-magazine; en 1980 la production d'une émission de télévision. Périodisation arbitraire, plus
symbolique qu'indicative. Chaque système de domination politique a ses porte-voix et son enceinte privilégiée. *Religieuse*,
tant qu'*omis potestas a Deo* : église, cathédrale, monastère,
où la parole de Dieu exhibe sa toute-puissance, qui rejaillit sur
son porteur. *Ethico-juridique*, quand se met en place l'Etat
de droit : l'amphithéâtre où s'énonce l'esprit des lois, l'hémi-
cycle où elles se votent, le prétoire où elles s'appliquent. *Mass-
médiatique*, quand Dieu et la loi doivent s'incliner devant le
marché des opinions cotées et chiffrées, quand l'économie des
biens, services et prestations norme la décision politique :
alors, le pouvoir, comme l'influence, se prend et se perd au
petit écran.

A chaque type d'acoustique vient correspondre une échelle
de prestations culturelles, où le premier rang sera occupé tour
à tour par l'éloquence sacrée; le drame ou la tragédie; le cours
magistral ou la conférence; l'éditorial ou la chronique; l'allocution ou le débat télévisé. Indice de performances sur lequel
chaque époque épingle un visage, un nom propre, modèle
d'identification pour des générations entières de clercs ou
d'intellectuels. Saint Thomas ou saint Bernard; Bossuet ou
Bourdaloue; Beaumarchais ou Voltaire (dont le sacre eut
précisément pour théâtre un théâtre); Villemain, Guizot ou
Michelet; Zola, Clemenceau ou Daudet; Sartre, Malraux ou
Camus; les vedettes des média d'aujourd'hui. Aucun de ces
lieux, genres, symboles, n'annule ses prédécesseurs ou ses
concurrents : il les déplace et les déclasse. Nécessairement,
parce qu'au lieu où l'acoustique est la meilleure il n'y a pas
de place pour tout le monde : c'est précisément la possibilité
d'y accéder qui joue comme discrimination hiérarchique à
l'intérieur de l'ordre, enjeu des luttes internes, critère de
réussite et insigne d'appartenance. Le pouvoir intellectuel,

c'est le fait d'y être, d'en contrôler l'accès et d'en garder le monopole. Si tout le monde au sein du corps intellectuel pouvait s'y tenir, l'emplacement cesserait de jouer ce rôle décisif. C'est donc *ipso facto* le site où la sélection est la plus draconienne. Où l'auditoire est le plus nombreux et l'écoute de meilleure qualité, là est le pôle d'aimantation qui structure le champ magnétique des forces intellectuelles du moment. Au carrefour des appareils d'hégémonie est appelé tout ce qui compte, précisément parce que peu sont élus. Pour écouter, lire, voir ce peu-là, tout le monde se bouscule. « On » se bousculait en 1680 pour entendre le prêche de Carême à Saint-Germain ou l'oraison funèbre de Henriette d'Angleterre à la chapelle du Louvre; en 1750, les mêmes sont le soir à l'Opéra de Paris; en 1850, au Collège de France; en 1890, au palais de Justice; en 1950, dans telle salle de rédaction; en 1980, sur tel plateau de télévision, le vendredi soir. Les studios de la rue Cognacq-Jay sont les derniers lieux où peuvent encore se côtoyer et « rivaliser d'esprit » un archevêque, un avocat, un financier, un philosophe, un général, un ministre et un acteur. Aujourd'hui le point d'unification du champ symbolique français c'est ce « meeting point » appelé Bernard Pivot — le seul, avec le président de la République et les présidents d'Assemblées, à pouvoir réunir les ministres de l'Etat et les directeurs de l'esprit — soit le « tout-Paris » du moment. Le tout-Etat et le tout-Esprit coïncidant — le dialogue ne peut se nouer qu'au sommet de l'Etat (Elysée) ou de l'esprit (Pivot) — ceux qui fréquentent chez l'un se retrouvent chez l'autre. Mais s'il apparaissait demain que le meilleur lieu pour se faire voir et écouter du plus grand nombre possible de francophones est situé sur la lune, les fusées interplanétaires afficheraient déjà complet.

2. ELEMENTS POUR UNE HISTOIRE LITTERAIRE

Si ces hypothèses ne sont pas tout à fait dénuées de fondement, il en découle un certain nombre d'axes de recherche, ou tout simplement quelques hypothèses supplémentaires.

D'abord en matière d'histoire de la littérature. Cette dernière se résume souvent à l'histoire des doctrines et des genres littéraires, comme si les unes et les autres portaient en eux-mêmes leur loi de succession. N'est-ce pas lâcher la proie pour l'ombre ou la cause pour l'effet? N'est-ce pas prolonger indûment sur le terrain artistique le renversement idéaliste des explications idéologiques de l'histoire par l'idéologie? Ne pourrait-on concevoir, par-delà une sociologie littéraire, une science politique de la littérature, elle-même fragment d'une stratégie des beaux-arts? La médiologie pourra peut-être un jour, sinon répondre à ces questions, du moins les poser en rigueur, en dressant, pour chaque époque et chaque culture, le *tableau médiologique* de la période. Ou tableau des rendements comparés potentiellement liés à l'emploi de tel ou tel vecteur, ou bien de telle ou telle forme d'expression comme support d'influence. De manière générale, l'ascendant qu'exerce un genre donné sur les créateurs intellectuels d'une époque doit être mis en correspondance avec l'*indice de résonance* qui est le sien à cette époque, compte tenu des dimensions du public potentiel et des possibilités pratiques d'entrer en relation avec lui permise par le niveau technique des réseaux de communication de l'époque.

Prenons l'exemple du théâtre. « La crise qui frappe le théâtre dans le monde entier depuis l'apparition du cinéma parlant et de la télévision, note un spécialiste, a pris en France un caractère plus aigu que dans les pays anglo-saxons [1]. » « Paris a perdu son prestige de capitale mondiale du théâtre au profit de Londres et de New York » — précisément parce que les auteurs et intellectuels sont plus soucieux de leur prestige à Paris qu'à Londres et New York et qu'ils exercent ici une fonction politique qu'ils n'exercent pas là-bas. Or, s'il n'est pas de grande politique sans politique de prestige, la création théâtrale a perdu son prestige d'antan parce que la grande politique intellectuelle n'a plus à passer par la scène. Les auteurs français sont à longue portée, et n'aiment pas gaspiller leurs munitions artistiques. « Portée » se dit en acoustique, politique, balistique et morale : on la dira selon les cas bonne, longue, grande ou haute. Et tous ces sens n'en font qu'un : aptitude à avoir des effets en atteignant une cible

---

1. Georges Versini, *Le théâtre français depuis 1900* (PUF — Que sais-je?)

ou un but. On fait remonter à peu près à une vingtaine
d'années (1955) la disparition des « auteurs de premier plan »,
c'est-à-dire à l'apparition de la télévision et du cinéma-écri-
ture, avant laquelle avait pu se glisser, juste à temps le
« théâtre nouveau » (Beckett, Ionesco, Adamov, etc.). Si jusqu'à
cette date ce qu'on appelle chez nous les « œuvres d'une
haute portée morale et philosophique » prenaient si souvent
forme dramatique; si les auteurs littéraires les plus étrangers
à la dramaturgie se sentaient dans l'obligation morale de donner une pièce ou deux (Mauriac, Gide, Romains, Martin du
Gard, Camus, Thierry Maulnier...), c'est que l'acoustique en
valait encore la peine. Si les directeurs de conscience se dirigent
désormais ailleurs, c'est que le quadrilatère du plateau et la
demi-ellipse des salles ne donnent plus à leur parole la meilleure
répercussion possible. La scène a cessé d'être un investissement hégémonique rentable. Il n'y a plus que les professionnels
du théâtre pour s'intéresser au théâtre; des étrangers, généralement : Beckett, Ionesco, Arrabal; ou des français étrangers
à l'intelligentsia française : Genet, Audiberti, Rezvani. Les
auteurs du cru qui ont un *message* à « faire passer » — politique, religieux, moral ou philosophique — se servaient du
genre théâtral, non tant comme d'un art spécifique que de la
plus générique des tribunes. Il s'en est créé de meilleures, qui
assurent une réception infiniment plus ample pour une transmission relativement moins coûteuse. A quoi bon faire fuser
des « mots d'auteur » là où, faute de porter loin, ils ne peuvent
plus faire mal? Miracles scénographiques, prouesses de jeu,
excellence des troupes, somptuosité des décors, intelligence
des metteurs en scène : le monde théâtral français n'a jamais
connu tant d'*animateurs* de talent et si peu d'*auteurs*. Manque
la cheville ouvrière : le spectateur. Sa fuite a fait fuir l'auteur.
De Molière à Sartre, en passant par Beaumarchais, Voltaire,
Hugo, les grands hommes de guerre des temps de paix ont
écrit pour la scène afin de « conquérir » un public ou « gagner »
une audience. Plus de public, plus de pièces. Les « générales »
ne sentent plus la poudre. Et les batailles moururent faute
de résonance.

Le théâtre était resté l'axe de l'influence symbolique laïque
tant qu'il avait incarné le meilleur point de contact avec le
plus grand public possible (et le plus « choisi »). Mais qui

écrirait encore que « le théâtre est un creuset de civilisation.
C'est un lieu de communion humaine. C'est au théâtre que se
forme l'âme publique »? (Victor Hugo, *William Shakespeare*.)
Le théâtre fut ce lieu de *communion* pour autant qu'il fut le
nœud le plus dense de la communication sociale, avec pour
seul concurrent l'église ou la cathédrale. La représentation
théâtrale fut donc « la messe du siècle humain et mondain »
parce qu'elle représentait l' « opération la plus publique »
(Jean Giraudoux) à laquelle un particulier pouvait légalement
s'adonner. Il y a à la clef ce fait capital et simple : le lieu
théâtral est un lieu de rassemblement. D'où les précautions
et les contrôles de l'Etat monarchique, la vieille méfiance du
clergé à son endroit, et la place qui peut redevenir la sienne
dans les mouvements de libération ou de résistance nationale
— puisqu'il permet de tourner pratiquement l'interdiction
des réunions publiques et du délit d'association (l'Italie de
Senso, la France de l'Occupation, l'Espagne de Franco, le
Chili actuel, etc.).

Le retour à l'oral aurait pourtant dû réactiver la première
en date (et la dernière) des formes orales de la littérature.
Mais aucune salle de théâtre ne réunit la cent millième partie
du public d'une dramatique télévisée. Le paradoxe, c'est que
l'augmentation numérique de l'audience vaut pour dissolution
du public, atomisé à domicile, et donc pour désintégration
de cette « âme publique » qui ne peut plus nulle part prendre
un corps et s'offrir à elle-même son propre spectacle (comme
dans les cérémonies civiques et les fêtes révolutionnaires —
ce théâtre dans la Cité). La ségrégation physique des assistants
et des officiants consacrée par l'audiovisuel scelle la fin du
« mystère », comme si le sacré avait un seuil critique d'audience au-delà duquel l'effet retombe, et l'énergie se perd.
Ce pathétique immémorial se survivait naguère, dégradé, dans
le frisson mondain des « premières » — bonheur communicatif
circulant entre la salle et la scène, les coulisses et les couloirs.
Bonheur d'être, pour une fois, ensemble parce que réunis à
plus grand que soi. Bonheur qui ressemble aujourd'hui à une
pénitence pour beaucoup de raisons, dont la dernière n'est pas
le déclassement de ces petites assemblées protocolaires. La
scène n'est donc plus un enjeu politique — ce foyer de cabales
et d'intrigues qu'elle fut à son apogée et resta jusqu'à son
entrée sous poumon artificiel et subventionné. Le cinéma l'a

d'abord remplacé dans ce rôle d'art-qui-tue, puis la télévision. Et pour cause : une bonne pièce fait 20 000 entrées (sur plusieurs mois) un film 200 000 (sur quelques semaines), une dramatique 10 000 000 (le même soir).

A l'extrême opposé, la décadence de la poésie — concomitante de celle du théâtre — ne renvoie pas seulement à l'évanouissement du « peuple » dans les sociétés occidentales, avec sa gestuelle, ses rythmes, son sens de l'oralité et des jouissances rituelles. Les poètes se meurent entre leurs quatre pages parce que la lecture publique a disparu. La poésie vit en Union soviétique non seulement parce qu'il existe encore un peuple russe mais parce qu'un poète à Moscou, Kiev ou Minsk peut rassembler 10 000 personnes à l'auditorium de l'Université pour l'écouter déclamer. De même aux Etats-Unis les *readings* la maintiennent en activité, et dans les Caraïbes et l'Amérique latine « el recital » est une cérémonie populaire et consacrée (ou « était » — jusqu'à la télévision). Neruda a sillonné pendant des décennies les capitales, villes et villages de son Amérique en attirant des foules de jeunes sur son passage. On allait au poète comme on va au cinéma. Chez nous, la fuite des auditeurs a provoqué celle des lecteurs, donc celle des éditeurs — et au bout de cette spirale il y a l'assèchement de la veine lyrique, impensable il y a un siècle d'ici. Auditoire, influence, audience — sont synonymes. Il y a moins de poètes en Europe qu'en Amérique latine, entre autres raisons parce qu'en société capitaliste avancée un bon poème écrit confère moins de « prestige » à son auteur qu'une bonne apparition télévisée. Mais en 1850 un désir hégémonique parisien se codait en vocation lyrique — et d'admirables poèmes sont ainsi nés. Qui a écrit *Le lac*, *Les châtiments*, ou même *Le Balcon* : le poète ou l'*autre*? Mais étaient-ils vraiment deux [1]?

1. La forme d'existence et d'écoute de la poésie est devenue la chanson. Dylan est peut-être notre Lamartine. En ce qui concerne l'écrit traditionnel, l'ultime remontée de la création poétique date de la Résistance — réapparition qui relève de données historiques. La langue est la substance même de l'être national, et la poésie, plus encore que la prose qui n'a de rapport qu'instrumental à la langue, vouée à cette dernière un culte. La religion poétique est par essence une religion de la nation — le déclin du sentiment national amenant nécessairement le déclin de l'intérêt lyrique, comme sa remontée un regain de ferveur. Les poètes de la Résistance ont été des militants d'un combat national et social alors confondu : d'où leur nombre et leur splendeur. La poésie

Déplore-t-on moins nos grands disparus parce que le genre de l'oraison funèbre a lui-même disparu? Non : l'homélie et le prône ne sont plus des genres culturels dominants, l'éloquence sacrée n'est plus le suprême fleuron des belles-lettres parce que celui qui monte en chaire obtient aujourd'hui un *volume d'audience sociale* comparativement proche de zéro au regard de celui que permet le micro de la radio ou une caméra de télévision. Le déclin de l'Eglise catholique et l'amenuisement du sentiment religieux dans les classes dominantes n'expliquent pas par eux seuls la disparition de certaines formes canoniques, certains rituels d'expression publique... « L'ambition » comme ressort d'innovation artistique : pour faire passer ce thème de l'idéologie morale à une théorie du culturel, il faudrait d'abord en finir avec les paires toutes faites qui connotent « politique » par « utilitaire » et « beauté » par « désintéressée ». En tout cas, seuls de faux naïfs crieront au scandale, avant de rajouter un codicille au feu débat du positivisme et du formalisme en matière esthétique. L'autonomie du fait *littéraire* n'aurait absolument pas à souffrir d'une approche « médiologique », apparemment adéquate aux seuls procédures de l'hégémonie « politique ». Elle permettrait à tout le moins de rendre l'histoire et l'étymologie des « auteurs » à leur vérité concordante.

L'histoire : jamais l'expression littéraire n'a atteint une telle efficacité comme arme politique, et une telle conscience de soi comme instrument de lutte pour l'hégémonie qu'à partir du moment — fin du XVIIIᵉ siècle — où elle accède à un statut autonome. La naissance de la « *littérature* » sur les décombres des belles-lettres coïncide historiquement avec la naissance de la *politique* sur les débris juridico-éthiques de l'*art de gouverner*. La professionnalisation de l'écrivain, processus complexe qui découle du premier et prend place (en France) entre 1830 et 1880, se déroule concurremment avec celle de l'*homme politique*. La *Société des gens de lettres* voit le jour en même temps (1838) que les premières *formations parlementaires*.

---

fut bien alors symbole de légitimité et vecteur d'influence. Opposer dans les Aragon, Eluard ou Char de cette époque le poète et le militant (le bon et le mauvais, l'immortel et le contingent), c'est manquer ce lien organique de la militance et de la poésie, la cohérence du moi national au moi lyrique.

Concurrence logique et chronologique qui pourrait valoir à elle seule comme avis de recherche et sujet d'enquête [1].

L'étymologie (ou le condensé d'une histoire plus ancienne) : « auteur » n'a rien à voir avec « audience » ou « auditoire » mais avec « autorisation » et « autorité » — c'est le même mot. *Auctor*, de *augeo* — celui qui augmente, qui ajoute quelque chose. A quoi? D'abord à la confiance publique : l'auteur comme garant, source ou tuteur. Ensuite aux entreprises collectives que permet seule la confiance : l'auteur comme instigateur, promoteur ou fondateur. Enfin, et nécessairement, qui ajoute à la langue et aux dépôts d'écriture. Les sens se suivent chronologiquement et logiquement, et c'est l'acceptation juridico-morale qui précède et fonde l'acception politico-pratique, et cette dernière la scripturo-littéraire. Avant « celui qui compose un ouvrage » il y a eu « celui qui pousse à agir », et tout au début « celui qui augmente la confiance ». En donnant la primauté à l'hégémonique sur le directif et le littéral — au sein même de l'ordre des auteurs — la société occidentale moderne remonte peut-être à ses racines. Les Cités se fondent sur la confiance, et la confiance sur les écrits. Un auteur est celui dont la parole divulguée permet de fonder une ville, déclarer une guerre, clore un procès. Les « auctoritates », dans le vocabulaire juridique romain, désignent les opinions des jurisconsultes qui font autorité. Les auteurs d'opinions autorisées, ou les auteurs dont les opinions font autorité, ou les autorités individuelles dont l'opinion fait jurisprudence — c'est encore eux que regroupe, dans un autre langage, notre « haute intelligentsia ». Ses responsabilités apparaissent bien comme radicalement « politiques », si tant est que la racine des mots indique celle des choses.

Enfin, des hypothèses avancées découle un pronostic rassurant. Le sort des littérateurs n'est pas nécessairement lié à celui de la littérature. Les premiers peuvent survivre à la seconde, tout comme les « écrivants » à un naufrage de l'écriture. Combien de scripteurs ne se signalent-ils pas désormais par leur vitalité audiovisuelle? N'ont-ils pas aussitôt compensé la désacralisation sociale de l'écrit par leur propre consécra-

1. Sur la professionnalisation de l'écrivain au XIXᵉ siècle l'ouvrage fondamental semble bien celui de Gérard Delfau et Anne Roche, *Histoire Littérature* (Seuil, 1977).

tion en tant que personnes physiques, comme vedettes d'un
show-biz de deuxième classe mais encore (ou déjà) rentable?
« La typographie, constatait Apollinaire au début du siècle,
termine brillamment sa carrière, à l'aurore des moyens nouveaux que sont le cinéma et le phonographe. » Il est naturel
que ceux pour qui l'écriture était un moyen de faire carrière
hantent à présent des sites plus performants. Comment faire
la part dans une « vocation » intellectuelle, entre la force
de l'appel et le besoin de réponses? Si dans notre société on
pouvait conquérir un auditoire en rédigeant des épopées en
décasyllabes, nous aurions aujourd'hui bon nombre de « Valé-
ryades » et de « Chanson du Goulag ». L'essai rhétorique en
prose semble aujourd'hui plus conforme. Dans la compétition
pour acquérir les marques publiques de la différence individuelle, la nature de la donne importe moins que celle de
l'enjeu. C'est pourquoi la chouette de Minerve est un oiseau-
phénix; elle fait semblant de s'envoler le soir, mais chaque
matin technologique la verra rebondir par-dessus ses cendres.
Bien que déterminée par lui dans son exercice effectif, la
fonction magistrale transcende l'organe du magistère, et les
mêmes raisons qui poussaient un auteur à dédier en 1670 un
madrigal au prince de Condé pousseront son homologue de
1970 à soumettre le script d'un feuilleton à la direction des
programmes de TF1, et celui de 2001 à enregistrer une tacto-
vidéo-cassette olfactive.

Nulle espèce sociale n'est mieux armée pour « épouser son
temps » que les chevaliers servants de l'intemporel. Les clercs
s'y retrouvent, dans le siècle; et s'ils sont près de se perdre,
les voilà aussitôt qui changent de boussole, intervertissant
les pôles pour retrouver les chemins du pouvoir. Cela s'appelle
aujourd'hui la « nouvelle responsabilité des clercs » ou les
« modernes défis technologiques » : pour le choix des formules,
faisons confiance au sens pratique de ceux que Benda estimait
voués corps et âme aux « valeurs cléricales » (vérité — raison
— justice). « Cette classe d'hommes dont l'activité ne poursuit
pas des fins pratiques mais qui demande sa joie à l'exercice
de l'art, de la science, ou de la spéculation métaphysique, c'est-
à-dire à la possession d'un bien intemporel » (*La trahison des
clercs*) est en effet contrainte par sa fonction, et non par vice
de forme ou tare congénitale, à faire siennes les procédures
d'assujettissement de la société où ses membres exercent.

Permanente, la fonction cléricale; variable, son exercice; transitoires, les moyens de cléricature. En somme, autant de clergés, autant de trahisons. Chaque trahison des clercs a pour levier l'infrastructure de la fonction, puisque « l'intellectuel organique » évolue nécessairement avec l'organisation technique de la domination sociale. Ceux dont c'est le métier que de mettre en rapport Dieu et César, raison abstraite et cité des hommes, valeurs et faits, c'est-à-dire dominants et dominés, font corps avec les appareils, instruments et institutions à travers lesquels idées et valeurs circulent dans la société réelle, de haut en bas. Comment, sinon, rempliraient-ils leur double mission consistant (dialectiquement) à idéaliser une société en socialisant une idée, et vice versa? L'audiovisuel est aujourd'hui le levier de la trahison parce qu'il est l'instrument principal de la domination.

Cette machinerie centralisée, aux terminaux branchés sur notre système nerveux, on est en voie de s'apercevoir qu'elle instaure un nouveau rapport social à la vérité et à l'Histoire. Comme l'a dit un drôle de monsieur dont il nous faudra reparler, bien qu'il n'ait dit en somme que cela, qui n'est pas peu : « Avec la télévision, un certain nombre de choses ne fonctionnent plus comme avant » (Mac Luhan). On rangera parmi celles-là cette « classe d'hommes » qui se tient à l'intersection, lieu crucial en Occident, de la vérité et de l'Histoire, chargée d'administrer la première à et dans la seconde, et que l'on désigne, depuis que l'Eglise catholique a renoncé à l'exercice direct du pouvoir temporel, comme « intelligentsia ». Nul ne s'étonnera donc, dans une société où celui qui ne passe pas à la télé « n'existe » pas, face à des hiérarchies politiques où c'est « le meilleur à la télé » qui accède aux postes de commande, de voir les grands fauves des Arts et des Lettres se métamorphoser en bêtes de télévision afin de garder leur suprématie à l'intérieur de la horde. L'animal intellectuel n'est pas impunément une « bête de pouvoir ». Il lui faut maintenant payer son tribut à un nouveau genre de *medium,* qui ne se contente pas de transporter l'influence parce qu'il lui surimpose son propre code. Si la rationalité interne aux mass media est la rationalité même de la domination bourgeoise, l'animal intellectuel qui ne surpassera pas son animalité spécifique au nom et par la vertu d'un impératif moral non spécifique ne pourra plus reconduire sa domination propre sans reproduire et amplifier celle de la classe dominante. C'est-à-dire sans se faire son domestique.

3. DYNAMIQUE DE L'INFLUENCE : « LA CORRUPTION »

Si une histoire de l'ambition peut faire figure de prologue à la médiologie appliquée, un traité de la corruption lui servirait aussi bien d'épilogue — ou de table des matières. La corruption humaine a une histoire : si ce n'est l'Histoire elle-même, c'est au moins celle de l'intelligentsia, rythmée comme cette dernière par les avatars et les scansions de ses moyens d'influence. Quand la dominance change de signe, la putréfaction aussi. A ne pas prendre — SOS-SVP! — comme aphorisme de moralité mais comme repère historique et critère politique. « La pourriture est le laboratoire de la vie » (Marx), et le terreau, chacun le sait, des plus hautes floraisons de l'Esprit. De la Rome impériale à la ville de New York, en passant par la Florence du Quattrocento et le Paris de la parisianité, la cause est entendue : on ne fait pas de bonnes cultures avec de bonnes mœurs. Tout nous confirme — fromage, vin et œuvres d'art — que civilisation et fermentation sont un seul et même mot. Quand nous disons : « gènes du pouvoir intellectuel, germes de pourriture », seul le *rapport* nous semble digne d'étude : telle mutation génétique, telle corruption organique. Dis-moi, intelligentsia, d'où vient ta pourriture, je te dirai où tu as la tête.

A vrai dire, si l'intellectuel est bien l'*hommedium* obligé par sa fonction de se servir des moyens de communication existants et donc de les servir, il apparaît comme le plus exposé de tous les hommes. Ou le plus facile à séduire. Dis-moi, parti, régime ou système, quelles sont tes capacités de communication, je te dirai quel équipage intellectuel est le tien. Qui contrôle le système des média verra tôt ou tard les hommedia passer sous son contrôle : axiome valable pour toute époque et sous tout régime. Qui n'en contrôle plus un seul fragment les perdra tous. Si la gauche française, par exemple, veut encore avoir quelques intellectuels à ses côtés, qu'elle commence par se donner un journal, à défaut d'une télé ou d'une radio. Si elle veut de « grands intellectuels », qu'elle se donne un grand journal. Plus d'intellectuels du tout, qu'elle reste en l'état et meure dignement. Les intellectuels sont par réflexe et vocation du côté de ceux qui ont les journaux (ou/et les micros, les écrans, les salles de concert et d'exposition) L'ennui, c'est que le réflexe tienne lieu de réflexion, car ce tropisme de métier ne va pas toujours sans risques, selon l'époque ou les régimes.

L'intelligentsia française aurait payé, ça se dit à nouveau, un « bien lourd tribut » à l' « épuration », en 1944. Au vu du dossier, c'est la légèreté qui sidère. Car nulle catégorie sociale, en dehors du grand patronat, ne s'est plus massivement ralliée au régime d'occupation nazi. Au firmament de notre mémoire, Drieu et Brasillach éclipsent désormais Decour et Politzer : chaque âge a les étoiles qu'il mérite. Mais ni les unes ni les autres (ce vis-à-vis n'est pas pour *faire balance!*) n'éclipseront cette terrible évidence de la nuit : les Allemands et la collaboration ont pu compter, jusqu'à l'année 1943, avec la quasi-totalité de la haute intelligentsia littéraire et artistique française. Ceux qui craignent l'outrance, qu'ils feuillettent les journaux et revues « culturelles » de l'époque dans la salle de périodiques de la BN ou d'ailleurs : de *Comœdia*, l'hebdomadaire des « spectacles, lettres et arts », aux *Cahiers franco-allemands*, de l'organe le plus vaporeux au plus percutant : quelles « grandes signatures » ont manqué à l'appel? Qu'ils relisent de près le journal d'André Gide (1940-1945), l'un des plus distants. Qu'ils se demandent pourquoi les mieux connus des éditeurs (Grasset, Gallimard, Fayard) ont dû s'effacer momentanément à la Libération, pour que leur maison puisse renaître de l'oubli.

Jamais, on l'a dit, les grands intellectuels de l'establishment ne se sont sentis plus « libres » que sous l'Occupation. C'est-à-dire *aussi* : plus choyés, soutenus, écoutés. Plus sociables, plus productifs, plus imbus de leur importance. Quelle floraison de journaux, de revues, de titres! Les faits signalent une période faste pour l'édition (nombre de titres supérieur à l'avant-guerre, malgré les limitations de tirage), pour le théâtre (salles combles), la peinture, qui se vend mieux que jamais (aux Allemands), et surtout la littérature (il s'écrit plus de livres et les œuvres s'épuisent). Dans le journalisme, la censure est gaie, et favorise même, au début, une stupéfiante variété dans la gamme des titres. N'épluchons pas les pages, il faudrait un volume, qui d'ailleurs existe [1]; et ainsi conclut, avec quelle mesure, le chapitre dédié par l'historien aux « intellectuels de l'Europe nouvelle », les professionnels du verbe : « Une anecdote veut qu'en arrivant à Paris le premier gouverneur allemand eut en poche une lettre qui lui assignait deux objectifs non militaires à contrôler en priorité : l'Hôtel de Ville et la NRF. Nous avons vu qu'au pied de la lettre la deuxième partie de ce programme a été remplie, sans difficultés insurmontables. Passant de la partie au tout du monde littéraire français, on peut se demander si la réussite n'a pas été plus satisfaisante encore [1] ». Il faut comprendre. Quoi? La vocation intellectuelle. Mis à part quelques croisés, qui n'en reviendront pas, quelques gredins dont l'odieux fait paravent, les intellectuels français — journalistes, écrivains, hommes de théâtre, etc — ne sont pas allés aux Allemands ni à Vichy par prédilection et encore moins pour gagner de l'argent. Ils se sont rendus à eux parce qu'ils détenaient simplement entre leurs mains les moyens matériels et administratifs de la communication sociale : le papier d'abord (problème n° 1 des journalistes, écrivains et éditeurs) doublement rationné par la pénurie matérielle et la Commission de contrôle du papier d'édition (avril 1942); les titres (liste Otto et visa de censure); l'autorisation de paraître (pour journaux et livres, délivrée par les services de la Propaganda Abteilung). Ils fréquentent l'ambassade d'Allemagne, soupent, inaugurent, discourent, déjeunent, font tournées et conférences : inconscience du tout-Paris? Non : conscience professionnelle. Un écrivain doit écrire et faire parler de lui comme un comédien doit se produire sur la scène, comme un musicien doit donner des récitals, et un compositeur faire jouer ses compositions, un peintre exposer : que viennent faire là-dedans politique et morale? Les journaux sont peut-être subventionnés mais ils sont. Les pièces censurées sont peut-être estimables mais ne sont pas jouées. Collaborons à ces journaux et demandons le visa à-qui-de-droit (section « pays étrangers » du ministère de la Propagande du Reich). Petites servitudes du métier, dont

---

1. Pascal Ory, *Les Collaborateurs* (chap. x, voir *La Figure*, p. 235), Le Seuil, 1976.

il ne faut retenir que les grandeurs. Comme le remarque justement Amouroux, nulle gêne particulière dans le monde des
lettres, des arts et du spectacle de la zone occupée, ni même
sentiment d'une quelconque « collaboration » : « Ceux qui ont
vocation de se montrer se montrent, d'écrire écrivent, de donner la comédie montent sur les tréteaux [1]. »

Les vocations sont aujourd'hui plus légères, plus faciles
à satisfaire — mais tout aussi peu regardantes sur le « background » des supports matériels, sur le sens réel des compromis à passer avec les nouveaux maîtres du papier et des
autorisations de paraître. Ceux-là semblent ne rien exiger
et tout donner sans contrepartie. Ceux-là ne portent pas l'uniforme, n'appartiennent à aucun ordre, idéologie, parti ou
système. A la limite, aucune classe : de simples individus
amenés là par hasard. Si la bourgeoisie devait s'indiquer
comme bourgeoisie sur la scène historique, elle perdrait aussitôt sa crédibilité. Il lui faut disparaître comme sujet social
particulier et se présenter en simple agent d'exécution d'opérations techniques dont l'automatisme garantit en quelque
sorte la neutralité. Elle ne contrôle les opérations (d'extorsion
de la plus-value à l'échelle mondiale et d'inculcation idéologique à l'échelle nationale) que dans la mesure où elle leur
semble elle-même soumise. Elle apparaît même, quant aux
tâches d'inculcation, laisser pleine initiative et contrôle aux
professionnels eux-mêmes — professeurs, journalistes, écrivains, artistes —, chacun à sa guise, où il veut et autant qu'il
peut. Notre classe dominante est comme Victor Hugo : elle
préfère l'influence au pouvoir. Elle exerce le second à l'abri
de ceux qui exercent la première. Un régime de domination
qui marche à la communication marche à l'intelligentsia. Il
place donc celle-ci sur le plus haut piédestal possible. La
surévaluation des intellectuels par la société bourgeoise, particulièrement la française, envers de la sous-évaluation des
ouvriers, paysans et employés, n'est pas seulement un trait
pittoresque de son folklore. C'est une nécessité fonctionnelle
du système. Aucun régime social n'a jamais plus flatté l'intellectuel que le nôtre. Il ne lui rend pas seulement un hommage
formel : il le sert aussi réellement qu'il s'en sert — mais sous

1. H. Amouroux, *Les beaux jours des collabos*, Laffont (chap. xiv, « La
gloire et l'argent », p. 495).

certaines conditions. Ceux qui nous occupent l'esprit sont nos concitoyens, et cette Occupation, somme toute, nous la voulons. Pour beaucoup de raisons dont la moindre n'est pas qu'ils tiennent sous leur empire les successeurs de la NRF des années trente — l'un de ces deux pouvoirs que le gouverneur allemand de Paris avait pour mission de contrôler « en priorité ».

Il serait temps de se libérer d'une imagerie de la corruption naïve parce que désuète, et dont les emplois mythologiques ou terroristes méritent plus le rire que les colères d'antan. La corruption d'un intellectuel n'a plus besoin d'être financière — l'amour-propre suffit (qui exclut par principe ristourne et dessous de table). Aujourd'hui, on n' « émarge » plus au comité des Forges ou au ministère de l'Intérieur — on émarge à Paris-Match et à l'ex-ORTF. L'achat des consciences se fait sous les sunlights, devant au moins cinq millions de témoins... Dans une société qui a franchi depuis deux siècles le seuil de la survie; où un même standard de vie — largement au-dessus du « minimum vital » — s'impose peu à peu à tous ses membres — la reproduction des différences propre à la logique sociale des besoins ne réside plus dans l'*avoir* mais dans l'*être*. Or être, c'est être *vu*. Dans un village on est *quelqu'un* dès lors qu'on a eu sa photo dans le journal local; à la ville, lorsqu'on « vous a vu à la télé ». Et le village ayant été annexé par la ville, comme le journal local par la télé totale — la deuxième procédure a supplanté la première, y compris au niveau local. Aucun intellectuel ne meurt d'envie d'avoir une plus grosse cylindrée que son voisin (toutes les voitures aujourd'hui, des moins chères aux plus chères, atteignent la vitesse limite, et point final), quatre salles de bains au lieu de deux, ou le réveil-matin-cafetière à touches parfumées FM-stéréo. Dans une société dite de masse, où tous les biens de consommation comme les services marchands se trouvent par et en principe à la portée de tous, le démarquage individuel ne peut plus s'opérer, ni se graduer, par la quantité de ce que *j'ai* mais par la qualité de ce que je *suis*. Comment évaluer une qualité qui par malheur et par définition ne se mesure pas — même quand elle est sensible? Par le nombre de ceux qui ne la possèdent pas. La qualité de ce que je suis n'est pas inhérente à ce que je suis mais à la quantité de ceux aux yeux de qui je le suis. Etre, c'est compter pour les autres. Etre un peu, pour quelques autres. Etre beaucoup, pour beaucoup d'autres. A moi donc de savoir compter. Volume du tirage, taux de l'écoute, heure de passage. La une ou l'entrefilet en page huit? Combien serons-nous, mon cher Pivot, autour de la table? Ma place au hit-parade?

Au sein d'une intelligentsia massifiée et prolétarisée, l'anonymat est stigmate d'impuissance, et l'impuissance punition de l'anonyme. Se faire un nom, c'est bien — mais qui fait les demandes d'interview? Se faire une tête, c'est mieux — mais qui décide ou non de « passer la photo »? Aujourd'hui, la bourgeoisie n'achète plus les hommes avec des chèques mais avec du papier journal et des images électroniques — avec leur image (physique et de marque). C'est elle qui détient les moyens matériels de la reprographie, les stocks de papier, l'administration et la direction des magazines illustrés, les portes d'accès aux studios de télévision. Elle les détient mais elle ne les marque pas : en surface, toutes les images sont « innocentes » — ce sont des reproductions de choses et de gens qui sont là. Qu'elles fassent l'objet, en régie, d'un tri préalable, et ensuite, pour celles qui seront retenues, d'un montage et d'un commentaire qui n'étaient pas là, c'est précisément ce que toute transmission-parution escamote sous le miroitement soyeux de ses surfaces. Tout se passe machinalement, donc à l'insu de tous, car la machinerie ressemble à tout sauf à une machine. L'efficace magie de nos sociétés consiste à tout montrer en sorte que l'absolument visible devienne relativement invisible. La corruption de la HI ne se voit plus, pour la raison qu'on ne voit plus qu'elle.

Les membres de la HI sont suspendus à leur image publique — dépendance qui tourne souvent à l'obsession. Ai-je ou non une « bonne image » et comment faire pour l'améliorer? — constitue pour les professionnels de l'idée une interrogation beaucoup plus pressante (et fréquente) que : « Ai-je ou non des idées justes? » Mon image, ce n'est pas seulement mais c'est d'abord ma photo dans le journal, mon apparition à la télé, mon portrait sur un placard publicitaire (si possible à la une du *Monde*). Cette apparence est ma substance — métaphysique et économique. On a évoqué la première avec Hegel, le premier philosophe qui ait rendu *raison* de ce fait brut : l'*homo sapiens* en tant qu'animal-prêt-à-tout-pour-avoirson-nom-dans-le-journal. Ce prurit spécifique, nous le savons, ne relève pas d'une faiblesse de caractère mais d'une structure de la conscience, c'est-à-dire d'un destin. On parlera bientôt de la seconde. Mais entre Hegel et Marx, à mi-chemin, se tient Jean-Paul Sartre — la phénoménologie du vécu. On a déjà deviné l'insécurité matérielle de la haute intelligentsia — due à son insertion dans les aléas du marché et les fluctuations politiques, à la fluidité des flux et reflux idéologiques, à la versatilité des clientèles. Cette insécurité est aussi, ou par conséquent, existentielle [1]. Chacun au fond a peur de ne pas vraiment exister — puisqu'il n'existe qu'en tant qu'il est reconnu par les autres comme méritant d'exister. Il n'est que dans la mesure où on parle de lui — où on le regarde, cite, critique, calomnie, loue, etc. C'est l'écho qui fait la voix, l'image qui donne un corps? Plus d'écho, plus de voix. Plus d'image, plus de corps. D'où l'effet foncièrement sécurisant exercé par les media dans le monde intellectuel : ils fournissent d'abord une échelle commode d'indices hiérarchiques, qui résorbe les êtres dans leur place. Les âmes se hiérarchisent d'après leur corps typographique, la mise en page exhibe leur grade à l'œil nu : les media offrent à toute la corporation le tableau d'affichage des cotations individuelles [2]. Impudeur bénéfique : elle apporte une garantie objective d'existence. Une photo, un nom, un titre imprimé — c'est du tangible et du sensible — ça existe pour de vrai. Personne ne peut me l'enlever — pas même le doute qui m'habite, ni l'intime néant qui fait mon être. A côté d'une conscience, une émission de télé, quoi qu'on dise, c'est du *solide*. Le pire des malheurs, pour l'intelligentsia des grands pays capitalistes, n'est pas le malheur-de-la-conscience, ni la douleur d'exister. C'est que le

---

1.   Je tiens pour le « aussi » — méthodologiquement flou mais philosophiquement plus sûr. Un marxiste conséquent tiendrait pour le « par conséquent », qui sonne plus sérieux. On a déjà montré le défaut de sérieux de ces déterminismes « en dernière instance ». Il y a à nos yeux une autonomie réelle et philosophique de l'instance existentielle.

2.   Pour savoir ce que vaut son nom, le plus simple est d'envoyer au *Monde* un article sur le débat d'idées en cours : ainsi découvrira-t-on, en même temps que tous les concurrents, hélas, le retard ou l'avance qu'on a pris dans le parcours du combattant : selon qu'on fera « le cheval » (au centre de la une) ou « l'accroche en première »; un encadré en page intérieure, ou une « tribune » au coin gauche de la deux, parmi cinq autres : ou selon que la signature figurera en tête, en titre ou en bas. Il y a péril en la demeure si l'on se retrouve un mois plus tard dans le courrier des lecteurs; mais si le texte est poliment retourné à son auteur « pour faute de place », ce dernier pourra raisonnablement s'estimer en danger de mort (civile).

capitalisme moderne ait inventé les meilleurs instruments qui soient pour calmer l'un et l'autre.

Tout le monde aime qu'on l'aime, mais l'intellectuel, encore plus que l'artiste, est le seul qui ne peut pas être sans être aimé. Il n'est pas venu au monde ès qualités pour parler mais pour être *écouté* : ni pour *bien voir* le monde qui l'entoure, mais pour en être vu; et bien moins pour le connaître (ce qui est l'affaire du savant) que pour s'en faire *reconnaître*. Or les canaux de cette communication, les instruments de la visibilité sociale, les moyens pratiques d'obtenir la reconnaissance appartiennent aux maîtres de notre monde (ceux qui en ont la propriété juridique ou/et la maîtrise technique). S'ils ont financé les travaux de canalisation, il est juste qu'ils aient la haute main sur les robinets de la fontaine publique aux images — Radio-Télé comme « service public » —, ou des bornes-fontaines qui distillent ici et là les marques de la reconnaissance — les entreprises de presse « privées ». Le rebelle qui a soif de notoriété ne peut se désaltérer sans s'aliéner à lui-même : sans servir d'une main les maîtres sans visage qu'il accuse de l'autre. Le Léviathan occidental, plus accueillant que l'autre, a deux profils — Etat et Capital, Administration et Industrie — mais une seule face et un seul corps. Et pour me faire aimer des humains — légitime appétence — moi, intellectuel, devrai d'abord satisfaire les appétits de légitimité du très petit nombre d'hommes qui dominent tous les hommes.

I need love, gémit l'intellectuel silencieux. *Do you truly love me?* répond l'écho ambiant. La bourgeoisie aussi aime qu'on l'aime, c'est bien son droit. Mais dans ces deux demandes d'amour, pas de symétrie et encore moins de réciprocité : car elle a, elle, le contrôle des réserves d'énergie et des canaux organiques de l'amour. Or « *qui détient l'énergie détient le code* » (Michel Serres). Sans canal, pas d'émission possible, ni a fortiori de réception. L'intellectuel comme l'artiste ne peuvent plus faire l'amour avec le public (la lecture comme coït, le spectacle comme rapport, etc.) — directement et à leur guise — sans l'autorisation des maîtres de l'énergie et des codes. Impossible tête-à-tête. Si je veux faire l'amour avec ceux d'en bas, il me faut d'abord prêter serment d'amour à ceux d'en haut. Je suis en leur pouvoir, ils ne sont pas au mien, et mon bon vouloir n'en peut mais : je n'ai pas de chaîne de télévision, pas de magazine de grande circulation, et quand je bricole une radio libre, je n'arrive même pas à me faire écouter de mon voisin de palier (que les brouillages font fuir et qui de toute façon me préfère RTL). Que faire? Répondre à la demande ambiante d'amour, de sécurité psychique et de plaisance, celle que répercutent, amplifient et produisent les cinquante médiocrates placés par l'Etat ou le Capital, ou les deux, aux postes de décision. C'est-à-dire adapter mes petites idées aux grandes idées qui courent sur les linotypes et les ondes. Celles qui provoquent les *ouragans*, les *scandales*, les *hérésies*, les *déflagrations*, les *immolations* ou les *grandes lessives* dont chaque semaine m'apporte le vent, pour le plus grand bonheur des kamikazes du courage moral et de la Pensée, mes amis et collègues, dont Dieu sait pourtant (et à défaut, leurs amis et collègues) qu'ils ne sont pas spécialement héroïques ni des plus malins. Ce serait si facile, n'est-ce pas, d'en faire autant! Ou mieux! Autrement! Mais pour les « surpasser » il faut se mettre en ligne, emboîter le pas, courir dans la même direction. Et tourne la machine à décerveler. Et vogue la galère impériale.

« *Amor con amor se paga* », dit un proverbe espagnol. L'hostilité aussi se paye d'hostilité. Si je ne peux souffrir ce système oppressif et si j'essaye de lui expliquer pourquoi il me fait si fort souffrir, c'est justice que ce système ne veuille pas m'entendre ni me voir — sans même me donner d'explications. Et qu'il me refuse les moyens de me faire entendre et de me faire voir. *Paris-Match*, *L'Express* et *Le Point* ne passeront pas la photo, sinon pour insulter, moquer ou calomnier; *Le Monde* ne passera pas l'article; et mon éditeur me tournera le dos. Ce n'est ni sa faute ni la mienne. Personne n'est méchant : ni complot, ni boycott, ni cabale. Les media, c'est de l'automatique. Mais la programmation des machines à programmer par contre, c'est de la politique à l'état pur. C'est-à-dire de l'économie concentrée. Pétrole pas touche! Afrique pas touche! Travailleurs immigrés pas touche! Echange inégal pas touche! Chacun, dans sa propre « carrière » ou dans celle des autres, a pu tester la flexibilité des réponses de la très rigide machinerie, selon qu'on lui communique telle ou telle incitation [1].

1. On pourra comparer, en France, le press-book de Jean Ziegler, auteur de la *Suisse au-dessus de tout soupçon* (Seuil), démystification à courte portée qui ne heurtait aucun intérêt national, à celui du même Ziegler, auteur peu après de *Main basse sur l'Afrique* (Seuil), batterie de questions capitales à très longue portée pointant vers la source des intérêts français, et en général du bien-

Comme le rat dans le laboratoire traquant son bout de fromage, l'animal intellectuel dans son labyrinthe apprendra
(méthode dite « par essais et erreurs ») à appuyer sur les bonnes touches pour obtenir les bonnes réponses : celles qui grati-
fient en nature (photos, interviews, invitations, critiques,
débats, polémiques, interpellations, télés, etc.), en espèces
(volume des ventes, donc des droits), ou en compensations
métaphysiques (apaisements de l'intime angoisse). Un intellectuel dit de gauche préoccupé d'avoir une « bonne image »
— (c'est-à-dire d'être invité à *Questionnaire*, *L'Homme en
Question*, *Apostrophes*, *Les Grilles du Temps* ou autres *Débats
et Tribunes libres*) — aurait intérêt à se demander pourquoi
ce qu'on appelle la droite entre de nos jours dans les têtes par
les media, et les media par la droite, dans toutes les organisations de gauche [1]. Et à se rappeler une vieille maxime spinoziste : « Je ne désire pas une chose parce qu'elle est bonne;
elle est bonne parce que je la désire. » Si les media me
désirent, ce n'est pas parce que je suis meilleur qu'un autre —
je serai le meilleur en les désirant, eux, très fort — avec tout
ce qu'ils véhiculent. Malheur aux inquiets, aux impatients, aux
humiliés. Malheur à ceux qui dans les métropoles veulent être
intelligents, justes et beaux, c'est-à-dire reconnus comme tels.
Car la puissance sociale qui sélectionne les candidatures et
donnera à connaître au plus grand nombre lesquels sont les
plus intelligents, les plus justes et les plus beaux se moque de
l'intelligence, de l'esthétique et de la morale. Mais elle a un
flair infaillible (sur la distance) pour sentir d'où vient le danger et lequel lui apportera du réconfort.

Par où passe le Grand Medium, le militant révolutionnaire
ne repousse plus. Tant celui qui « y » passe que celui qui

être occidental. En sens inverse, on comparera la minceur des « échos » labo-
rieusement obtenus par les « gauchistes » d'après 68 qui prenaient pour cible
l'oppression en France hic et nunc, et leur merveilleuse richesse dès lors que
les mêmes eurent découvert quelques années plus tard « le goulag » soviétique. A un échelon subalterne, l'auteur de ces lignes a eu l'occasion de pouvoir
mesurer, à six mois de distance, les rendements médiatiques comparés de deux
« mises en question » imprimées et brochées : la première, du parti communiste français; la seconde, du parti impérialiste français. Le lecteur qui pourra
nous communiquer par lettre la clef de ces bizarreries recevra un abonnement
gratuit à *Playboy*.
1. Observation banale, qu'on pourrait multiplier indéfiniment : entre Rocard
et Chevènement, entre Elleinstein et Althusser, entre Fabre et Crépeau, le héros
des media, c'est le premier, jamais le second. Entre Mitterrand et Giscard
— face à face à la télé — la télé couronne Giscard. Il y a là une nécessité
intrinsèque à la logique des mass media (voir *Traité* tome 2).

regarde les autres s'aplatir du mieux qu'ils peuvent pour parvenir à « passer bien » [1]. « Vous n'êtes pas d'accord avec nous? Tant mieux : venez donc le dire chez nous! » Nous, *RTL*, *Express* ou *Antenne 2*. La sujétion commence au « oui ». Car aller « exposer » ses désaccords en ces lieux précis c'est déjà donner son accord à l'idée implicite que les désaccords doivent se canaliser à travers « les grands canaux d'information » — soit le meilleur moyen pour la machine (à feedback!) de maintenir en l'état l'équilibre général des volontés particulières. Peu importe le contenu de ce que je puis dire, crier ou susurrer; l'essentiel est le dire *là*. L'essentiel est que tout message possible soit, en son occurrence même, surcodé par la grille des équivalences (dont la grille des programmes est une contrepartie sensible), qui de toute thèse fait une opinion parmi d'autres (elles se valent toutes); de toute vérité, un point de vue (ils se défendent tous); de toute contradiction, une simple différence (elles sont toutes admissibles). Elles se valent toutes, c'est-à-dire qu'elles ne valent rien. Résistants, Collabos? « N'ayons pas une vision manichéenne du monde, s'il vous plaît! » Bien sûr que non. Cette vulgarité. La grande famille des hommes, la grande fraternité des intellectuels. Si vulnérables. Crucifiés, abusés, victimes de l'Histoire. Asseyons-nous et caquetons. Des uns et des autres. Les uns avec les autres. Drieu donc valait bien Politzer, qui valait Brasillach, qui valait Aragon, qui valait Maxence, qui valait René Char... Seul vaudra plus que les autres celui qui pose entre eux le signe égal. Celui qui sait d'avance que tout se terminera autour d'un verre à la télé, « chez Pivot ». C'est-à-dire Pivot lui-même. Le courriériste de l'Eternel : celui qui a surmonté l'Histoire, parce qu'il s'amuse de toutes les histoires.

---

1. Un journaliste communiste s'étonnait récemment qu'un intellectuel « communiste » et supposé marxiste ait pu parler une heure, à la télévision, de tout sauf de la lutte des classes et de l'impérialisme capitaliste. En somme, de la raison d'être du marxisme en général et des partis communistes en particulier. Etonnant étonnement. Si Jean Elleinstein mentionnait plus souvent ces « vieilleries », il est probable qu'on le verrait moins souvent à l'antenne. Donnant-donnant. Althusser, qui ne s'est jamais montré à la télévision, court moins de risques d'être invité dans les mêmes conditions. En revanche, si Elleinstein passait moins souvent aux bonnes heures et en vedette américaine, il ne serait pas devenu le « chef de file des contestataires du PC ». Donnant-donnant. Qu'un contestaire sur dix à l'intérieur du PC se reconnaisse en lui et que les neuf autres préfèrent sourire à cette idée n'empêchera pas ce rire de tourner au jaune. Car qu'est-ce qui peut empêcher, dans l'état actuel des choses, l'avis et la pratique des médiocrates de s'imposer plus tôt que tard à l'avis et à la pratique des *militants* des deux partis survivants de la gauche (socialiste et communiste)?

CHAPITRE V

SIGNES ET INSIGNES HIÉRARCHIQUES

1. LES NOUVEAUX PRESTIGES

2. LA NOUVELLE LOGISTIQUE

3. LES NOUVELLES STRATEGIES

4. LES NOUVEAUX DEJEUNERS

5. LA PYRAMIDE DES SEXES

6. LE BAREME DES INDULGENCES

7. L'EVENTAIL DES REVENUS

Si le lieu le plus obscur n'était pas toujours sous la lampe et si les intellectuels d'Occident pouvaient avoir de leur concept une connaissance aussi adéquate que l'ouvrier chinois exilé à Hong-Kong, ils cesseraient de donner le change en se leurrant d'insignes surannés. Rassurons-nous. Dans cette guerre de tous contre tous, l'accès aux media est bien point de mire et pierre de touche, but de guerre et pomme de discorde. Aurai-je ou non accès aux moyens maxima d'influence — dans un univers communicatif où optimum et maximum sont devenus synonymes? Auras-tu? Aura-t-il? Aurons-nous? Et à quelle place? Combien de minutes? A côté de qui et face à qui? Sur quelle chaîne? En une? Avec annonce en couverture?

Les traits des anciennes hiérarchies — classique persistance rétinienne — brouillent les nouveaux. Explicable tremblé. Ce qui miroite à travers la refonte des maîtres du langage public, à travers leur nouvelle façon de se distinguer les uns des autres et, collectivement, de leurs sujets, c'est un nouveau régime de production du discours, avec ses procédures d'exclusion, sa distribution, son découpage institutionnel. Pas seulement les techniques d'administration de la parole mais une tout autre position du discours comme objet de désir (de la possibilité de parler, d'accéder aux lieux de la parole sociale) qui en fait probablement un autre discours et un autre désir. D'où vient le malaise — et nos bévues? Sans doute de ce que nous continuons d'appliquer l'ancienne grille de lecture sur un système de domination politique et culturelle qui a entre-temps modifié ses cases vides et ses places à prendre, ses couloirs d'accès, ses ascenseurs, ses allégeances et ses solidarités internes. Malaise parfois émouvant, ou franchement comique, tels ces portraits de jeunes loups en agneaux, de Cauchon en Jeanne d'Arc et de chasseurs en sorcières qui s'accrochent à l'affiche [1]. Telle la « révélation » hier encore (1977) d'un haut dignitaire s'exclamant sans rire que les tribunes de tel feu programme politique étaient vides d'intellectuels, histoire de faire oublier non seulement la mort des préaux d'école et des estrades de bois mais que la véritable tribune politique était désormais et très précisément celle d'où il parlait, et qu'elle, en revanche, ne désemplissait pas de prédicateurs à son image. Cynisme des nouveaux seigneurs? Jobardise des confrères déplacés? Non. Ou plus encore : chevauchement chronologique de modes de résonance; croisement technologique des capacités tribunitiennes de tel ou tel support; renversement des dominances dans l'appareillage du discours public. Résultat : ce tête-à-queue en plein brouillard culbutant, sous nos yeux d'aveugles, l'aristocratie en médiocratie intellectuelle. A prendre *aussi* étymologiquement : la domination fonctionnelle des plus « médiocres » se donnant pour la domination institutionnelle des « meilleurs ». Oui, le lieu le plus obscur de la société moderne est le petit écran lumineux.

A un nouveau mode de production du consensus pour toute la société correspond un nouveau mode de promotion des fonctionnaires du consensus. En l'occurrence, les sous-off' de l'ancien ordre symbolique ont le pas sur les anciens officiers généraux. Au regard de la graduation universitaire, un journaliste opérationnel est quelque chose comme un sergent, et un haut-médiocrate, comme un officier subalterne. Dans la grande presse professionnelle, les doctorats d'Etat sont rarissimes et les agrégations exceptionnelles. Non qu'on soit « inculte » chez les journalistes — mais la culture moderne passe par d'autres voies que les hiérarchies d'antan. Sur les 183 journalistes du *Monde* — le plus universitaire des organes de presse — 135 sont titulaires d'un diplôme d'études supérieures. Ce diplôme est dans l'immense majorité des cas, au *Monde* comme ailleurs, du niveau de la licence (lettres, philo, socio, droit, sciences économiques, etc.). Que des promotions entières de

---

1. Voir ce titre — inusable cliché promis au destin le plus neuf: *Faut-il brûler les nouveaux philosophes?* (1978, Oswald — « dossier » établi par les nouveaux eux-mêmes).

Saint-Cyr dépendent, pour leur avance au tableau, de cadres moyens sortis du rang, c'est quelque chose comme la révolution des capitaines. Sans doute l'ex-Haut Etat-Major idéologique continue-t-il d'émettre et de signer des ordres par écrit sous forme de thèses, essais ou recherches savantes. Mais dans toutes les armées du monde, pour qu'un ordre soit suivi d'exécution, il doit être *transmis* au personnel, ainsi qu'aux autres corps d'armée. Or cette transmission dépend des intermédiaires opérationnels qui ont le commandement effectif des unités, au contact direct de la troupe. Ce sont désormais eux les « intellectuels d'intellectuels », dont dépendent les autres. Promotion qui n'indique pas une créativité supérieure mais une puissance d'organisation pratique supérieure (ou une sphère d'influence englobant celle des autres). Plus précisément : la subordination de la créativité à l'organisation, du « spirituel » au « matériel », ou encore, ça se dit à nouveau (précisément chez les nouveaux intellectuels), des « supérieurs » aux « primaires ». Cette subordination, parce que fonctionnelle, ne se voit pas. N'apparaît qu'un étrange amalgame où la juxtaposition cache l'intégration, et la fusion entre couches, la flèche des prises de contrôle. Une couche d'intellectuels est « organique », dit-on depuis Gramsci, lorsqu'elle assimile et promeut en son sein les « élites issues des classes inférieures » : le clergé catholique écrémait la jeunesse rurale, le parti, la jeunesse ouvrière, etc. Mais une nouvelle couche d'organisateurs peut également assimiler et promouvoir la crème des élites « supérieures », lorsque le support fonctionnel de ces dernières (ici, l'Université) a perdu de sa fonctionnalité. En ce cas, ce sont les cadets qui sélectionnent et recrutent les aînés. Pour reprendre l'exemple du *Monde* (le plus défavorable à notre thèse, en raison du caractère « élitaire » et délibérément classique de ce journal), la catégorie la plus nombreuse chez les journalistes se situe entre 31 et 40 ans. 94 membres de la rédaction ont entre 20 et 40 ans, contre 89 entre 40 et 65 ans. La moyenne d'âge est nettement plus élevée chez les cadres administratifs, commerciaux et techniques de l'entreprise.

Passer en revue les multiples indices de la nouvelle hiérarchie du corps intellectuel, — dont la diversité même indique la cohérence interne — ne rendra pas la vue aux aveugles mais exercera l'œil des curieux. Nous irons ici du plus anodin au plus grave, c'est-à-dire de l'échelle des prestiges à celle des revenus, dont les niveaux affleurent. Barrières du sexe, échelons de carrière, degrés d'allégeance, démarcations gastronomiques : toutes ces nouveautés s'homologuent les unes les autres.

1. LES NOUVEAUX PRESTIGES

En 1950, je laisse tomber dans une réunion amicale : « Gallimard a accepté mon manuscrit. » — et me voilà déjà différent, consacré, surélevé. En 1980, la même petite phrase faussement nonchalante ne fera dresser aucune oreille. Tout le monde, dans ce monde, a des relations avec un éditeur, petit ou grand, et un manuscrit « en train » quelque part. Pour déclencher les mêmes histoires d'amour, de dépit ou de rivalité, il me faudra quelque chose comme : « J'ai l'accroche à la une du *Monde* la semaine prochaine » ou bien « Jean-Louis Servan-Schreiber m'a contacté pour le mois prochain. » Et au lieu de montrer à la ronde la lettre d'acceptation de Raymond Queneau, autographe, sur papier à en-tête etc., je raconterai mot à mot le déjeuner avec Viansson ou le coup de fil de Chancel. Signe des temps.

En matière sociale, le snobisme est aussi précieux qu'une boussole en forêt. Les critères de prestige de l'intelligentsia se déplacent avec le centre de gravité du marché culturel. Le prestige est un indicateur économique. De quoi, en l'occurrence? De la nouvelle frontière séparant le public du privé, la reconnaissance de l'anonymat. Ou de l'élévation du seuil de la *publication*, qui est passé de l'échelon éditorial à l'étage au-dessus. Ce décrochage brutal n'a pas modifié seulement l'assiette des réputations mais le fonctionnement des éditions. Il a décalé vers le haut le lieu des batailles individuelles pour la sélection comme celui des luttes d'entreprises pour la rentabilité. Les emblèmes de la distinction entre intellectuels sont indexés sur le dispositif hégémonique de chaque époque, si leur volonté de se distinguer les uns des autres tient à leur nature.

A partir de quand celui qui entre dans le métier des lettres est-il sûr de « s'en sortir » avec, en prime, l'espoir d'en sortir? Sûr de se *distinguer*? En 1890, lorsque, étudiant, je rentre à l'Ecole normale supérieure. En 1930, lorsque, professeur déjà, je rentre chez un grand éditeur — comme conseiller littéraire ou directeur de collection. En 1970, lorsque, directeur de collection, je rentre comme chroniqueur, éditorialiste ou collaborateur régulier, dans une grande rédaction. Car à quoi sert-il aujourd'hui d'être directeur de collection (malgré l'intéressement de 2 %), si l'on n'a pas au moins une fenêtre sur un grand medium? Ce qui « pousse » dorénavant une collection, ce n'est pas principalement la qualité de ce qui s'y publie — surtout si l'on veut faire vite — mais la capacité qu'a, ou non, le directeur (ou la directrice) de rendre réellement public ce qu'il publie. Puisque l'impression, le brochage et la mise en vente d'un ouvrage dactylographié sont aujourd'hui à la portée du premier venu (grâce à la multiplication des livres de poche, aux sept cents éditeurs marginaux de province et de Paris, et à l'augmentation du volume de la production) — l'acte matériel de publication a perdu toute valeur discriminante. De même qu'un intellectuel n'a plus le sentiment de se « réaliser » à travers la seule publication de livres, mais à travers ce qui se publie autour de ses publications, de même les marchands de livres peuvent-ils avoir la conviction qu'un livre ne réalise plus sa valeur sur le marché du livre mais sur le régulateur de ce marché qu'est devenu l'appareil « mass media ». En un mot, les éditeurs périclitent qui n'ont pas chez eux comme salariés de grands journalistes — capables de traiter avec leurs confrères de puissance à puissance. Ce sont ces derniers qui, en les intégrant dans les cycles du marché de l'influence, font bénéficier leurs patrons de leur capital social personnel. Pour « renvoyer l'ascenseur », comme le demandent à la légère tant de néophytes, au moins faut-il avoir accès à une cage d'escalier — colonne dans un journal, chronique dans un hebdo, tranche horaire dans une grille. « Le petit service » (« tiens, c'est d'accord, on parle de ton bouquin dans la prochaine émission ») — est la prérogative des locataires à bail. Ne pas rendre la pareille, ce n'est pas nécessairement de l'indélicatesse, ce peut être de l'infériorité. Les ser-

vices que peuvent se rendre directement les éditeurs sont limités, ceux que les journalistes peuvent leur rendre sont considérables, et ceux qu'ils peuvent se rendre les uns aux autres à
travers les journalistes liés à la maison, estimables. En somme,
en 1970, le couplage édition/media s'opère en sens inverse
qu'en 1930. Par exemple, dans les tandems officieux mais fonc-
tionnels *Opera Mundi-France-Soir, Laffont-L'Express, Grasset-
Le Point, Le Seuil-Le Nouvel Observateur,* l'éditeur dépend de
son medium électif plus que ce dernier du premier. Un Revel,
un Nourissier, un Julliard apportent plus à leur maison d'édition par leur position respective dans chacun des trois hebdomadaires de masse qu'ils n'apportent à leur journal par
leur fonction éditoriale. De plus en plus, le rendement d'une
entreprise d'édition dépendra directement du nombre des
media sous contrôle (influençables ou « contactables »). L'avenir est au tricycle — mais les grandes maisons, déjà, ont quatre roues. Quant aux individus, s'ils ne deviennent pas eux-
mêmes journalistes, leur influence (et donc leur rendement en
tant qu'intellectuels) dépendra directement du nombre et de
l'importance des journalistes qu'ils peuvent compter parmi
leurs amis personnels. L'avenir est ainsi au multimedium,
mais les grands animaux intellectuels du moment courront
bientôt à quatre pattes.

2. LA NOUVELLE LOGISTIQUE

Le foyer d'irradiation des idées sociales apparaît simulta-
nément comme le port d'attache des porteurs de l'idée; la
rampe de lancement du produit, la base logistique du producteur. D'ordinaire, c'est dans l'institution la plus performante
que le producteur idéologique de pointe (« la grande figure »)
trouve son havre le plus sûr et sa source principale de revenus.
Le même homme que nourrissait, mal, l'Université en 1890,
sera nourri, assez bien, par l'édition en 1930 (et 1950) et très
bien en 1980 par les media. Et l'auteur, ou le courant d'idées.
propulsé par l'amphithéâtre universitaire en 1890 le sera par

la revue en 1950, par l'hebdomadaire ou l'émission de télé en 1980. Il n'y a pas juxtaposition d'instances, mais une mouvance au sein de laquelle se meuvent les autres, et qui leur sert de référence. Les « modes » idéologiques, par exemple, sont inséparables de leur modalité de transport, ou véhicule de lancement. Le bergsonisme, qui a rayonné sur le monde littéraire, sur les salons, à la scène, reste néanmoins dans la mouvance universitaire (y compris ses réfutations, contre-attaques, etc.). L'existentialisme, qui a rayonné sur l'Université et aussi à travers les timides mass media de l'époque, est profondément ancré dans la mouvance éditoriale. Quant à la « nouvelle philosophie », — ainsi baptisée par un chapeau d'article, — elle apparaît en son essence comme une *nouvelle logistique* (en ceci même qu'on ne lui a jamais connu d'essence théorique assignable, et qu'elle n'en avait nullement besoin — selon les canons médiatiques).

Observer les métamorphoses d'une discipline instituée comme la « philosophie » — dont les effets traversent précisément le champ pédagogique, éditorial et politique — c'est assister au déroulement d'une bande spectrale, chaque période apportant avec elle sa logistique propre : pour la première, le système Cours/Discours; pour la seconde, le système Livre/Revue; pour la troisième, le système Presse/Télé. A chaque support dominant ses paradigmes individuels : Bernard/Bergson; Sartre/Camus; nos feuilletonistes du théorique. Il n'est plus indispensable — dans l'actuelle période médiologique — d'*enseigner* la philosophie pour « être philosophe »; pas plus que de conduire des *recherches* philosophiques et de les soumettre via publications à l'appréciation professionnelle de la communauté philosophique. L'indispensable d'une époque est l'accessoire de la suivante. Canonique hier, excentrique aujourd'hui. Ce qui ne veut pas dire qu'il n'y aura plus de *professeurs* ni de *livres* de philosophie, mais qu'ils ne sont plus dépositaires de la patente ni de l'image sociale (c'est-à-dire du véhicule standard). Le rémanence des signes culturels sur la rétine sociale leur permet d'agir très longtemps après leur évidage. Comme l'organe survit à la fonction, la signalétique survit à la pratique et le qualificatif à la substance. Dans l'Ordre Nouveau, il n'est plus nécessaire de penser quelque chose pour être penseur, ni même d'écrire des livres pour être écrivain; mais se marquer soi-même comme *écrivain* ou comme *penseur* (pour se démarquer des non-écrivains et des non-penseurs) reste une nécessité sociale. On aurait tort d'en conclure que le réseau médiatique moderne, en légitimant ou colportant le legs du passé — est hors d'état de casser les dispositifs symboliques d'une culture.

3. LES NOUVELLES STRATEGIES

« Pourquoi s'acheter un parapluie à douze francs lorsqu'on peut avoir un bock pour six sous? » Pourquoi investir dix années de sa vie dans la rédaction d'une thèse d'Etat qui vous fera docteur ès lettres emprisonné à vie dans une faculté de province (le « mûrissoir » des étudiants étant le pourrissoir des enseignants), alors qu'il suffit d'un mois de travail pour vitrioler un pamphlet idéologique sur le sujet du jour (Goulag et Destin), qui me donnera un nom dans la grande presse, et d'une heure de verve à la télévision pour devenir un héros national? La loi de la valeur, chacun l'a éprouvé, ne s'applique apparemment pas à la production artistique et intellectuelle — du moins chaque producteur est-il en droit de le supposer, en ce qui le concerne personnellement [1]. Il y aurait plutôt un rapport inverse entre le temps de travail et le volume des rémunérations. Un récit romanesque qui m'a demandé trois mois d'efforts peut se vendre à cent mille exemplaires et me faire vivre pendant trois ans. Un ouvrage théorique qui m'a demandé trois ans de labeur sera vendu à 1 000 exemplaires et manquera ruiner mon éditeur, en réduisant ma famille à la portion congrue. Il n'est pas étonnant qu'il y ait plus de vocations romanesques que de vocations théoriques; même si la théorie aide les hommes à transformer le monde et les romans à le rêver mieux. Ni que les auteurs, comme disait Sartre, « établissent rarement une liaison entre leurs œuvres et leur

---

1. La question du prix des œuvres d'art en particulier, et de la valeur marchande des produits du travail intellectuel en général, appelle une analyse beaucoup plus complexe, au terme de laquelle on retrouve peut-être la loi de la valeur-travail. Voir à ce sujet les futurs travaux de Michel Gutelman..

rémunération en espèces ». S'ils le faisaient, ils seraient désespérés. La culture — activité désintéressée par définition — est
aussi une école de cynisme pour ceux qui la travaillent car si
les autres peuvent en jouir les « hommes de culture » doivent
aussi en vivre. Pour beaucoup de raisons dont la subsistance
n'est pas la plus déterminante, aujourd'hui la carrière intellectuelle constitue la plus rapide des formations professionnelles à la pratique de l'immoralité, dont la théorie peut être
faite par tout un chacun mais n'est recommandée à personne :
il y a des vertus qu'on exerce d'autant mieux qu'on ne sait pas
en quoi elles consistent, ni qu'elles sont des vertus. L'immo-
ralisme en fait partie.

L'observation de Courteline n'a pas que des applications
« bassement » matérielles. Elle peut se modéliser en une économie objective des *cursus*, fondée sur les rendements comparés, en valeur de promotion hiérarchique des différents secteurs d'activité professionnelle, et valable pour l'ensemble du
corps intellectuel d'une société et d'un moment donnés. On
dira que les meilleures carrières sont celles qui ne suivent
aucun plan, de même que les meilleurs régimes sont ceux qui
ne se guident pas sur une doctrine politique, et que les meilleurs révolutionnaires n'ont jamais lu *Le Capital* : vieux débat.
On se gardera bien d'aller vent debout, contre un pragmatisme
qui a le vent en poupe, mais on fera seulement remarquer,
après madame de Cambremer, que ceux qui méprisent le plus
le monde extérieur ne sont pas les derniers à s'y tailler une
place. Il existe bien un dossier « carrière » à l'usage des cadres
supérieurs de l'industrie — pourquoi n'y en aurait-il pas un
pour les cadres des Idées et des Lettres? Car le temps d'une
vie ne se distribue pas de la même façon selon que l'ennoblis-
sement s'obtient par l'entrée à la rue d'Ulm, à la NRF ou à
l'*Express*. Si le principal avantage des monarchies héréditaires
est de limiter au plus strict les luttes du sommet pour le
pouvoir, et celui des castes d'amortir au maximum les luttes
de classes, celui des sociétés civiles républicaines à forte mobi-
lité sociale est inverse (et l'intelligentsia est l'un de ces « états »
où la hiérarchie entre membres est à la fois la plus marquée
et la plus impalpable) : les luttes pour la promotion y sont
de chaque instant et entre tous. La concurrence est trop impi-
toyable, et la moindre erreur d'aiguillage assez irrattrapable
pour qu'on ne se permette pas de plaisanter avec l'Ordre

Nouveau des priorités d'investissements. Les Hindous ont la métempsychose, nous ne vivons qu'une fois.

Le cursus universitaire classique reste une dépense d'équipement nécessaire, mais dont le taux peut être modéré en se limitant aux premiers échelons, comme frais fixes incompressibles. L'important est que l'investissement en diplômes (histoire, lettres, philosophie, droit, sociologie, etc.) ne peut plus s'amortir convenablement sur le terrain même où il s'est effectué : l'enseignement supérieur. Engorgement aux derniers étages (professeur et maître de conférences) et encombrement à l'entresol (assistant) : les ascensions sont bloquées. Le bouchon administratif (ou générationnel) viendrait-il à sauter demain par miracle que l'Université resterait le cul-de-sac promotionnel qu'elle est depuis longtemps. Un capital universitaire doit désormais s'investir, aussitôt acquis, dans la sphère éditoriale où il pourra trouver sa rentabilité maximale, tant économique que sociale (les deux ne se distinguant plus — caractéristique de la période). D'un côté, transformation du savoir en bien marchand (livres, encyclopédies, albums, etc.) mais de l'autre et surtout première *mise en vue* de l'auteur, condition de son ultérieure mise en valeur, laquelle ne sera pleinement obtenue qu'avec sa promotion aux niveaux supérieurs et décisifs de la *visibilité sociale* que constituent télévision, radio, magazines et journaux. Trois remarques : 1) pour chaque in-put effectué à un étage donné, l'out-put maximum s'obtient à l'étage supérieur; 2) le cumul des bénéfices ne s'opère que de façon rétroactive, en redescendant du haut vers le bas; 3) chaque palier d'activité peut tirer profit — à son niveau propre — du palier supérieur, mais à condition que ce dernier tire de lui un profit encore plus grand. En clair, une bonne position dans les media, comme journaliste, me garantit à moi auteur une meilleure position sur le marché éditorial, laquelle me permettra, comme diplômé, une entrée ou une promotion dans l'appareil universitaire — l'intérêt bien compris de mes collègues aidant. Cursus théoriquement fléché de bas en haut (conformément aux critères de l'ancienne période), mais en fait de haut en bas, comme le prouvent à la fois la rapidité du parcours et la « pénibilité » du trajet inverse. De même est-il devenu beaucoup plus facile et rentable de tirer un livre d'un film qu'un film d'un livre. Ce sont les médiocrates (en fonction ou en retraite) qui obtiennent, et de loin, les plus forts à-valoir des éditeurs, pour leurs projets d'auteur, et les postes les plus élevés, lorsqu'ils y deviennent salariés; leur audience, donc leur influence, donc leur salaire, ne se compare même plus avec celle des « grands professeurs » ou des « grands écrivains ». De même un éditeur pourra donner à un auteur de fiction un bien meilleur à-valoir s'il peut escompter un feuilleton télévisé à partir du livre. En ce cas, l'un et l'autre auront le sentiment d'avoir « utilisé » le medium télé dans l'intérêt du livre : c'est la télé qui les utilise l'un et l'autre en imposant aux professionnels du livre ses propres critères de choix. Loi : l'utilisateur d'un medium inférieur ne peut jamais se servir d'un medium supérieur sans que ce dernier se serve de lui [1]. Dans l'immédiat, et pour s'en tenir au plus flagrant, on sait bien que la télévision ne met pas précisément en feuilleton n'importe quel roman contemporain (d'Ormesson a plus de chances d'être retenu que Claude Simon). L'orientation de la production décalque la hiérarchie des producteurs. Les *media* commandent à l'*édition*, qui commande à l'*Université*.

A plus forte commande sociale, plus forte demande individuelle. L'ordre décroissant des causes fixe celui des finalités de carrière. Ce qui était auparavant en bas de l'échelle (les journalistes comme prolétariat intellectuel) se retrouve au sommet, la finalité la plus haute correspondant à la causalité la plus forte. La coupure médiologique à laquelle nous assistons a permuté les rapports fond/forme entre les différents cercles de l'intelligentsia. En 1955, au versant du deuxième âge de l'intelligentsia française, Raymond Aron plaçait encore « dans le cercle intérieur » les romanciers, peintres, sculpteurs et philosophes, ajoutant aussitôt : « *Au-dessous* se situeraient les collaborateurs de la presse et de la radio, qui répandent les résultats acquis, qui maintiennent les communications entre les élus et le grand nombre. Dans cette perspective, la catégorie aurait pour centre les créateurs, et pour frontière la zone mal définie où les vulgarisateurs cessent de traduire et commencent de trahir : soucieux de succès ou d'argent, esclaves du goût supposé du public, ils deviennent indiffé-

---

1. Pour « inférieur » et « supérieur » je suis forcé de renvoyer à l'analyse concrète des media en et pour eux-mêmes qui a pour cadre le *Traité*.

rents aux valeurs qu'ils font profession de servir [1]. » En devenant, plus de vingt ans après, président du comité éditorial de
L'Express, Raymond Aron n'a pourtant pas eu le sentiment
de déchoir, mais, avec raison, de monter au plus intime du
cercle intérieur. C'est que dans le même laps de temps premier
et deuxième cercles ont permuté. Cet idéologue mérite la
plus grande considération, comme tête chercheuse des optima
acoustiques : mandarin tant que les amphis avaient de
l'écho, pontife de la plume tant qu'il y eut des lecteurs attentifs, désormais président du plus audio-visuel des news
magazines. Cette ascension n'a rien d'aléatoire. Et gageons
qu'en accordant son patronage à cet organe anglo-saxon écrit
directement en français — le vieil homme s'est senti rajeunir.
Le papier glacé se nourrit de sang neuf.

En effet, dans le processus de mise en valeur des producteurs intellectuels, le support médiatique est le plus dynamique des facteurs : c'est pourquoi il est devenu plus économique de commencer une carrière « par la fin ». La remontée
dans la chaîne des causes, de la plus à la moins performante,
coïncide heureusement avec la ligne de moindre résistance,
du plus facile au plus difficile. D'où la bousculade des jeunes
talents à la porte des sanctuaires médiatiques, et le rajeunissement concomitant des « élites » intellectuelles. On n'est
pas titulaire d'une chaire de philosophie à trente-cinq ans, ni
romancier à vingt-cinq. On aura par contre intérêt à économi-
ser sur la vie et l'étude pour devenir rapidement compétitif
chez les producteurs d'émissions ou les sommités de la chronique des idées : l'ancienneté est en ces matières plus un
empêchement qu'un adjuvant. Le troisième âge de l'intelligentsia sera celui de sa plus grande jeunesse. L'observation de
Michel Tournier : « hiérarchie et ancienneté sont presque
toujours synonymes », typique de la France d'hier, est déjà
une bévue pour celle d'aujourd'hui. Une intelligentsia à l'américaine, dans une France à l'européenne, mettra au premier
rang le sourire, la dentition, le cheveu et cette adolescence
de la bêtise qui a nom pétulance.

---

1. *L'opium des intellectuels*, p. 285, collection Idées.

4. LES NOUVEAUX DEJEUNERS

La médiologie, qui, faute de subsides de l'Etat, se voit contrainte à faire de l'Etat son laboratoire, ne recule pas non plus devant l'expérimentation sociale, qui inclut à ses yeux le carnet mondain. Le dernier en date des « déjeuners d'écrivains horizon 2000 » (Palais de l'Elysée, 7 septembre 1978) mérite donc de retenir l'attention. Le cérémonial ethnique du « déjeuner », qui ne se célèbre pas moins en plaine qu'en hauteur, appelle une description ethnographique particulière, et c'est elle que nous tenterons ici. Celui-là fut en effet exceptionnel — signalé d'avance comme tel et souligné trois fois ensuite par tous média réunis. La République, qui ne déjeune pas au complet tous les jours, espace ses rassemblements pour en maintenir constante la valeur [1]. Il n'est pas bon en effet que les divers fragments de l'autorité politique française se rejoignent trop souvent, à titre officiel. Les titulaires de l' « influence » fonctionnent à leur meilleur lorsqu'ils sont eux-mêmes convaincus de leur solitude, ainsi que ceux qui la subissent. Il en va de même pour l'appareil intellectuel que pour l'appareil judiciaire ou militaire, dont l'efficace politique s'alimente à l'évidence de leur apolitisme. Trop de fréquentation nuit à la concertation, et en ce sens la dissidence intellectuelle perdrait son crédit à force de révéler ses contreforts officiels. Beaucoup l'ont compris, et le burlesque des « polémiques » publiques qui dans le milieu intellectuel ont ponctué cette rencontre au sommet inspirera sans doute un émule de Molière (ou Beaumarchais?). Mais le petit homme qui ne veut qu'ouvrir les yeux sur son temps, dans l'espoir d'atteindre un jour à ce point vélique de la vie communément appelé sagesse où rire et savoir s'annulent, saura, fort de la maxime spinoziste (« ni rire, ni pleurer : comprendre »), résister aussi au fou

---

1. Dans la période actuelle, un déjeuner d'Etat avait déjà réuni, le 9 décembre 1976, mais dans l'intimité, les deux présidents en fonction, de la République et de l'Assemblée nationale, et une délégation de la H.I. avec Le Roy Ladurie, Philippe Sollers, Dominique Desanti, Roland Barthes, Bretécher, etc.

rire : les choses sérieuses s'indiquent au soin qu'elles mettent à s'abriter sous le ridicule [1].

« Qu'y a-t-il à comprendre? » veut dire « où est l'imprévu? » De quoi faut-il s'étonner? Non pas du fait en lui-même, conforme à tous les principes de la formation étatique en général, et de l'Etat français en particulier. Le Prince et ses scribes, c'est la « scène originaire » du politique; mais c'est aussi le seul sketch original dans la comédie du pouvoir français, par quoi elle se distingue de toutes ses rivales. En Allemagne ou aux Etats-Unis, la chronique littéraire du temps se déroule sur une autre page que la chronique politique. Chez nous, les auteurs de l'une sont les acteurs de l'autre, et vice versa. On a dit que l'interpénétration des élites scientifiques et administratives françaises, caractéristiques de notre histoire, avait scellé dès le siècle dernier le destin de la science française, stérilisée dans l'œuf, anémiée dans ses méthodes et son principe. L'interpénétration des élites littéraires et politiques, fil d'or de la vie nationale, stimule au contraire l'animation des uns et des autres. En ce sens, en conférant officiellement avec le haut personnel de l'Etat, la haute intelligentsia française ne fait pas qu'user d'un de ces droits de l'homme qui lui sont le plus chers — le libre choix du convive — elle cède à l'irrésistible devoir de sa charge. En s'asseyant à la table présidentielle, elle n'honore pas seulement son concept mais son passé. Quand une moitié de l'Etat se réunit avec l'autre, cela vaut-il mieux qu'une salle à manger? Il est vrai que, partout ailleurs, les uns et les autres seraient passés dans le bureau. Mais nulle part ailleurs une telle conférence n'eût intéressé le reste du pays. Ruse française par excellence et paradoxe d'institution : faire glisser le sérieux d'une obligation sous la mondanité de ses fastes.

Quoi de neuf donc, dans ce banal épisode, historiquement programmé, dont la seule nouveauté est qu'on ait pu y voir en 1978 une nouvelle digne de mention? Aux yeux de l'historien de l'hégémonie, un rééquilibre certain des parties traditionnellement en présence, au détriment de la « *potestas* », donc à l'avantage de « l'*auctoritas* » : basculement conforme aux

---

1. « Mon ami, votre injustice » (André Glucksmann, *Le Monde*, 6 septembre 1978), « Terreur dans les écritoires » (Maurice Clavel, *Le Monde*, 7 septembre), « Quel dialogue, monsieur Glucksmann » (Lionel Stoléru, 9 septembre), etc. Et *Le Nouvel Observateur* N° 722 : « Les hôtes du Président ».

moments de dépression symbolique, et dont le pouvoir politique n'a pas nécessairement à s'inquiéter. Bien au contraire : « Finalement, le Président semble se réjouir qu'en matière d'idées et de philosophie, la balance commerciale de la France fût excédentaire [1]. » Ceci compensant cela. Le décodeur des discours dominants préférera repérer par quelles voies insolites cette constante compulsive de l'histoire française qui arrime l'intellectuel au char de l'Etat, et les belles-lettres aux enjeux politiques, a dû frayer sa voie malgré et à travers une idéologie conjoncturelle, qui fait de l'intelligentsia une sorte de préposée à l'insurrection permanente contre « les monstres froids ». Ramener cette déraison à la raison, et au sens des longues durées la fièvre d'un moment, exigeait une certaine ingéniosité rhétorique, dont les tropes désormais codifiés auraient intéressé l'auteur des *Fleurs de Tarbes*. Comment retourner une déférence en défi, une invitation en ultimatum et une mondanité en mondialité — ce petit problème technique n'a plus rien d'insoluble depuis Mai 68, les metteurs en scène du verbe le résolvent chaque semaine [1]. En fait, la véritable nouveauté est d'ordre médiologique, ce ne sera donc une nouvelle pour personne : la composition même de la délégation, véritable échantillonnage du nouveau pouvoir intellectuel.

Comment rassembler le tout-Etat, et selon quels critères? Côté *potestas*, pas de difficultés : le président de la République, régulièrement élu incarne aux yeux de tous cette fraction de l'Etat qu'on appelle la puissance publique. Côté *auctoritas*, vieux problème : la puissance intellectuelle et morale, à qui et comment se délègue-t-elle? Aux pays du « socialisme réel », le chef de l'Etat et secrétaire général du Parti est *ipso facto* le président des intellectuels. C'est d'ailleurs pourquoi il ne les invite guère à sa table : il faut être deux pour dialoguer. Et s'il a des félicitations à faire ou des observations à for-

---

1. Conclusion du compte rendu « Les hôtes du Président », *Le Nouvel Observateur* (11-17 septembre 1978).
    1. « En fait — qu'on excuse ce rappel — je n'ai pas résisté à la terreur nazie, à la terreur stalinienne, à l'intimidation de la gauche conventionnelle pour me laisser induire en lâcheté par les chuchotements chichiteux amplifiant dans Paris l'article d'un excellent camarade et m'incitant à me plier à la règle des apparences, etc. » (Maurice Clavel, *Le Monde*). La fin du théâtre a mis le spectacle dans la salle, comme celle de la monarchie la cour à la ville. Mais sur quelle scène Beaumarchais redonnera vie à Figaro — pour se mettre à la hauteur de cette salle et de cette ville?

muler, le canal est tout désigné : la présidence de l'Union des écrivains transmettra. Le problème est plus délicat chez nous. Notre corps intellectuel a trop de têtes pour élire en son sein une présidence collégiale unanimement reconnue — nous verrons pourquoi plus tard. Mais, à l'Elysée comme ailleurs, le nombre des places à table est limité. Comment la République des lois va-t-elle *sélectionner* les représentants de l'Esprit des lois? Il y a vingt-cinq ans le secrétariat de l'Elysée, pour obtenir un assortiment représentatif des élites intellectuelles bourgeoises, se serait adressé au secrétaire perpétuel de l'Académie ou au rectorat de l'Université de Paris. L'élite de l'élite (du radical grec ἐλεῖν, *choisir*) c'est par définition celle qui est en mesure de trier l'autre. En l'occurrence, et dans la perspective du troisième millénaire, la Présidence ne s'est pas trompée en recrutant ses préfets parmi cette nouvelle couche d'intellectuels faits par et pour les mass media, dont la valeur ne réside pas tant dans une œuvre personnelle (le plus souvent inexistante ou réduite au strict minimum d'un ouvrage imprimé), encore moins dans un travail de recherche, que dans leur insertion aux points-clés de la résonance sociale. Ils s'enlèvent sur le fond plus feutré des confrères par leur capacité de bruitage idéologique : celle que confère à toute une nouvelle caste d'idéocrates leur position mitoyenne entre les réseaux productifs du savoir, qu'ils parasitent, et les réseaux de transmission publique, où on les appelle des « producteurs ». Ce n'est pas par hasard que le ministère de la Culture a été rebaptisé « ministère de la Culture *et* de la Communication » : ce « *et* », qui contient tous les mystères de l'époque, est la vraie petite « boîte noire » de notre cybernétique culturelle et politique. La valeur d'un intellectuel dans la République des Lettres modernisée se mesure en effet à sa puissance de communication sociale. Les maîtres à penser d'antan avaient une production, les nouveaux ont des émissions; le nombre de signes imprimés devra à l'avenir se compter en fréquence de signaux radioélectriques. Sa qualité de « producteur de radio » à France-Culture, et le fait d'avoir l'oreille des média préférés du milieu intellectuel (*Le Monde* et *L'Observateur*) désignaient donc Philippe Nemo comme truchement à l'attention de la République, car on ne sache pas que la « petite » Ecole normale de Saint-Cloud et une œuvre littéraire apparemment modeste aient jamais suffi à désigner quiconque pour un rôle pareil. Aptitudes et titres importent moins que ce capital proprement incessible qui donnent à l'intellectuel moderne sa véritable « surface » : le *know-how* du décibel. C'est-à-dire non seulement la familiarité avec ce dédale de bureaux, studios, couloirs et rédactions où le philistin se perd et au bout duquel miroite « l'événement », la « polémique », le « on-en-parle »; mais ce code relationnel, fait de mots de passe, de camaraderies ou simplement d'amitiés, qui permet à un seul individu de mobiliser en quelques jours les trente hommes à Paris qui, au dire de Balzac, donnent à penser à trente millions. Et notre estafette d'expédier des télégrammes urgents en direction des « grands intellectuels » — universitaires, chercheurs, essayistes — afin de lever une délégation vraiment « fashionable ». La plupart des destinataires haussent les épaules et se replongent dans leurs travaux. Quelques-uns, plus au fait des paramètres du nouvel âge, et qui en matière de *know-how* ne sont en reste avec personne, reprennent la balle au bond et font coup double. Donnent à connaître par le bulletin officiel et leur invitation et leur refus, joignant ainsi les prestiges de l'intégration au sommet (sachez que j'aurais pu en être) à ceux de l'incorruptibilité propre aux serviteurs de la plèbe (mais que je n'ai pas voulu). Admirable famille que celle qui donne à ses grands enfants tous les avantages de la dissidence sans aucun de ses inconvénients.

De même qu'hier la technocratie ne pouvait pas se hisser, au début de la Vᵉ République, aux sommets de l'appareil d'Etat sans se faire accompagner par les politiciens, juristes et parlementaires du « régime des partis », la nouvelle idéocratie ne peut pas aujourd'hui se hisser aux sommets des appareils idéologiques sans se faire escorter par les éminences d'un establishment dont elle précipite le déclin. Après combien de peines et d'atermoiements nos jeunes Carnot de l'hégémonie ont donc réussi un amalgame plausible entre les générations, niveaux et prestiges respectifs de la tradition et de l'innovation. La légion finalement fut de cinq volontaires : deux briscards, un demi-solde, deux bleus. Mais les rapports hiérarchiques ne correspondent pas aux galons et à l'ancienneté car les deux « intellectuels traditionnels » de la délégation ont été en réalité « organisés », passivement, par les nouveaux « organiques » sortis du rang. Si l'Académie française, en la personne de Claude Lévi-Strauss et le Collège de France dans celle de Georges Duby apportent la *légitimité*, dont l'effet de halo valorise les organisateurs, la conception et l'exécution opérationnelles sont dans les mains des petits derniers (Nemo et Lévy). Clavel, l'hommedium par excellence, cheville médiocratique entre Anciens et Modernes, relayant les émissions de sa plus haute antenne.

Les mass média ont inventé la démocratie dans l'aristocratie, tout comme l'arme atomique au plan militaire. Le vedettariat aspire les promus par en haut, abolissant les distances qui les séparaient — politiques, sociales, géographiques, morales et culturelles. C'est ainsi notamment qu'un club choisi d'intellectuels (« qui ne représentent qu'eux-mêmes ») a pu se métamorphoser en quelques année en partenaire privilégié du Club élu des dirigeants politiques qui représentent à tout le moins quelques centaines de milliers de militants (ou de millions d'électeurs, pour les chefs d'Etat). Ces milliers ou ces millions ont cessé de faire le poids pour la simple raison qu'ils ne peuvent « être à l'image » ou causer dans le poste : l'aveuglement des responsables politiques de l'opposition, piégés par les média, est fait de l'invisibilité de leurs troupes. Cette résorption des différences de potentiel à l'intérieur du club intellectuel équivaut à l'égalisation des mégatonnes entre les puissances du club atomique : Nemo sous les flashes devient l'égal de Lévi-Strauss et de Duby, comme la France avec quelques centaines de kilotonnes s'était mise d'emblée à la hauteur des Etats-Unis et de l'URSS. Les citoyens français avaient déjà eu le privilège de voir et d'entendre chaque jour pendant un an un honorable pharmacien (du nom de Robert Fabre) décider de leur sort parce qu'il avait été promu par la petite fée des foyers l'un des « trois Grands de la Gauche » avec un plus faible électorat que les écologistes. Tout comme l'atome a renversé les données de la stratégie militaire, la télé a bouleversé les stratégies concurrentes des cursus intellectuel et politique. Ainsi, derrière l'écu des deux grands hommes de science, austères et un peu distraits, dont on ne peut que vénérer le travail et l'image (d'autant plus performante que politiquement neutre ou floue), les chevau-légers médiatiques, nimbés par la contiguïté, sont-ils assurés du monopole de l'exploitation, après celui de l'initiative. Les trois amis (qui s'étaient déjà encensés l'un l'autre une bonne dizaine de fois par voie de presse) se réservent, à peine reposée la tasse de café, le service des transmissions, déclarations à tous les postes de radio, aux trois chaînes de télévision, dans la presse du lendemain; ici un compte rendu anonyme, là un brin de rewriting; sans compter les coups de téléphone aux trois cents amis les plus intimes. Manifeste le lendemain à la une du *Monde*. Cette sous-traitance publique d'une rencontre « privée » n'intéresse pas les deux traditionnels, qui s'en retournent, de l'Elysée à leur domicile, sans conférence ni confidences. Leur photo sur le perron avait suffi, on n'a plus besoin d'eux. Or, ce dont ils s'amusèrent le lendemain comme de retombées sans importance, c'était l'événement lui-même : son bruitage national et international. Sans eux, il eût été impossible; avec eux seuls, également. Mais leur gravité professionnelle ne les prédisposait guère à deviner le véritable centre de gravité du « beau coup » qu'ils avaient amorcé sans l'avoir monté, et c'est tant mieux pour tous. Les grandes manœuvres de l'hégémonie ont de tout temps passé par ces petites ruses-là. Elles pourront désormais être remplacées par elles.

5. LA PYRAMIDE DES SEXES

Pour savoir à quel étage on se trouve, dans quelque profession que ce soit, il faut et il suffit de demander quelle proportion de femmes il y a sur le palier. C'est une règle générale valable pour toutes les activités, et particulièrement pour celles de l'intellect. Déclassement veut dire : féminisation. Surclassement veut dire : masculinité. Nul parti pris féministe dans ce constat. Les chiffres parlent tout seuls — du moins quand ils existent. Car plus on monte dans les étages, plus les réponses sur ce point se font évasives (tout comme, dans l'escalier de la richesse, sur les montants des revenus). Les statistiques commencent toujours par en bas. La précision n'est pas un privilège : c'est la punition des pauvres et la sanction du déclassement. Il n'est pas étonnant que les chiffres les plus exacts en matière de distribution sexuelle s'obtiennent dans l'enseignement.

Premier degré : 72,7 % de femmes (sur les 318 379 instituteurs recensés en 1977). Deuxième degré : 54 % (sur les
202 000 enseignants du secondaire). Troisième degré : 35 %
(sur les 41 905 personnes en poste dans les universités). On a
compris qu'à l'intérieur de ce troisième niveau le nombre de
femmes décroît régulièrement en raison inverse des grades :
elles se trouvent en majorité parmi les catégories « lecteurs »
et « assistants ». Nous ne disposons pas de statistiques pour
le personnel du Collège de France, du CNRS et de l'Ecole
pratique, où chacun sait que les femmes n'ont pratiquement
pas accès (hormis au secrétariat et dans les bibliothèques).
Du temps où les instituteurs étaient les hussards de la République et non les OS de la communale, la distribution par sexes
dans cette catégorie s'opérait exactement à l'inverse.

Pas ou très peu de données statistiques chez les éditeurs
et auteurs, pour des raisons compréhensibles. On s'est donc
livré à un dénombrement personnel, sur un échantillon limité
mais représentatif puisqu'il s'agit de la liste des « auteurs
professionnels » qui se trouvaient affiliés aux assurances
sociales par l'intermédiaire du Centre national des lettres au
31 décembre 1976 (personnes tirant donc leur revenu principal
de leur activité scripturale). Sur 365 écrivants, 114 sont des
femmes. A peu près 32 % — chiffre à réviser *en baisse* si l'on
devait distinguer dans cette même liste les écrivains professionnels des écrivains (d'ouvrages peu ou non « littéraires »). Mais chiffre suffisant pour indiquer qu'on se trouve
déjà à un étage au-dessus; ce qui ne veut évidemment pas dire
que les discriminations soient moins fortes à ce niveau. Un
siècle après George Sand, et malgré la vogue actuelle du produit féminin, une femme-auteur a mille occasions par an de
constater qu'elle est (un peu ou beaucoup, selon ses tirages)
moins respectée dans son milieu qu'un homme. Ce n'est pas
un hasard qu'une femme (Marie Cardinal) se trouve à l'origine et à la tête d'une tentative visant à syndicaliser la profession (SELF).

Au dernier étage — celui du « grand journalisme » — la
première impression de confusionnisme hiérarchique se dissi-
pera aussitôt d'après l'observation du nombre de femmes
présentes aux différents échelons. Bien plus : la hiérarchie
mass-médiatique (télé/radio/presse écrite) pourra se traduire
immédiatement en pourcentages décroissants, dès lors que

les statistiques seront disponibles. Il y a évidemment plus de
femmes dans la presse écrite qu'il n'y en a dans les rédactions des chaînes de radio, et il y a plus de femmes à la radio
qu'il n'y en a à la télé (où elles se comptent, dans chaque
rédaction, sur les doigts de la main). L'échelle des auditoires
correspond à celle des responsabilités — donc des revenus et
des sexes. Limitons-nous ici à l'échelon « presse écrite » en
prenant l'exemple du *Monde* — siège central du pouvoir intellectuel français dans l'ordre imprimé, moins en raison du
volume de son audience (la plus forte des quotidiens parisiens
en 1977 : 1 349 000 lecteurs) que de sa qualité sociologique
et de sa fonction politique. 45,1 % de cette audience est féminine. Mais sur ses 183 journalistes (l'entreprise compte
1 246 personnes) le Sherlock Holmes du crayon ne recensera
que 28 femmes, soit à peu près 15 % — la majorité d'entre
elles dans les services légèrement subalternes du social/cultu-
rel. Distribution qui rappelle évidemment celle du haut personnel gouvernemental, et montre encore une fois à quel point
les structures du pouvoir culturel décalquent celles du pouvoir
d'Etat. Aucune femme à la rédaction en chef (éditoriale +
opérationnelle : 9 personnes). Aucune à la politique intérieure
(11 personnes). Une aux informations générales (19 personnes). 5 au service étranger (à peu près 70 personnes, y
compris les correspondants, rédacteurs correspondants, chefs
de rubrique et chefs de service). Yvonne Baby a néanmoins le
ministère de la Culture, Jacqueline Piatier le département des
livres, et le docteur Escoffier-Lambiotte le ministère de la
Santé. Quiconque mettra en regard Françoise Giroud, Alice
Saunier-Seïté et Simone Weil fera du mauvais esprit, car les
gouvernements passent et *Le Monde* reste. Il est parfois sain
d'attaquer le gouvernement, mais il est plus que jamais dangereux d'incriminer un journal qui n'est pas seulement le meilleur du monde mais qui risque d'être le dernier. Aucun changement de gouvernement n'est en mesure de faire régresser le
peuple français dans la barbarie mais la disparition du *Monde*
signifierait bel et bien celle d'une civilisation, dont tout indique
que celle qui la remplacera sera, objectivement et rigousement
parlant, en régression sur elle. Il va donc de soi que les indices
de ségrégation repérables sur un organe comme *Le Monde* se
retrouveront encore plus flagrants dans d'autres institutions.
Dans sa partie descriptive, rappelons-le, la médiologie n'a pas

de jugements de valeur à formuler mais des hypothèses à tester sur la réalité : en ce sens, elle n'a pas à être « féministe » ou « anti féministe », ni favorable ou hostile à l'organisation du pouvoir intellectuel tel qu'il fonctionne dans la France de cette fin de siècle (et dont l'organigramme du *Monde* est une radioscopie instructive, parmi d'autres). Elle pose banalement une corrélation et constate que si la culture en général se décline au féminin et incline à la féminitude, ses hautes sphères en particulier sont nettement masculines. L'immortalité est l'apanage des mâles : pas de femme à l'Académie française. La haute intelligentsia est une société à dominante masculine et la basse intelligentsia — où les enjeux sont naturellement plus réduits — une catégorie de composition plus féminine. De cette donnée générale découle un effet individuel de signe opposé — comme n'importe quel écolier en stratégie le démontrera. La dominante masculine n'exclut pas nécessairement une direction féminine locale : elle l'appelle au contraire, en légitimant l'exception dont elle tempère les effets par l'évidence de la règle. La rareté relative des femmes à l'intérieur de la HI crée un surplus de valeur pour celles qui y accèdent, lequel, traité à bon escient, peut se transformer en une véritable rente de situation. A bon escient, puisqu'il s'agit de stratégie, veut dire : politiquement. De fait, les femmes rompues aux pratiques politiques qui entrent dans la HI sont les plus expertes à faire de leur discrimination un argument d'autorité, et de leur condition de persécutée un titre supplémentaire à l'audience légitime. De même que la qualité de membre du Parti, *a fortiori* d'ancien ou d'exclu, fait bénéficier la victime d'une rente singulièrement avantageuse dans la concurrence générale à l'écoute anticommuniste (et, vice versa, l'ancien fasciste dans l'écoute antifasciste, etc.) la situation minoritaire de femme exclue peut favoriser une position différentielle intéressante. Les deux handicaps réunis en une seule personne (sexe féminin + passé communiste) défient toute concurrence. Déloyale, disent certains : généralement des hommes, peu politisés, et ignorants des modernes stratégies de marché.

6. LE BAREME DES INDULGENCES

Le trafic des indulgences, avec ses abus, ses agences et ses automatismes, a eu pour effet de couper en deux l'histoire de l'Occident (et par ricochet, de l'humanité) en précipitant, au début du XVIᵉ, l'éclosion de la Réforme et l'émancipation protestante. On ne sait encore quels effets aura sur l'histoire de l'intelligentsia française la hausse incontrôlée des cotisations et rémissions pratiquées à l'intérieur du corps. Les critiques de livres, de films, de théâtre et d'art, ne mettent plus en jeu la vie éternelle des « auteurs », à la différence des opérations dominicaines de Wittenberg, mais c'est parce que l'éternité est morte. A long terme, nous irons tous en enfer et personne parmi nous ne s'en porte plus mal. L'immédiat compense amplement, et le marché culturel se contente du court terme, c'est-à-dire du paradis pratique. Avantage sur le XVIᵉ : ce que les contrôleurs de symbolique promettent, ils le tiennent. Ils distribuent aussi bien la fortune que la mort. Pas toujours symboliquement : la fortune peut être sonnante — et la mort, physique.

Le spectacle des jubilés hebdomadaires propres à la vie culturelle dite « parisienne » ne remplira de jubilations que les « riénologues » (Balzac), qui rient depuis trois cents ans du même rire sec du moraliste. Les festivités et vendettas inscrites au répertoire « gendelettre » serviront tout au contraire au médiologue pour discriminer, identifier et combiner les facteurs éminemment variables selon lesquels s'effectue à chaque époque la distribution du pouvoir intellectuel. Le barème des indulgences sur le marché socioculturel exhibe les coefficients hiérarchiques des différentes catégories composant la « société intellectuelle » d'une époque. Plus exactement : le jeu des dépendances mutuelles — dont le système dessine la *structure d'ordre* qui définit elle-même, en rigueur, tout rapport de pouvoir : transitivité, asymétrie, non-réciprocité. Il y aura peut-être un jour un traitement mathématique de l' « opportunisme ».

A jargon neuf, pratique ancienne. Elle ne relève pas, encore une fois, d'une morale universelle, mais de ce que *Le Neveu de Rameau* nommait un *idiotisme de métier*, c'est-à-dire un comportement logique découlant d'un type particulier d'activité. L'espèce de ceux qui ont pour métier d'influencer l'opinion des autres a pour « idiotisme » de vouloir complaire à tous ceux auxquels leur position donne le plus d'influence auprès de l'opinion. Ils ne le voudraient pas si fort si ce n'était un devoir. Dans une lettre à madame de Récamier, Benjamin Constant a donné forme de maxime à cette nécessité : « *Il ne faut jamais être mécontent de ceux dont on a besoin.* » Le « il faut » caractérise l'inconditionné moral — et l'impératif, en l'occurrence, ne désigne qu'un certain état des mœurs, plus étroitement conditionné dans l'espèce « littérateurs » que dans toutes les autres du genre humain. En ce sens, la formule de Constant est plus proche de Diderot que de Kant, et son impropriété au regard de la Raison Pratique fait toute sa pertinence au regard des mœurs intellectuelles. Cette règle de conduite ne s'enseigne pas, elle se confond avec l'apprentissage du métier. Voix de la conscience, signe de métier. Les fables de La Fontaine s'apprennent à l'école, mais la société contraint notre corporation à jouer La Fontaine à l'envers : chez nous, on a toujours besoin d'un plus gros que soi. La réussite professionnelle se paye de cette malédiction morale. Et pour savoir qui est plus gros, il suffit d'observer les sujets de satisfaction des petits. Si ces derniers tombent si régulièrement en pâmoison devant les ouvrages des directeurs, rédacteurs en chef, rédacteurs et correspondants des media les plus influents (en ordre d'enthousiasme décroissant); s'ils s'ingénient à les citer si souvent en exergue, chapeau, incise ou bas de page (insistance d'autant plus méritoire qu'on serait plutôt chiche entre confrères); s'ils se montrent par contre aussi mécontents des chefs d'Etat étrangers ou des secrétaires des divers partis politiques nationaux, c'est peut-être *aussi* parce qu'ils dépendent beaucoup des premiers et pas du tout des seconds. Le pouvoir, pour l'ordre intellectuel, n'est pas là où un vain peuple pense : chez ce que tout un chacun appelle les « hommes du pouvoir » (Etat, partis, syndicats). Il est chez ceux dont dépendent l'avancement des carrières, la montée des tirages, l'accroissement de la visibilité sociale : les grands médiocrates. Cette amphibologie sur le mot « pouvoir » est à la source de beaucoup d'impostures, habillant les larbins (du pouvoir au sens réel — professionnel — du mot) en insurgés (contre un pouvoir qui n'en a aucun sur moi, s'il en a beaucoup sur des millions d'autres). Chez les intellectuels, le pouvoir politique a mauvaise presse; mais c'est parce que la presse — et la pire — a le pouvoir. Et que réserver ses flèches et ses pointes au premier est le meilleur moyen de faire sa cour au second. Qui ne lève pas l'équivoque s'expose à ne pas comprendre pourquoi les téméraires qui prennent les armes au-dehors contre Brejnev et Videla (« même combat ») se montrent aussi circonspects au-dedans pour reprendre tel ou tel gredin bien placé. Qui peut le plus peut le moins? Précisément non : déplaire aux premiers n'a pas de conséquences (sinon toutes favorables, en termes de crédit); déplaire aux seconds serait prendre le risque de se voir fermer aux nez quelques portes cruciales. La maxime de Constant, philosophiquement contestable, a du moins le mérite d'expliquer pourquoi le combat pour la vérité et la justice s'arrête si souvent aux portes de la profession. « On ne pend point un homme qui a cent mille écus », répondit un jour un fournisseur aux armées un peu leste au maréchal de Villars. On ne va pas chanter pouilles à un homme qui a plus d'un million de lecteurs, voire dix millions de téléspectateurs — répond en écho le fournisseur aux idées neuves, deux siècles plus tard. Hier, l'or avait raison de l'épée. Aujourd'hui, l'audience tient la plume en respect. Les media ont déplacé l'axe du besoin.

Ceci n'est pas un pamphlet mais une analyse. Si l'étude du temps présent ressemble à une histoire de l'infamie, ce n'est pas la faute de l'étudiant en médiologie que la « fama » n'intéresse pas, parce qu'il trouve plus d'intérêt à l'examen objectif des causes et des effets publics que la société où il vit assigne à la notoriété individuelle. Tuer à distance, sans toucher, sans savoir, est une vieille vertu typographique. Cette magie, loin de s'user, rajeunit avec les techniques d'imprimerie et la circulation élargie des périodiques. Elle n'est pas nécessairement liée à un état évident d'oppression étrangère (la presse de l'Occupation) ou de sauvagerie des luttes politiques (Front populaire). Elle ne fait pas oublier les autres techniques : le silence est la forme civilisée du génocide; et il s'en commet beaucoup de par le monde, dans notre dos et un peu grâce à nous. Il y a désor-

mais des exécutions de routine, propres et neutres. Exemple :
21 juin 1976 — couverture noire du *Point* « Le patron des
réseaux d'aide aux terroristes ». 24 octobre 1977, article de *Der
Spiegel* « Sous la direction d'un Egyptien... ». 25 octobre 1977 :
assignation à résidence d'Henri Curiel par le ministère de l'Intérieur. 4 mai 1978 : assassinat d'Henri Curiel. 6 mai 1978 : « Je
n'y suis pour rien » (Georges Suffert). Un épistémologue dira
que consécution n'est pas conséquence. Un technicien de
l' « action psychologique » verra dans cette campagne de presse
un modèle. Le sociologue de l'hégémonie réfléchira sur
l'influence des gens influents. Un expert en déontologie journalistique se posera des questions sur son métier. Quant à l'intellectuel français de 1978 qui a pris pour objet d'étude les intellectuels français de 1978, il aura seulement eu le malheur de
voir à la télévision, peu de temps après, le directeur d'un très
puissant magazine, responsable de cette couverture et auteur
d'un dossier non signé de basse police, aussi mal informé
qu'abject dans sa visée, deviser gravement sur l'humanisme
chrétien au milieu d'auteurs admiratifs; il aura entendu le
silence de plomb que cet aréopage de moralistes, dont aucun
de sa vie n'avait laissé passer un manifeste humanitaire à paraître sous huitaine sans y apposer son tampon, a laissé retomber,
au beau milieu du plateau, sur le cadavre d'un militant sans
audience ni journal, et qu'on n'avait jamais vu à la télévision;
et il aura eu simplement honte. Pas pour l'Homme — cette
majuscule a suffisamment de concessionnaires. Pour la dignité
d'une corporation à laquelle il avait déjà, comme beaucoup
d'autres, rougi d'appartenir. Mais jamais autant que ce soir-là
(de l'année 1978, à Paris).

François Mauriac avait coutume de dire qu'au regard du
monde des lettres le monde politique était une école d'indulgence. Catholique mais probe, il ne pensait certainement pas à
mal — au sens catholique du mot « indulgence ». Le monde des
lettres est en effet plus cruel que le monde politique, pour beaucoup de raisons dont la plus évidente est que la flèche des
dépendances est ici et là de sens contraire. Ici, vers le bas. Là,
vers le haut. D'où ici la tentation démagogique, et là les atti-
rances élitaires. Le mandat électif place l'élu sous le ressort de
ses mandants. Un député qui veut le rester doit trinquer avec
son épicier et sourire à sa sténo-dactylo; le premier secrétaire

d'un parti, s'il veut être reconduit dans ses fonctions, ne peut pas tourner le dos aux secrétaires fédéraux ou de sections, fussent-ils les plus obscurs : les mandats sont dans leurs mains, et au prochain congrès chaque mandat comptera dans le rapport des forces. Au sein de la haute intelligentsia la *coop-tation*, la *recommandation* ou le *parrainage* inversent les modes de sélection et de promotion. D'où la cruauté de ses politesses, et une tout autre orientation des rapports humains. Les grands hommes dans les Lettres méprisent les petits, endurent leurs pairs et n'ont d'yeux que pour les éminences. Au demeurant les meilleurs hommes du monde — mais l'idiotisme du métier piège les plus généreux.

C'est la *non-réciprocité* dans le rapport qui permet de distinguer, dans tout dispositif social, entre un haut et un bas. C'est elle qui crée la *dépendance* du second au premier. L'auteur dépend du journaliste, qui ne dépend pas de lui. Cette complexe banalité mérite de l'attention, car ses effets varient avec le temps. En 1840, Balzac avait rêvé de consacrer une rubrique de la *Revue parisienne* à une « critique de la presse périodique » : ce n'est pas de sa faute s'il ne put mener son projet à terme. La presse, par nature, exclut la réciprocation des contraintes : cette tendance peut être corrigée ici ou là, mais à rebrousse-poil de la profession et au prix de grands sacrifices, d'espace, de temps et d'agrément, toutes les fois du moins qu'on veut aller au-delà du simple « courrier des lecteurs » — miroir toujours avantageux. Il y aurait pourtant urgence, cent quarante ans après, à mettre à exécution la lubie balzacienne, car la pollution du milieu ambiant (des consciences et des pratiques) a dépassé la cote d'alarme, sinon le point de non-retour. Comme on le montrera en examinant les *contenus* véhiculés par les media sur le terrain politique et culturel. Mais à plus grande nécessité, plus grande impossibilité : le rendement d'un tel organe critique serait aujourd'hui si bas qu'aucun investisseur ne peut le prendre au sérieux. Restons-en ici à la *forme* des rapports unissant (c'est-à-dire dissociant) émetteurs et récepteurs, sujets et objets du Commentaire public. L'essence n'en a pas changé depuis Balzac : « La Presse est en France un quatrième pouvoir dans l'Etat; elle attaque tout et personne ne l'attaque. Elle blâme à tort et à travers. Elle prétend que les hommes politiques et littéraires lui appartiennent et ne veut pas qu'il y ait *réciprocité*; ses hommes à elle doivent être sacrés. Ils font et disent des sottises effroyables, c'est leur droit! Il est bien temps de discuter ces hommes inconnus et médiocres qui tiennent autant de place dans leur temps et qui font mouvoir une presse égale, en production, à la presse des livres [1]. »

« Le grand journaliste » reste le seul homme en position d'humilier, moquer ou dénigrer l'un quelconque de ses concitoyens sans que ce dernier puisse répliquer à armes égales. Ce que la loi a prévu pour la défense du justiciable en cas de diffamation, injures et calomnies flagrantes, n'est pas sans portée, mais le coût élevé des frais de justice, la lenteur et la complexité des procédures, ajoutées à l'autodestruction par le nombre, transforme les actions en justice en mauvaises affaires réservées à une caste de publicitaires assez bien pourvus par ailleurs pour travailler à fonds perdus. Quant au droit de réponse, qui entretient le feu au lieu de l'éteindre, rares sont les journaux qui le respectent, et les lecteurs qui savent s'en prévaloir font eux-mêmes partie du métier : ses arcanes et ses arguties restent fermées aux amateurs. Sans doute la flamboyance calomnieuse de l'avant-guerre a-t-elle cédé la place à d'inattaquables perfidies, distorsions et éreintements, plus en harmonie avec le conformisme fadasse où baigne la communication sociale d'aujourd'hui. Les outrances verbales de jadis avaient au moins le mérite de la franchise. La destruction, à présent, tout comme le reste, peut à la limite se passer de texte : on peut anéantir encore mieux avec un titre, une légende, le choix d'un caractère et l'emplacement du « papier ». En réalité, les bavures pénales ne sont que l'écume des choses : le délit rend la loi moins flagrante et la fait oublier. L'immunité journalistique constitue dans la société culturelle une loi non écrite reposant d'abord sur la solidarité interne couvrant les membres de la corporation. A cet égard, l'égoïsme forcené des « auteurs » les met en position de faiblesse vis-à-vis d'une « tribu » infiniment morcelée mais à très forte cohésion totémique : la confraternité joue entre hommes de presse mais non entre hommes de lettres.

Règle générale qui doit être pondérée aussitôt qu'énoncée. Il n'y a jamais eu de muraille de Chine entre les deux groupes,

---

1. (*Revue parisienne*, 25 août 1840.) Où l'on voit, entre autres choses, que la métaphore américaine du « quatrième pouvoir », née en terre française, ne date pas d'hier.

et aujourd'hui moins que jamais. A l'entrée en force des professeurs dans la littérature, caractéristique de l'après-guerre, correspond celle des journalistes dans l'après-68. Pour deux raisons : trop-plein sociologique (crise de l'emploi) et légitimation politique. Dans la mesure où les media ont pris le pouvoir non seulement culturel mais politique, dans la foulée de mai 68, et où l'instance littéraire reste celle qui confère en France la légitimité à l'exercice du pouvoir politique — les grands journalistes se doivent d'écrire de grands livres, tout comme jadis les maréchaux, les maîtres du barreau et les ténors de la politique. Si l'Académie française avait un droit de préemption sur ces derniers, ce sera désormais au tour de la grande presse. Il y a donc interpénétration des deux catégories traditionnelles. Reste qu'on se fréquente beaucoup plus entre soi au palier journalistique qu'au palier littéraire : tous les directeurs et rédacteurs en chef se tutoient, se téléphonent quotidiennement, dînent ensemble et voyagent en équipe. Ils ont souvent, dans leur jeunesse, travaillé au coude à coude dans les mêmes journaux; ils se retrouvent dans toutes les grandes conférences de presse, au cœur des mêmes événements; les chefs d'Etat étrangers les invitent pêle-mêle pour des interviews collectives, colloques ou séjours. Fâcheries, humeurs ou mauvais coups n'altèrent pas cette solidarité non seulement professionnelle mais existentielle; alors qu'elles dissocient les écrivains les uns des autres, faute d'une pratique commune. Il y a donc intérêt pour les hommes de lettres, idéologues et intellectuels, à accéder au palier des hommes de presse pour pouvoir bénéficier de leur entregent, garantie d'immunité individuelle. L'une des règles tacites de la confraternité consiste à faire silence sur tout ouvrage comportant une mise en cause (ou en perspective) d'un confrère important d'une rédaction importante — à charge de revanche bien entendu. Si ce n'est pas de la prudence, c'est de la courtoisie, et le contraire une inélégance. D'où l'autocensure des auteurs, et l'impunité des journalistes. Tout écrivain qui enfreint la règle peut être sûr par avance que son ouvrage tombera à plat, tué net par le silence des média dont l'éditeur sera bien forcé de prendre acte au moment de traiter le prochain manuscrit [1]. Où l'on voit la naïve et désuète crudité

---

1. Il y a bien entendu des exceptions des deux côtés. Voir la stature et le courage du meilleur périodique français, *Le Monde diplomatique*. Voir aussi, l'indépendance d'esprit de certains isolés reconnus comme Jean-François Kahn. Ils confirment la règle bien malgré eux.

des pratiques de l'Index (Saint-Siège), de la liste Otto (Troisième Reich) ou des offices centraux de censure (« socialisme réel »), correspondant à des formes rudimentaires de domination politique. En pays avancé, il n'y a pas de liste noire puisque cette dernière est entre les mains des auteurs. Chacun a la faculté de s'y inscrire ou s'y rayer à volonté. Appelons cela la liste Otto-gérée. Toujours en avance sur son temps, le corps intellectuel s'est déjà mis à l'autogestion — de sa notoriété comme de ses interdits.

Les parcours de la communication entre les différents points d'un réseau constituent les meilleurs indices des rapports de dépendance qui les unissent. Tout responsable d'une rédaction peut entrer en rapport, à tout instant et de n'importe quel lieu, avec un responsable d'une autre rédaction, pourvu qu'ils soient de même niveau. La communication à l'étage « journalisme » s'opère à l'horizontale, d'après titres et fonctions, en perçant les cloisons verticales de la tendance ou de l'affiliation politique. Serge July peut appeler directement Jean-François Revel, comme Leroy Fauvet, ou Chevrillon Viansson. Ou vice versa. De même était-il plus facile au XVIIIᵉ siècle à un prince français d'entrer en rapport avec un prince polonais ou espagnol qu'avec un chevalier ou un baron français. Et si le baron de France avait parmi ses connaissances un truchement facile avec un prince de Pologne, il avait tout intérêt à passer par ce dernier pour solliciter une faveur d'un prince français. Les coûts d'une communication en montée sont sans proportion avec ce qu'elle coûte à la descente, mais l'horizontale reste de bon rapport. Quand aujourd'hui un auteur de moyenne réputation s'estime lésé ou offensé par un média dont il ne dépend pas directement, il doit passer par son prince pour adresser sa requête au fief voisin ou adverse, s'il en attend du moins une réponse. André Fontaine téléphonera donc à Olivier Todd, ou l'inverse, afin d'obtenir réparation pour l'homme ou la femme de sa suite qui s'estime offensé(e). Ce détour est de bonne stratégie, car le rapport de forces est trop inégal entre le petit baron ou baronne qui bat la campagne et le Prince dont un seul mot peut déclencher les rotatives, mettre un nom sous deux millions de regards, substituer à la dernière minute une couverture à une autre. Le système de communications entre les différentes couches de la société intellectuelle s'oriente vers une tabulation rectangulaire, par lignes et colonnes, labyrinthe coudé d'où les transversales sont exclues. Les vilains ne s'en prendront qu'aux vilains, et les gentilshommes se jetteront le gant mais on ne confondra pas les rixes du vulgaire avec des jeux de prince hors de prix. Fort de ses trois millions de lecteurs et d'un imprenable budget de publicité, donc à l'abri de représailles destructrices, un Revel peut défier ses pairs en tournois singuliers (*La Nouvelle Censure*), mais parce qu'il règne sur le marché et au sein même de l'Etat, à part égale avec les autres. Ces coups de tête servent à sonder les parties adverses et tester ses propres capacités défensives : à la fois grandes manœuvres et démonstrations de force, les foucades de la haute noblesse stabilisent les équilibres sans tirer à conséquence. En matière polémique, et pour parler moderne, le manant (sans média d'appui) n'a qu'une capacité de première frappe, de type suicidaire; les seigneuries, qui ont toujours une deuxième frappe à leur disposition, se tiennent mutuellement en respect sans craindre l'anéantissement.

A toutes fins utiles, signalons pour ceux d'en bas les avantages qu'ils peuvent tirer de l'asymétrie existante, qui assure un rendement très élevé aux amitiés journalistiques. Ces traités de bon voisinage renforcent la donne des Grands dans leurs rivalités internes mais constituent pour les petits cosignataires de véritables planches de salut. Les miettes des médiocrates sont les festins des médiatisés. Pourquoi? Trois raisons.

A) Parce que ce que le journaliste accorde est infime pour lui et immense pour l'auteur. Concession tactique ici, bénéfice stratégique là. Un « grand » éditorialiste fait un papier par semaine, un « petit » auteur un livre tous les deux ans. Une seule citation de l'éditorialiste, et *a fortiori* un panégyrique, peuvent assurer le lancement d'un livre (cela s'est vu) ou d'un nom (par le cumulatif des effets déclenchés), mais ils ne peuvent d'évidence entamer la position personnelle de l'éditorialiste ni même l'intérêt de son papier. Le grand journaliste ne sera pas jugé sur ce détail, mais moi oui. Qu'on choisisse ma photo plutôt que celle de x pour illustrer le papier, ça ne fera pas baisser les ventes du journal; mais ça fera en tout cas monter celles de mon livre et de mon nom (puisque tous les autres éditorialistes se gratteront la tête lundi matin, perplexes et déjà inquiets à l'idée de manquer le train). Somme toute, un rédacteur en chef, mettons d'un quotidien, a chaque jour cinquante pages à remplir. Qu'il en remplisse une avec moi ou un autre — quelle différence pour lui? De la sorte, plus mon ami sera haut placé dans la hiérarchie des décideurs, plus l'asymétrie jouera en ma faveur, et si j'ai à cœur de l'appeler trois fois par jour pendant un mois il finira bien par faire sien l'adage des belles nanas d'antan : « Ça me coûte si peu et ça leur fait tellement plaisir... » Il n'y a pas (à notre connaissance) un seul exemple de journaliste qui n'ait dû, de guerre lasse, céder. A ceux qui acceptent d'y mettre le prix, ce jeu rembourse au centuple. Voir les gazettes de cette semaine.

B) La plupart des journalistes, particulièrement les meilleurs, ignorent leur propre pouvoir. Ils se prennent pour des personnes, alors qu'ils personnifient un rapport social et technique dont ils sont en quelque sorte les supports (à l'instar du capitaliste individuel dans le capitalisme, ou du bureaucrate en pays bureaucratique). L'asymétrie se transporte à l'intérieur de la machine médiatique, en abusant ceux qui la font tourner : elle joue alors comme asymétrie entre l'analytique des causes, qu'ils sont les mieux placés pour connaître, et le synthétique des effets, qu'ils sont les plus mal placés pour apercevoir. « Ah mon bon si vous saviez, dit le rédacteur en chef adjoint au catéchumène, mon pouvoir est inexistant, je ne suis que la cinquième roue du carrosse. » Oui, et il est de bonne foi : à l'intérieur de l'entreprise c'est vrai qu'il n'est guère écouté, ou pas autant qu'il le mériterait, etc. Mais peu m'importe puisque, pour l'extérieur, ou dans la sphère des effets, le carrosse, c'est lui, avec armoiries et dorures. L'influence « minime » du journaliste, c'est l'influence cumulée du titre de son journal, de la centaine de journalistes qui y travaillent, et des milliers de journalistes qui ont fait ce titre et ce journal depuis sa fondation. Peu importent l'individu, le « poids » de sa signature ou son degré exact d'influence, mais sa position et la licence sous laquelle il travaille. On sait que ce n'est pas la parole qui compte dans notre société mais l'indice de sa place et de son instant d'apparition. A cause minime, donc, grand effet. L'héraldique remplaçant l'examen des pièces généalogiques, pour bénéficier du prestige « Libé », « Monde » ou « Nouvel Obs », le plus obscur des membres de la famille habilité à imprimer sous le blason fera l'affaire.

C) Il découle de l'asymétrie précédente qu'un seul élément sûr et décidé peut neutraliser la majorité d'une rédaction et faire la décision. Les places fortes se conquièrent de l'intérieur, et il suffit d'un élément acquis dans la plus imposante des citadelles pour occuper la place, fût-ce un par un et en file indienne : un portillon de service suffit. Pas de chaîne au monde qui n'ait son maillon faible : qui le cherche le trouve (voir une rétrospective des quatre dernières années, ou comment dix têtes lucides peuvent circonvenir par noyautage, sans grand mal, les cinq média décisifs d'un pays de cinquante millions d'habitants, stratégiquement situé). Il va de soi que la conquête n'est possible qu'à l'intérieur du périmètre de la classe dominante, dans le cadre de ses intérêts d'ensemble et à la condition de ne jamais se tromper de cible.

7. L'EVENTAIL DES REVENUS

Ce que l'historien du présent suppute, l'administration des finances le calcule, sans vaines clameurs. Aussi, lorsqu'on hésite sur l'échelle mobile des prestiges, peut-on toujours consulter l'échelle des revenus — ses barreaux ne mentent pas. Chaque écart mesure une distance sociale. Tel est l'avantage du parallélisme entre déclassement et dépréciation propre aux sociétés où l'argent sert d'analyseur.

Proverbiale, la médiocrité des traitements dans l'Education nationale a gardé sa valeur relative depuis un siècle. Elle reste à cet égard en équivalence avec ceux de l'Armée et de la Magistrature (malgré une certaine et logique revalorisation des soldes militaires). Un instituteur commence sa carrière au niveau de traitement d'un sergent-chef pour la terminer au-dessous d'un lieutenant [1]. Un agrégé débutant est payé aussi bien (ou aussi mal) qu'un capitaine, et un professeur en fin de carrière qu'un colonel. L'homogamie habituelle chez les

---

1. Ce qui veut dire, en 1978, 2 635,79 francs nets pour un instituteur débutant titulaire du Certificat d'aptitude pédagogique, plus les indemnités de résidence et le supplément familial. 4 455 francs en fin de carrière.

enseignants assure néanmoins aux ménages une *aurea medio-critas* assez enviable, et si les primes annuelles n'apportent pas un appoint aussi rondelet que dans d'autres secteurs (Douanes, Impôts, Postes, Ponts-et-Chaussées, etc.), les heures supplémentaires (autorisées jusqu'à concurrence d'un mi-salaire) ne sont pas mal payées. Uniformes et normés par la grille indiciaire, les traitements de la basse intelligentsia restent dans un rapport global de 1 à 4[1].

Le monde de l'édition a des salaires relativement supérieurs, propres au secteur privé, mais sans disparités considérables. Seuls les bénéfices des « directeurs de collection », étant proportionnels à la diffusion que le directeur peut assurer aux ouvrages qu'il publie, seront disproportionnés les uns par rapport aux autres. Pour un intellectuel, la fonction d'employé d'édition, en dehors du treizième mois et parfois de l'intéressement aux bénéfices annuels de la maison, offre surtout des avantages en nature et en économie de temps : secrétariat, services de presse, reprographie, téléphone et surtout *notes de frais*, qui permettent l'augmentation presque quotidienne et gratuite de son capital social personnel. C'est pourquoi une position éditoriale ne peut pas décemment se chiffrer d'après le montant du salaire : elle n'est pas tant juteuse en elle-même qu'inappréciable par ses à-côtés.

Le véritable décrochage s'opère au palier supérieur — celui de la grande information, qui ne trouve plus au-dessus de lui que les cachets d'un show-biz dont il ne cesse de se rapprocher. Les traitements dans l'univers des mass media relèvent d'un tout autre ordre de grandeur que ceux de l'Univer-

1. Remarquons cependant une anomalie historique à l'étage supérieur de l'institution universitaire. Les autorités du corps enseignant ne sont pas situées dans l'échelle à chiffres qui regroupe le gros des fonctionnaires, mais dans l'échelle à lettres, elle-même partagée en « groupes » et « chevrons », qui intéresse quelque 12 000 hauts fonctionnaires appartenant aux grands corps de l'Etat. Un recteur d'Académie se retrouve dans le groupe D, très au-dessus du préfet (groupe C) et du général de brigade (groupe B). Le recteur de l'université de Paris figure parmi la vingtaine de hauts fonctionnaires les mieux payés de France, avec le premier président de la Cour de cassation, le secrétaire général du gouvernement et le préfet de police (soit, en 1978, un traitement brut annuel de 211 682 francs). Ce surclassement est un héritage du passé, la grille originelle de la fonction publique ayant été confectionnée à la Libération par des professeurs d'Université. Il s'agit d'un effet typique et localisé de rémanence, grâce auquel s'est conservée sous la Ve République une hiérarchie des prestiges propre à la IIIe. Voir documents en annexe.

sité ou de l'édition; la dénivellation qui avait toujours existé
a pris une démesure américaine. La basse intelligentsia, collée
à la Vieille Europe, a subi une paupérisation relative par rapport à la haute. De l'agrégé débutant à un « directeur d'antenne » ou à un président de conseil éditorial, l'écart peut être
de 1 à 50. La société française paye ses PDG idéologiques trois
ou quatre fois plus que les PDG de ses entreprises industrielles
nationalisées, deux fois plus que ceux du secteur privé [1]. Les
chiffres au sommet des appareils de diffusion s'estompent dans
un flou confidentiel, que les comités d'entreprise peuvent parfois percer, mais qui n'ont évidemment aucun rapport avec
le plafond du barème syndical des journalistes. Aussi élevés
soient-ils (à l'exception très remarquable du *Monde*, et, tout
en bas, de *Libé* où tous les journalistes gagnent le même
salaire de 2 700 F), les avantages de fonction (appartement,
chauffeur et voiture de fonction, déplacements, défraiements
d'hôtel, d'avion, etc.) les dépassent encore, ainsi que le montant des indemnités en cas de démission. Délire, gaspillage?
La société moderne ne manque pas de sagesse dans l'administration de ses folies. Elle ne consentirait pas ces sacrifices s'ils n'étaient pas « quelque part » rentables. Quant aux
bénéficiaires, on pourrait se demander si leur argument classique — celui de l'insécurité de l'emploi — garde quelque
validité *politique* au regard de la stabilité des temps si l'on
ne se souvenait que les concentrations et les mises à pied
techniques sont aussi, à leur manière, la conséquence d'une
certaine logique politique.

---

1. Le directeur d'*Europe N° 1* gagnait en 1977 110 000 francs par mois;
celui de *L'Express* 70 000 francs (salaire légèrement baissé depuis). Un grand
reporter au *Point* 15 000 francs par mois. Le plus modeste animateur de
l'audiovisuel ne gagne pas moins de 30 000 francs par mois (soit, comme le
note Maurice Maschino, ce que gagnent une ouvrière en un an et un paysan
du Mali en soixante ans), chiffre que les vedettes de la télévision multiplient
par trois ou quatre, puisqu'elles cumulent les prestations dans la presse, à la
radio et dans l'édition (Bouvard, Pivot, Chancel, Gicquel, Drucker, Martin,
etc.). Voir l'enquête de Maurice Maschino, « La machine à abêtir », *Le Monde
diplomatique*, février 1979 et notamment « le salaire de la médiocrité ».

LES TRAITEMENTS DANS LA FONCTION PUBLIQUE EN 1977

9 octobre 1978 : LE NOUVEL ÉCONOMISTE

LA GRILLE ET SES PROLONGEMENTS

L' « ÉCHELLE CHIFFRES »

	Traitement minimum	Traitement maximum
CATÉGORIE C et D : 515 000 personnes Personnel d'exécution sans diplôme (D), niveau brevet (C) agents de bureau, dactylo, huissier, facteur.	2 096 F (indice 187)	3 645 F (indice 340)
CATÉGORIE B : 490 000 personnes Personnel d'encadrement, instituteur, rédacteur, infirmière, secrétaire administratif, contrôleur aérien. Études : bac.	2 688 F (indice 248)	5 292 F (indice 478)
CATÉGORIE A : 410 000 personnes Administrateur civil, professeur, ingénieur, inspecteur PTT. Études : Université, ENA, Polytechnique.	3 473,46 F (indice 324)	8 789 F (indice 810)

L' « ÉCHELLE LETTRES »

10 733 fonctionnaires	Groupe	Chevrons	Indice	Traitement net mensuel
Conseiller référendaire 2e classe, Cour des comptes, administrateur civil hors classe, maîtres requêtes au Conseil d'État président du tribunal (hors classe), colonel, inspecteur général de ministère, sous-directeur de ministère, ingénieur en chef ponts et chaussées, ingénieur en chef mines, TPG.	A	1 2 3	874 913 950	9 480 9 907 10 455
Général de brigade, directeur régional des impôts, sous-directeur de ministère, TPG.	B	1 2 3	950 1 007 1 064	10 455 10 949 11 573

Président de section tribunal administratif, chef de service de ministère, conseiller référendaire 1re classe, Cour des comptes, maître des requêtes au Conseil d'État, inspecteur des Finances 1re classe.	BB	1 2 3	1 064 1 094 1 125	11 573 11 710 11 933
Préfet, directeur ministère, conseiller maître de la Cour des comptes, professeur agrégé titulaire de chaire.	C	1 2 3	1 125 1 151 1 178	11 933 12 296 12 823
Receveur général des Finances, payeur général du Trésor, directeur ministère, ingénieur général 1re classe Mines, recteur d'Académie, conseiller d'État, inspecteur général des Finances, conseiller maître Cour des comptes, ingénieur général des ponts et chaussées.	D	1 2 3	1 178 1 235 1 292	12 823 13 447 14 073
Directeur ministère, président du tribunal de Paris, conseiller d'État, inspecteur général des Finances, conseiller Cour des comptes.	E	2	1 292 1 349	14 073 14 696
Président de section et de chambre, Conseil d'État, préfet hors lasse.	F		1 406	15 322
21 personnes dont le recteur de l'université de Paris, le secrétaire général du gouvernement, le 1er président de la Cour de cassation, le vice-président du Conseil d'État, le 1er président de la Cour des comptes, le préfet de Paris, ambassadeur de France (ayant le rang d'ambassadeur).	G		1 558	16 98

*Net pour un célibataire + indemnité de résidence (Paris).

Il y a en France 1 520 000 fonctionnaires titulaires, auxquels il faut ajouter 108 000 ouvriers (essentiellement à la Défense), 420 000 agents non titulaires, 5 000 magistrats et 305 000 militaires, qui sont payés par référence au statut de la Fonction publique.

CHAPITRE VI

HAUT ET BAS-CLERGÉ

1. UN CONTRASTE ET DEUX CAUSES
   A) LA CONCENTRATION
   B) LE RENDEMENT

2. DEUX CLASSES ET UNE LUTTE

1. UN CONTRASTE ET DEUX CAUSES

Dût-on s'en tenir aux chiffrages officiels les plus généreux, la disproportion est sidérante entre l'exiguïté des effectifs et l'ampleur de l'audience. Jamais, dans une société, aussi peu d'hommes n'ont fait autant de bruit que les membres de la haute intelligentsia française. En surface rédactionnelle dans l'ensemble de la presse écrite, comme en longueur de temps dans les informations audio-visuelles, il est certain que le corps des instituteurs (318 379 personnes en 1978) a occupé cette même année moins de place que tel ou tel membre de la HI à lui tout seul. Pour ne pas parler des catégories socio-professionnelles trop évidemment disqualifiées telles que les « gens de maison » (234 355 personnes en 1975), les « employés de commerce » (736 595), les « manœuvres » (1 612 725). Mais, par bruit, il ne faut pas entendre seulement *bruitage*, ni volume des messages dans les moyens de communication : il est normal que les media s'occupent des hommedia qui les occupent, de préférence aux marins-pêcheurs ou aux employés de bureau. Ce bruit de fond ne donne pas seulement sa forme mais sa matière même à la chronique politique et sociale. Cette couche « marginale » informe et produit une part croissante des faits et des événements dont se tisse chaque semaine la vie d'une nation de cinquante millions d'habitants, par le truchement de la télévision, de la radio, des journaux, de la rumeur, et dont les organisations politiques, syndicales et professionnelles les plus étrangères au milieu intellectuel doivent désormais tenir le plus grand compte.

Comment expliquer ce formidable décalage entre l'effet et la cause? Par deux caractéristiques, la seconde découlant de la première : la concentration physique et le rendement médiologique.

A) LA CONCENTRATION

Le champ d'exercice du symbolique est isomorphe au champ administratif du politique. Vieille donnée française. Ce n'est pas un hasard si l'Etat le plus centralisé du monde occidental est aussi celui qui accorde à l'intelligentsia la plus grande place. Balzac, 1840 : « L'opinion se fait à Paris, elle se fabrique avec de l'encre et du papier. Elle fait les révolutions, la province accepte les révolutions toutes faites. L'opinion, c'est l'intelligence soldée par trente propriétaires de journaux; c'est tous les écrivains capables de faire un livre, d'écrire un pamphlet; ils sont cinq cents dans toute la France, et il n'y en a pas cinquante à qui le talent permette d'être dangereux [1]. » La géographie de l'intelligentsia s'est modelée sur le système nerveux de l'Etat, l'aménagement du territoire de l'influence sur celui du pouvoir — les « métropoles d'équilibre » en moins. Une intelligentsia qui a enflé de la tête, qu'elle a petite, sied à une société macrocéphale. Entre la HI et la BI on retrouve la même « relation d'ordre » qui unit le cervelet aux terminaisons, la capitale à ses provinces : la HI « informe » ses bas-côtés comme Paris le désert français. La concentration à la fois monopolistique et technique des organes d'opinion (télé, radios, magazines, grands journaux), redoublant ce centralisme traditionnel, en a considérablement exagéré l'effet : déposer le maximum de décisions dans le minimum de mains. Reflet des structures d'autorité, le réseau du pouvoir intellectuel s'est tissé en toile d'araignée, tout comme celui des voies de communication (routes et chemins de fer) et des télécommunications (depuis le télégraphe optique des frères Chappe jusqu'au téléphone et aux circuits télématiques). Il est aussi difficile de se rendre par chemin de fer de Nantes à Besançon ou de Grenoble à Bayonne qu'il l'est à un adjoint d'enseignement de communiquer avec un directeur de labo, ou, en

1. « Lettres russes », publiées dans *la Revue parisienne*, Balzac, tome 40, *Œuvres diverses* III, p. 344. Ed. Conard.

sens inverse, un compositeur de musique avec un agriculteur-métayer. La transversalité, en France, c'est ce qu'il y a de plus ardu. Ça ne marche qu'à la verticale et en centrifuge. Seul façon de décloisonner : une révolution (deux mois par siècle) et, dans les intervalles, le système-media qui se commande du Centre. Pour que le musicien passe le message à l'agriculteur, il n'a pas d'autre recours que d'aller à la télé, rue Cognacq-Jay ; et l'adjoint d'enseignement devrait forcer les portes du *Monde* pour se faire remarquer du directeur de labo. Tourniquet sans issue : *Le Monde* n'est ouvert qu'au directeur, et l'agriculteur ne pourra pas émettre en retour sur le musicien car il n'a pas accès au petit écran. Les communications sont fléchées de haut en bas. Un poète à Marseille ne peut pas être présenté à ses coreligionnaires de la région par les studios locaux de FR3 sans l'autorisation préalable de la direction parisienne de la chaine, et le réseau Hersant reproduit chaque jour, par lumi-type, aux quatre coins de la France, les génialités éditoriales des grandes signatures de la capitale.

La France est donc le pays des *optimums stratégiques* : où le plus petit nombre d'acteurs peuvent obtenir l'out-put maxi-mum pour un input minimum, si ce dernier s'effectue aux points névralgiques. Cette économie des jeux vaut aussi pour l'hégémonie. Les « prises de pouvoir » intellectuel bénéficient des mêmes procédures de multiplication des mises que les émeutes, prises d'armes, et coups d'Etat de notre histoire, qui rayonnent d'un centre unique (14 juillet, 18 brumaire, février 48, 2 décembre, Front populaire, insurrection de 44, Mai 68, etc.). Plus grande la complexité technique, plus aisée la prise de parts. Plus lourds les frais fixes de la production des opinions, moins onéreuses les démarches d'annexion. Il n'y a pas trente journaux « névralgiques » mais deux ou trois. Ni cinq cents « opinion-leaders » mais cinquante et tout au plus la moitié « à qui le talent permette d'être dangereux ». Qui prend sous contrôle une Maison de la Radio, un studio de télévision, deux ou trois rédactions, plus, pour bien faire, trois ou quatre maisons d'édition (facultatif), dans un péri-mètre de trois ou quatre hectares, prend sous contrôle la source de distribution et de circulation des idées sociales de base sur l'ensemble du territoire (plus les DOM-TOM, les néo-colonies indépendantes d'Afrique et l'aire francophone). La HI a aujourd'hui, et malgré les apparences (car l'évanes-

cence fait son être et la dispersion sa force), plus de pouvoir
social qu'elle n'en a jamaie eu : elle émet enfin tous azimuts.
Concentration monarchique des réserves symboliques, diffusion
des flux par train d'ondes concentriques. Pivot du système :
une tête d'épingle.

De pareils coups de force hégémoniques, qui tétanisent un
corps politique en frappant à la tête, quels que soient le consensus ou la conjoncture favorable dont ils puissent s'autoriser,
seraient matériellement impossibles dans un Etat de type fédé-
ral — comme l'Allemagne, les Etats-Unis ou la Suisse — ou à
fortes composantes régionales — comme l'Italie ou la Grande-
Bretagne. De même que « prendre ou occuper le pouvoir politique » à Washington ou à Rome n'a pas du tout la même portée que de le prendre ou de l'occuper à Paris, puisqu'en tout
état de cause le Wisconsin ou l'Emilie-Romagne continueront
de s'administrer comme ils l'entendent, de même la multiplicité et la dissémination des centres universitaires, des chaînes
de radio et de télévision, des journaux et des périodiques, des
associations et des clubs distribués sur l'ensemble du territoire
américain ou italien répartissent les risques et l'assiette de
l'autorité symbolique d'une façon incomparablement plus
équitable qu'en France. Folklore, écume, jeux de scène? Les
très sérieuses personnes qui ont affaire avec la militance, ou
bien avec « la science », auraient tort d'ironiser. Si c'est une
comédie, son enjeu n'est rien de moins que « la production de
la société » par quelques-uns moyennant la *sélection* des idées
qui deviendront idéologies et des faits qui deviendront événements. Les médiocrates n'occupent plus seulement le milieu du
monde de la scène, ils envahiront demain le milieu de la scène
d'un monde où la frivolité intellectuelle des politiques exonère
et encourage déjà la frivolité politique des intellectuels. Seuls
l'oubli ou l'ignorance de la configuration matérielle, historiquement déterminée, des supports idéologiques autorisent à
brocarder la parisianité, ses vapeurs et ses toquades. Il y a
belle lurette que messieurs Havas, Belin, Bell, Marconi, Hertz et
quelques autres ont élargi le landerneau parisien à la dimension de l'hexagone, et Paris reste, peut-être plus que New York,
l'endroit de la planète d'où l'acoustique est la meilleure. Les
grands hommes de Tombouctou, Bangkok ou Bogota donnent
le la à Tombouctou, Bangkok et Bogota. Mais qui fait jaser

la rive gauche de la Seine a toujours quelque chance d'entendre l'écho de sa voix lui revenir, démultiplié, de tous les coins de l'Occident — y compris du Tiers-Monde. Ce que Baudelot-Establet ont dûment établi pour la petite-bourgeoisie française — « qu'elle occupe une place dans la société sans proportion avec son poids numérique » — vaut a fortiori, et sur une autre échelle, pour son plus glorieux fleuron. La catégorie sociale la plus frivole de la société française est devenue la plus considérable. Ceux qui ont les pieds le plus éloignés de la terre sont les plus présents dans les têtes. Il y a cent cinquante ans, les prolétaires vagabonds des faubourgs incarnaient aux yeux des bourgeois « la classe dangereuse ». De toutes les fractions de la bourgeoisie, cette intelligentsia-là est devenue pour le peuple « la classe dangereuse » par excellence. Ce cercle de Narcisse, véritable « société de pensée » publique, sans lequel le public ne pourrait plus penser, a désormais les moyens de présenter à une nation entière le monde à l'envers, en lui mettant la tête en bas et la droite à gauche, car le monde extérieur ne peut plus être vu directement, sinon par réflexion dans le Grand Miroir Central. Demain, cette petite annonce : « Echangerais bonnet phrygien contre entonnoir — Marianne. »

B) LE RENDEMENT

La force d'un régime de domination politique consiste à ne pas montrer sa force, et l'on obéit d'autant mieux à l'Etat qu'on peut l'aimer sans le connaître comme Etat. Sous nos cieux, le consentement actif à la domination d'une classe est organisé par ce qui s'appelle depuis Althusser les « appareils idéologiques d'Etat » — qui permettent la reproduction la moins douloureuse possible des rapports sociaux existants. Les gestionnaires de notre Etat, qui tournent eux-mêmes sans cesse du secteur privé au secteur public (comme nos hauts fonctionnaires vont et viennent entre le monde des affaires et le monde politique) sont professionnellement entraînés à minimiser les coûts, par les business-schools, le management, le MIT et leur pratique. Il est juste qu'ils préfèrent aux brigades spéciales des compagnies d'intervention les éditions spéciales des appareils d'information, et le sensationnel aux sensations fortes. L'appareil scolaire a besoin de près d'un million de fonctionnaires (850 000) pour intégrer/qualifier/distribuer dans les diverses filières de la production moins de quinze millions d'enseignés. Sans doute l'appareil informatif ne va-t-il pas aussi loin dans la spécialisation et l'encadrement des utilisateurs. Mais que cinquante « opinion-leaders » — relayés sur l'aval, en honneur au « two step flow », par cinq cents mentors subordonnés — suffisent à rendre ce monde acceptable, sinon souhaitable, à trente millions d'adultes ne constitue pas une mauvaise opération. D'autant que si l'Etat accapare les profits, il socialise la dépense en faisant participer le capital privé (entreprises de presse et sociétés de production), dûment soutenu il est vrai. Marcher à l'information, c'est dans tous les sens du mot marcher à l'économie — et vice versa. Un bon intellectuel organique, posté dans une salle de commande, reste rentable à 70 000 francs par mois, plus les primes et les avantages de fonction. Et à meilleur rendement, meilleure impression. Un micro d'une radio « périphérique » (centrale en réalité) bien utilisé entre six et neuf heures du matin vaut cent chaires d'église et mille bidules. Les curés de campagne avaient leurs ouailles, les gradés de la police ont leurs adminis-trés, les vedettes de l'audio-visuel ont leurs fans. La haute police symbolique est la seule qui ajoute à ses fonctions l'idolâtrie du public.

Ce qui ressemble d'un côté à un fabuleux gaspillage de ressources (radios, télés, affiches, dépliants, films, spots, maga-zines, etc.) peut aussi bien se comprendre comme une précieuse épargne pour le système dans sa totalité. N'y a-t-il pas un rapport entre le suréquipement en appareils de surveillance des pays socialistes et leur sous-équipement informatif et imaginaire — le même qu'entre la gigantesque panoplie sym-bolique des pays capitalistes et la discrétion, en temps de paix, de leurs appareils de coercition? Omniprésence du Parti, omni-présence des media. Nos commis aux belles images ont la même fonction d'encadrement/contrôle — et le même statut de cadres supérieurs — que les préposés à la ligne juste. Mais à pro-ductivité supérieure ils sont plus rentables. Ils assurent cette contre-révolution préventive et permanente aussi visible et indolore que le fonctionnement normal du sytème (extor-sion/inculcation) avec lequel il ne fait qu'un. En d'autres termes, parce que le Journal télévisé, *L'Express, Marie-Claire* et *France-Soir* ont chacun la puissance de feu d'un régiment de gendarmerie blindé, les ministères de l'Intérieur et de la Défense nationale peuvent réduire d'autant leurs dépenses de personnel et d'équipement. Si par malheur tous ces media étaient mis demain hors service, peut-être la puissance étatique se verrait-elle contrainte, à brève échéance, à avancer sa deuxième ligne de défense « pour faire respecter l'ordre républicain ». On l'a bien vu en 68 : un repos de longue durée à la télévision, c'est bien vite le surmenage des CRS.

Tout autre, par chance, est le régime de domination à l'extérieur des métropoles impérialistes, sur leur terrain de chasse économique. Là-bas, la technologie de l'inculcation a ses rendements les plus bas, la force nue doit se montrer à découvert. C'est pourquoi, de même qu'à l'intérieur le système patine et dérape en période de guerre, il ne peut qu'attaquer de front à l'extérieur de ses enceintes, où il est le plus vulnérable. Les cimetières du Centre sont à la périphérie : vieille leçon d'histoire, fatalité des Empires, de leur mort et de leurs cycles.

2. DEUX CLASSES ET UNE LUTTE

Les sentiments qu'inspire la basse intelligentsia à la HI ressemblent d'assez près à ceux qu'inspirait le deuxième ordre au premier dans le clergé d'il y a deux siècles : un mélange de mépris et de crainte. La HI méprise la BI comme une classe *retardataire* et la redoute comme *dangereuse*. Retardataire parce qu'encore dupe des « vulgates » passéistes (marxisme et « progressisme ») et des mythologies surannées (laïcité, classe ouvrière, service public, nationalisations) [1]. Dangereuse parce

---

1. La place et la fonction du terme de « vulgate » dans la grille des valeurs de la HI, comme opérateur d'infériorisation polémique et blason d'anoblissement, exigeraient une étude à part. « *Vulgate* » est infamant, puisque le mot s'enracine dans « *vulgus* » ou « le commun des mortels » (donc le contraire de ce que nous sommes, nous, l'élite savante). Le malheur est que « vulgate » est aussi habité par *vulgare*, « répandre », et que l'expansion/diffusion d'une

que, principalement composée de fonctionnaires socialisants, elle identifierait son propre avènement en tant que classe dominante à la domination de la société civile par un Etat bureaucratique. On trouvera dans un opuscule polémique récent cette sensibilité diffuse cristallisée en thématique. Je propose, écrit l'auteur, de considérer cette fraction de l'intelligentsia comme la classe étatique par origine et par destination. Classe étatique voulant dire : classe dangereuse — l'Etat, mauvais objet, s'opposant à la société civile, porteuse de régénération. « Alors que la haute intelligentsia, comme nous l'avons montré plus haut, se détourne de la vulgate marxiste ainsi que de la politique professionnelle et se pose avec retard, mais acuité, le problème du totalitarisme dans les sociétés modernes, la basse et moyenne intelligentsia, beaucoup plus nombreuse et influente électoralement parlant, se pose avant tout le problème du pouvoir et de sa conquête. Par tous les moyens, elle cherche à obtenir qu'une éventuelle victoire de la gauche consacre son propre avènement. » (Jacques Julliard, *Contre la politique professionnelle*, p. 112.) Ainsi, ne rêvant que nationalisations et planification autoritaire, cette fraction, qui déguise « ses appétits de commandement » en phraséologie socialiste, témoignerait donc à la fois de son peu de vertu morale et de son inintelligence des réalités modernes. Il faut lire de près ces pages exemplaires — de l'idéologie des idéologues dominants et du grand traditionalisme des audaces actuelles [1]. Ces

---

idée, d'une théorie, d'une image, constitue la plus centrale des boîtes noires de la cybernétique culturelle. Qu'est-ce qui se diffuse et pourquoi? Et que serait devenue en Occident la parole du Christ sans la traduction en latin de la Bible par saint Jérôme, appelée *Vulgate?* C'est ainsi que le positionnement social des idéologues leur voile le plus stratégique des problèmes historiques : *le devenir-monde d'un fait de pensée.*

1. « De près » : la lecture en survol, induite par le parcours nécessairement rapide d'une masse de journaux et magazines, favorise l'essor des « pensées de survol ». De plus en plus nombreuses sont les productions à double détente — qui emportent l'assentiment à la première lecture, par l'aplomb du style et la surprise d'informations cueillies ici et là, mais découvrent leur vacuité dès lors que le lecteur *prend son temps.* C'est surtout de ce phénomène-là dont l'ouvrage un peu hâtif de Jacques Julliard est exemplaire. Ce dernier recueil d'inexactitudes statistiques sémantiques et théoriques sur l'intelligentsia fournira à l'amateur l'un des aperçus les plus exacts sur le code des *doxas* intellectuelles en vigueur, grâce auquel le vraisemblable se fait reconnaître comme l'évidence même. Si l'inaperçu d'un époque constitue le foyer de ses *stéréotypes* (foyer à partir duquel elle pourra être aperçue plus tard précisément comme *cette* époque-là, à nulle autre pareille) il y a peut-être un rapport nécessaire entre la raréfaction du temps de la lecture et la prolifération des stéréotypes. L'invisible gagne quand on gagne du temps. Plus vite ça défile, plus c'est typé en creux. La limitation de vitesse tous-terrains et toutes-activités est devenue une nécessité absolue si l'homme veut garder une certaine maîtrise de son

topos ont en effet leurs lettres de noblesse. En 1898, lorsque l'adversaire n'était pas « la vulgate marxiste » mais les « vulgarités naturalistes et positivistes », Barrès employait la même figure de réduction sur l'anti modèle des *Déracinés*, ce Bouteiller qui identifiait « ses ambitions de boursier et de professeur pauvre » avec la République. (De la même manière, les partisans de la légitimité disqualifiaient l'idée de monarchie constitutionnelle en brocardant les roturiers pressés de parvenir.)

Les sentiments qu'inspire en sens inverse la haute à la basse intelligentsia constitueraient un mélange de fascination et de méfiance. *Fascination* devant une pléiade d'étoiles incarnant, malgré qu'on en ait, les rêves de réussite à la fois sociale et individuelle (la promotion publique mesurant le degré de réalisation personnelle). *Méfiance* tour à tour goguenarde ou hargneuse vis-à-vis de l'arrivisme facile et des pompes indues du spectaculaire : un chercheur en sciences sociales par exemple, connaissant son métier mais réduit à en faire un *travail*, trouve le plus souvent de quoi sourire ou ricaner dans la façon dont les *tenants du titre* tirent prestige public de ce qu'ils pratiquent si mal en privé. Il n'y a pourtant pas symétrie ni réciprocité entre ces deux rancœurs de sens contraire, ne serait-ce que parce que les sentiments du haut peuvent se donner une expression publique, cohérente et systématisée, et que ceux du bas ne peuvent s'exprimer le plus souvent qu'à la cantonade, en murmures ou apartés solitaires. Inégalité statutaire, puisque la haute intelligentsia a les moyens d'exercer son droit de propriété privée sur l'intelligence et la culture : le monopole d'accès aux moyens centraux de la diffusion de masse. Cloisonnée en disciplines, fragmentée par catégories, dispersée dans ses provinces, dépourvue d'organes de liaison, la BI ne peut que maugréer dans les coins et *recevoir* ce qui s'émet à partir des centres de légitimation : grands éditeurs, magazines parisiens, émissions-pilotes, fashion-journal.

D'où cette bataille à fronts renversés, dont les péripéties indéfiniment répétées ne lasseront jamais, en abusant les acteurs eux-mêmes. La maîtrise des réseaux de diffusion maximale optimise le pouvoir des nouveaux maîtres à penser

rapport au sens, à la nature et à l'Histoire. Ce n'est pas un hasard si l'éloge de la vitesse est le thème le plus fréquenté par l'avant-garde bourgeoise (du futurisme fasciste, « la voiture de course » est passée aux hussards français).

en leur permettant de régner au nom de la plèbe et à son contact. En même temps qu'elle sélectionne l'élite, elle la produit comme antiélitaire. L'*appel à la base* contre et par-dessus les appareils intermédiaires constitue à la fois la *ligne* politique et le *programme* commun à toutes les chefferies de la HI car c'est là où elle se trouve à son rendement le plus haut : cette position traduit en « idéologie » la position médio-logique de la HI, qui surplombe et enjambe effectivement celle des « appareils intermédiaires », de telle sorte qu'elle fantasma-gorise une réalité. Le thème peut se moduler à l'infini, à travers clefs et portées. On aura donc l'appel au « petit peuple de Dieu » contre « l'appareil ecclésial » (Clavel), à « la plèbe » contre les pourris du monde entier (Glucksmann), aux « prolé-taires de chair et d'os » contre les Sganarelle du prolétariat (Jacques Julliard), aux hommes simples et lucides contre les maîtres-censeurs de l'institution (B.H. Lévy), etc. Pas de penseur qui ait pignon sur rue sans cette enseigne en lettres d'or : « Je ne suis ici qu'un penseur élémentaire et populaire. » « Sus aux notables! » est devenu le mot de ralliement de toutes les notabilités. Il y a un bonapartisme intellectuel, comme il y en a un autre en religion et en politique — c'est souvent le même [1]. Les procédures matérielles de la notoriété se sont ainsi jointes à la nouvelle balance des dégoûts et appétences sociales pour permuter les signes des anciennes équations, sans altérer leur solution. S'est donc mis en place, sur la base d'un ensemble de discours et de pratiques cohérents les uns aux autres, un establishment de parias ou une Curie d'iconoclastes, mêlant au culte de l'impiété une érotique de l'exécration. C'est un trait commun aux aristocraties de tous les temps qu'on s'y sente plus proche du peuple que le bourgeois moyen. En l'occurrence, la nouvelle HI — oligarchie de type plébisci-taire, investie et ratifiée par l'*opinion publique*, qu'elle a préci-sément pour prérogative d'encadrer et d'informer — peut se donner le luxe, et ne s'en prive pas, de court-circuiter le bas clergé de ses contacts avec « les humbles et les déshérités »,

---

1. Il est normal que Maurice Clavel, le plus conséquent des intellectuels de la modernité, et donc le plus traditionaliste (neuf = vieux), professe les trois ensemble. Son mot d'ordre, partout : directement du sommet à la base. Du général de Gaulle au peuple de France, du pape aux fidèles, du Saint-Esprit aux créatures, du génie au courrier des lecteurs. Echantillon de parousie plé-biscitaire : « Je conviens que j'appelle de tous mes vœux, dans l'Eglise catho-lique, à la base, une sorte de révolution culturelle qui pourrait entraîner celle du monde. Je sais, cette notion de petit peuple exaspère. »

parce que la couche-contact entre la recherche spécialisée et
le grand public (« l'honnête homme »), c'est elle! La jonction
avec la base se fait par le haut, comme elle se fait d'une
province à l'autre en passant par la Capitale. Le spécialiste, ou
le sujet réel, ne traduisent pas eux-mêmes leurs découvertes
dans la langue de l'honnête homme, ils sont traduits par les
généralistes de la HI qui s'en attribuent les mérites et souvent
l'exclusivité. En ce sens, mais en beaucoup d'autres aussi, l'uni-
versalisation des media jouera en cette fin de siècle le même
rôle que l'extension du suffrage universel au siècle dernier,
comme planche de salut des couches dominantes — exactement
à l'inverse de ce qu'on en attendait. La fonction réelle a pris
le discours idéologique à contrepied, et d'autant mieux que le
second masquait la première aux yeux des victimes, supposées
bénéficiaires d'un mode d'allocation des pouvoirs qui avait
tout en apparence pour les favoriser. On verra plus tard
comment ce leurre agit sur l'arène politique d'aujourd'hui, où
l'enthousiaste ruée des Partis sur les media qui les tuent
imite à la perfection celui du taureau fonçant sur la muleta.
Même effets piquants sur l'arène symbolique. A l'instar de la
grande bourgeoisie qui, de 1848 à 1968 (et 78), n'a eu de cesse
d'écraser les masses populaires au nom de leur propre discours
démocratique et de la loi majoritaire, la haute intelligentsia
dominante est objectivement fondée en vertu du nouveau
régime médiatique à censurer les dominés au nom des dominés
eux-mêmes : n'est-elle pas la seule à pouvoir se faire entendre
d'eux, dans leur masse? Ici comme ailleurs, monopoleurs de la
parole publique et porte-parole du peuple ne font qu'un.

Pour expliquer pourquoi les rapports de force unissant HI
et BI sont à l'inverse des proportions numériques, il faut
d'abord identifier les déterminations réelles de chacune, et en
quoi elles s'opposent. Les différences pertinentes, on le sait,
ne sont pas celles du *métier* ou de la profession : le clivage
traverse chaque discipline, chaque profession intellectuelle.
Elles ne sont pas dans la *qualification* ou compétence professionnelle, et c'est la raison pour laquelle la classification des
ouvriers en professionnels et spécialisés ne peut d'aucune
façon, comme le fait Julliard, se métaphoriser sous la forme
Intellectuels professionnels/Intellectuels spécialisés, généra-
listes/techniciens. Le rapport fonctionne ici à l'envers. Sont

officiellement appelés « ouvriers qualifiés » (catégorie 61 dans le Code INSEE) ceux qui « exercent un métier qui exige un apprentissage », et « ouvriers spécialisés » (catégorie 63) ceux qui « occupent un poste d'emploi qui nécessite une simple mise au courant, mais pas de véritable apprentissage ». Si les mots ont encore un sens, force sera de convenir que la HI est peuplés d'OS et la BI d'OP. Chacun dans sa discipline pourra en témoigner. Nombreux sont les intellectuels que leur carrière conduit en quelques années de la basse à la haute intelligentsia. Le plus souvent, cette promotion hiérarchique représente une déqualification professionnelle, et, en devenant « généralistes » (habilités à parler de tout), ils abandonnent la recherche et se mettent en retard sur l'évolution de leur propre discipline. Bénéficiant du crédit scientifique de leurs travaux de jeunesse, vient le moment où ils doivent penser à découvert, couvrant ce déficit par des emprunts publics. Ce qu'ils gagnent en productivité, ils le perdent en créativité, et leur visibilité sociale croît à la même vitesse que décroît leur crédibilité professionnelle. La multiplication des « interventions » — articles, forums, interviews, — la dispersion personnelle, l'accélération du travail et le bâclage imposés par la commande publicitaire ont précisément pour effet de remplacer le « véritable apprentissage » par « la simple mise au courant »; ou la régression de l'OQ à l'OS. La différence est donc à chercher ailleurs — dans le statut et la fonction. HI et BI représentent deux modes d'être, deux positions sociales, deux insertions économiques, essentiellement distinctes bien que parfois complémentaires.

Deux modes d'être. Dans la BI la communauté de situation crée une communauté d'intérêts, dans la HI l'identité de conditions n'est pas génératrice de solidarité interne mais accroît la volonté de démarcation. La multiplicité des intérêts catégoriels, des statuts et des indices propre à la basse intelligentsia, qui regroupe essentiellement des cadres supérieurs et moyens de la fonction publique, n'empêche pas une certaine conscience de soi comme collectivité professionnelle; pas plus que sa dissémination sur l'ensemble du territoire national ne diminue sa cohésion. D'où un taux élevé de syndicalisation, qui va décroissant de bas en haut : les instituteurs ont le plus fort taux de syndicalisation de toutes les branches d'activité nationale. L'esprit de corps est commun aux bas échelons :

mutuelles, ligues, fédérations, amicales, associations. Plus on
s'élève dans la hiérarchie, moins il y a de monde aux réunions
(dans les entreprises aussi, les ouvriers sont plus assidus que les
cadres). Les membres de la HI, bien qu'imbriqués les uns dans
les autres, beaucoup plus concentrés dans l'espace géographique, social, institutionnel, et disposant d'un outillage suprê-
mement intégré, montrent à l'extérieur une cohésion beaucoup
plus faible. Molécule à atomes lâches, le premier ordre se
distingue du second par ce paradoxe : une haute densité organique alliée à un bas niveau d'organisation. Les solitudes à ce
niveau se juxtaposent plus qu'elles ne se fédèrent. La pratique
même du métier tend, vers le haut, à personnaliser les rôles et
creuser les fossés. Plus on monte, plus on peut faire abstraction,
physiquement, des camarades devenus confrères et donc indifférents. Impossible d'enseigner dans un lycée sans côtoyer et
fréquenter les collègues. Un professeur à la Fac peut s'il le veut
aller et venir faire ses cours sans rencontrer personne. Un
directeur de collection travaille chez lui, et un grand éditorialiste dicte ses papiers par téléphone sans même se déranger.
Le pouvoir fait le vide — pleurons sa solitude!

D'où de tout autres rapports humains à l'intérieur de
chaque ordre. A la *solidarité* de la BI, la HI oppose la *compli-
cité*, comme aux revendications *collectives* de l'une les stratégies *individuelles* de l'autre. Dans la fonction publique les
intérêts de chacun se confondent avec ceux des collègues car
la grille indiciaire est la même pour tous. De façon générale,
les intérêts de l'individu font corps avec ceux de l'institution.
Le rapport avec le supérieur n'est pas celui du client au patron,
du courtisan au monarque, ou du suiveur au chef de clan, car
le supérieur ne peut rien contre le subordonné. Il peut retar-
der une promotion ou gêner une mutation par mauvaise note
administrative, mais lui-même à son tour peut aussi faire l'objet
d'une note de la part d'un supérieur : il y a réciprocation vir-
tuelle des contraintes. Encore « la note individuelle » est-elle
supprimée à l'Université. La carrière d'un enseignant se distingue de celle d'un employé d'édition ou d'un journaliste, non
seulement par l'inamovibilité du fonctionnaire mais par son
mode de promotion : sa carrière est fonction de ses qualifications, régulièrement attestées par des concours. Et elle
dépend moins d'un patron ou d'une chapelle que d'une commission collective, elle-même, dans la sphère universitaire du

moins, sous contrôle syndical. La BI n'est pas soumise à l'humiliante obligation de plaire, ni de se distinguer, ni de « rendre service ». Son assujetissement à l'Etat est de type collégial, anonyme et programmé — sans effet sur la mine, les coronaires ou l'estomac. L'échelon est lié à la personne de l'enseignant (et non à l'établissement, comme il l'était jusqu'en 1887), mais la personne est liée à l'échelon. Revalorisations et dévalorisations sont collectives, et l'individu n'a pas besoin de précipiter son avancement en amoindrissant son voisin ou en flagornant son chef. Lenteur des promotions à la verticale mais égalité des rémunérations à l'horizontale. L'unification des cadres obtenue à la Libération a supprimé les importantes différences de traitement qui avantageaient naguère l'agrégé parisien par rapport à son collègue de province. L'opposition Paris-province, plus-value sociale propre à la HI, ne joue pas pour la BI. En résumé, le savant clivage des personnels de la BI, étagés menus le long des barreaux de l'échelle-chiffres, des statuts et des cadres, n'est pas incompatible, même dans la défense la plus catégorielle des avantages acquis, avec un cadre de références égalitaire, tant mental que profes-sionnel. Les membres de la HI, qui se retrouvent peu ou prou au même palier, tout en haut (revenus, titres, fonc-tions), fabriquent de l'inégalité à temps complet, dans leur tête et autour d'eux. Elle doit se voir sans se savoir. Opacité des revenus, protection des sources. Tous les fonctionnaires de la BI ont leurs primes annuelles (qui grossissent dans la fonction publique avec les échelons) : elles sont intégrées au salaire et déclarées. Les barèmes des traitements sont officiels (basés sur le point), et chacun sait ce que gagne son voisin, depuis l'huissier (indice 200) jusqu'à l'agrégé titulaire de chaire (groupe C dans l' « échelle Lettres » — indice 1125). C'est généralement modique, et on en plaisante. Les droits d'auteur, honoraires, piges et salaires ne sont guère matière à plaisanteries au sein de la HI où règne sur ces menus détails une discrétion de bon aloi.

Il y a un « mais » : la précarité de l'emploi. En règle géné-rale, la HI vit dans l'anxiété permanente, et la BI dans la sécurité. Celle-ci, couverte par le statut de fonctionnaire, vivote à l'abri de la forme-salaire. Mais la première est soumise aux caprices du marché, aux relations sociales, aux fluctuations du renom. Le succès de l'auteur est (relativement) imprévisible, et la réussite d'une carrière suspendue à un retournement d'alliances, à la faillite d'une entreprise de presse, au résultat des élections. Par nature, la HI vit à crédit — sur le crédit personnel, sans cesse exposée au jugement d'autrui. Mon article sera-t-il accepté? Et quand paraîtra-t-il? En quelle place, et avec quel corps? Mon livre va-t-il marcher? Rien à l'Argus de ce matin? Demain, peut-être, une critique. Guet tragique. Sœur Anne, ne vois-tu rien venir? Toutes les attachées de presse connaissent ce chuchotement crispé de l'auteur « qui ne fait que passer », rôdant dans les couloirs, inquiet du silence qui accueille son chef-d'œuvre (et ils sont des milliers); et le papier de x qui ne vient pas, et y qui a dit à z que ce n'était pas mal; et l'émission de la semaine prochaine mais si, mais si, attendez. Fébrilité, agitation, doutes. « Glorieuse incertitude du sort. » La BI a des vacances, la HI n'en a jamais. On vit plus intensément sur les hauteurs, donc plus dangereusement : à l'américaine, déjà. La BI est « petite-bourgeoise » — explicitement et sans pudeur. Elle tempère la médiocrité matérielle de ses revenus par cette tranquille assurance propre à la petite-bourgeoisie des compromis d'Etat [1], dont elle représente la couche supérieure. Par son idéologie et sa mentalité, la HI s'apparenterait plutôt aux cadres supérieurs de l'économie : refus du passé et des « archaïsmes » politiques (pas de mémoire collective); visions parfois effrayantes de l'avenir. Amnésie et frayeur vont souvent de pair. En tout cas, on se moque plus volontiers des vieilles antinomies nationales au sein de la HI (France/Europe, Droite/Gauche, Capital/Travail, Capitalisme/Socialisme etc.) que dans la BI, qui se résigne encore mal à « épouser son temps » et « mettre sa montre à l'heure » de la modernité techologique, de la compétition internationale et des impératifs du marché.

---

1. Voir Baudelot-Establet, *La petite bourgeoisie en France*, Maspero, 1976.

CHAPITRE VII

LA SOCIÉTÉ DE CONCURRENCE

1. PRINCIPES

2. APPLICATIONS

3. COROLLAIRE

I. PRINCIPES

Entre « grands » et « moyens » intellectuels, la concurrence est un destin. S'il faudra s'y résigner, il n'est pas interdit, dans un premier temps, de comprendre pourquoi. Son éloignement de la production matérielle prédispose l'intellectuel à se satisfaire d'entités, qui ne sont souvent qu'hypostases ou tautologies d'une position sociale que ses propres métaphores philosophiques lui rendent encore plus opaque. La condition de l'intellectuel implique à nos yeux une authentique dimension métaphysique, qui n'est pas nuée mais existence, fantôme gravé dans un corps. Si la position matérialiste consiste à *ignorer* purement et simplement cette dimension, nous ne sommes pas matérialistes. Si elle consiste à la tenir pour *intelligible*, nous le sommes bien évidemment. Repérer la base économique d'un *fatum* n'est pas faire l'économie d'une fatalité. C'est la fonder en réalité, c'est-à-dire en raison.

A la différence de la BI, peuplée pour l'essentiel de professeurs, chercheurs, savants, répétiteurs, la HI se compose de *créateurs* d'œuvres originales : romans, articles, essais, poèmes — mais aussi films, tableaux, disques. Aucune œuvre de l'esprit ne ressemble à une autre — cette singularité faisant sa définition. Mais toutes ces œuvres de l'esprit se ressemblent comme deux gouttes d'eau, par deux caractéristiques : elles existent matériellement, ce sont des *objets*. Et ces objets s'échangent sur un marché, ce sont des *produits*. Que de mésaventures dans ces métamorphoses : je suis seul quand j'écris un livre, je suis seul à pouvoir l'écrire, c'est une affaire entre moi et moi. Mais ce n'est pas moi qui imprime, reproduis et vends. Un événement me fait bondir, j'exulte ou je m'indigne, moi seul peux en parler, c'est même mon devoir : j'écris un article, je l'envoie à mon journal préféré. Mais ce n'est pas moi qui vais décider ou non de le publier, qui vais le corriger, calibrer, sous-titrer et mettre en page. Arrogante solitude du créateur, étrange dépendance du producteur. Et que d'antinomies pratiques dans ces mésaventures : l'œuvre, qui s'opposait au *produit*, comme l'original à la série et le créateur au producteur, se transforme sous mes yeux en son contraire. Cette transformation vaut pour aliénation, au sens strict; elle est, pour un auteur, déchirante puisque ce qu'il a de plus intime — son esprit, son talent, sa mémoire — lui revient étranger comme une chose extérieure dans laquelle il lui faut bien se reconnaître : cette chose, c'est son esprit. Mais ce déchirement est aussi une satisfaction : tous les auteurs veulent voir leur manuscrit imprimé et broché, et la non-publication les rend encore plus malheureux que la mévente. Bonheur de la parution, malheur de la disparition. Grâce de faire, disgrâce d'être. Arrêtons ici l'énoncé des antinomies. Elles ne valent que pour indiquer une piste : tout écrivain est un malaise en chair et en os, mais il y a une logique du mal-être.

Quelle sorte de producteur est un écrivain?

Quiconque produit un texte original faisant l'objet d'une diffusion (par quelque voie et sous quelque support que ce soit). Ce texte a été produit par un certain *travail*, mais l'écrivain garde la *propriété* du fruit de son travail. C'est donc très exactement un *artisan-propriétaire*. Il a ce statut depuis et grâce à la Révolution française qui, en consacrant la propriété privée de la terre et des biens en général, a également légalisé la propriété littéraire et artistique. La loi du 11 mars 1957 en a ainsi précisé l'énoncé (les juristes sont par la force des choses contraints aux idées claires et distinctes) : « L'auteur d'une œuvre de l'esprit jouit sur cette œuvre, du seul fait de sa création, d'un droit de propriété incorporel, exclusif et opposable à tous. » Il y eut bien une tentative en 1936 (projet Jean Zay) de placer le droit d'auteur « sous le signe du travail

et non de la propriété »; la pesanteur des privilèges acquis
l'a emporté : l'écrivain moderne, produit historique du droit
bourgeois, est en tant que tel un propriétaire, et non un prolétaire. Plus précisément : un rentier, car le droit d'auteur
peut s'assimiler à une rente (au sens large de prime dérivant
d'une situation de monopole). Notre auteur est donc aussi un
homme à héritage. C'est parce que les droits d'auteur sont
considérés juridiquement comme un *bien de propriété* (tem-
poraire) qu'ils peuvent être hérités par les ayants-droit. Propriété, rente, héritage : ce n'est pas un hasard si la *quasi-
totalité* des écrivains français du XIXᵉ siècle, grands et petits,
ont pris le parti des bourgeois contre celui des travailleurs,
chaque fois que ces derniers ont menacé de s'ériger eux aussi
en parti ou mouvement. Les faits sont là — et ils y sont encore,
éclatants et répétitifs (voir la gazette et le petit écran).

Cette propriété incorporelle serait stérile si l'œuvre de
l'esprit restait elle-même incorporelle. Depuis que les producteurs intellectuels ont été comme les autres séparés de leurs
moyens de production (XVIII-XIXᵉ s.), cette prise de corps, on
le sait, nécessite l'intervention d'un tiers : l'*éditeur*, parce
qu'elle suppose la réunion d'un capital industriel (imprimerie)
et d'un capital commercial (distribution/publicité). Le premier pour matérialiser l'original unique en un bien reproduc-
tible et échangeable, le second pour transformer ce bien
en espèces sonnantes et trébuchantes. L'écrivain *afferme* donc
sa propriété à l'éditeur, sans le truchement duquel son bien
ne pourrait accéder à la forme-marchandise. C'est cet intermédiaire spécifique, concessionnaire des droits d'exploitation
d'une œuvre, auquel incombe la charge de transformer la
valeur d'usage produite en valeur marchande. Le plus superbe
des artistes, le plus orgueilleux des métaphysiciens ne peuvent
aujourd'hui échapper à cette médiation : la jouissance d'une
œuvre d'art, tout comme la diffusion d'un concept, ne sont plus
possibles sans opération marchande. Et le seront de moins en
moins, vu le déclin de l'Université et des partis politiques, la
disparition des mécènes et le marasme des instituts de recherche. On remarquera qu'en dépit des injustices régnantes, sa
qualité juridique fait déjà de l'*auteur* un privilégié au regard
du *journaliste* appointé, obligé généralement par statut à faire
abandon de toute propriété littéraire et artistique sur ses

articles à son employeur (seuls les pigistes occasionnels peuvent prendre un copyright). L'écrivain est au journaliste mensualisé ce qu'est le réalisateur de cinéma au réalisateur de télévision : le second n'étant pas à la différence du premier considéré comme un véritable auteur. Il n'a pas la propriété complète de ses œuvres, qui appartiennent à sa chaîne de télévision et peuvent être cédées par elle. Anomalie exemplaire du retard du droit sur le fait. La nouvelle suprématie des journalistes comme des auteurs de télévision rend assez scandaleuse leur inférioration juridique. Ici, les postes ont précédé les titres. Il faudra bien que le statut suive.

Les conditions auxquelles sont actuellement soumises cette concession et cette exploitation des textes par les éditeurs appellent bon nombre de rectifications, et ce n'est que justice si une poignée d'auteurs, parmi les plus courageux (voir plus loin) ont fait campagne pour l'amélioration de notre statut, prolongeant ainsi le combat des Balzac et Mallarmé. Anachronisme purement national du « droit de passe » (cette déduction de 10 % faite par l'éditeur sur ses ventes, pour le montant des droits), hérité du XIX⁰ siècle, lorsque les auteurs étaient payés sur le tirage, et non sur les ventes. Gêne absurde des vieilles « clauses de préférence ». Pourcentage abusif sur les « droits annexes » (clubs, livres de poche, adaptation audiovisuelle etc.) La grande majorité des auteurs répugnent à mettre le nez dans ces détails, parce qu'ils s'abaisseraient à considérer leur roman, poème ou ouvrage philosophique comme ce qu'ils sont : des marchandises. Et les éditeurs récusent le terme d' « employeurs » pour celui de « diffuseurs » parce qu'eux aussi répugnent à rompre le charme des tête-à-tête avec ces grands enfants qui viennent un par un dans leur bureau leur confier leur âme sous forme de manuscrit. L'auteur serait un génie honteux d'avoir à monnayer la grâce, l'éditeur un apôtre prêt à faire un dernier sacrifice : que peut-on opposer, sans trop se flatter, à ces images d'Epinal ?

Certainement pas celle de l' « employé », et encore moins celle du « travailleur ». L'écriture est un travail mais l'écrivain n'est pas un travailleur comme les autres. Son paradoxe à lui, c'est d'être un monsieur ou une dame que ses loisirs épuisent. L'écrivain est un jouisseur productif. Au sens précis du mot : « qui crée de la plus-value ». La preuve, c'est qu'on lui achète le douloureux produit de ses plaisirs (ou qu'il peut réescompter le plaisir que procurera à d'autres le fruit de ses douleurs). Qui, on? Le Seuil, ou Polydor, ou Maeght, ou Artmedia — pas de différence à cet égard entre un romancier, un chanteur, un peintre ou un acteur. Augures, un peu de sérieux : regardons-nous dans les yeux et rions notre saoul. L'écrivain prend à écrire un pied incomparable. Si c'est un « travailleur », au sens ouvrier du mot, alors il est le seul à vivre dès aujourd'hui le communisme selon saint Marx et saint Fourier : le travail n'est pas pour lui un esclavage mais un besoin et une passion. Il en redemande, il y repique, et s'il « se tue à la tâche », notre forçat des lettres, c'est comme d'autres au hasch. Boulot, dodo à volonté; et pas de métro. Pas d'horaire, ni de retenue, ni de règlement. S'il pointe, c'est en secret et par-devant lui-même, par sucroît de masochisme. Le plus privilégié des hommes, vraiment. Personne ne l'oblige à faire ce qu'il fait. « Dentellière en chambre », il n'a ni voisin à renifler, ni petit chef à lécher ni patron à feinter. Il lui arrive même de gagner de l'argent. Le plaisir qu'il donne à ses clients, il l'a d'abord pris lui-même sur sa page blanche, et, s'il n'est pas de même nature, il est certainement plus intense. Peu nombreux sont ceux qui tirent leurs ressources de leur vice, mais combien y a-t-il d'êtres humains — à part les artistes, les chanteurs, et de rares prostituées nymphomanes — que la société paye pour s'adonner à leur plaisir préféré? Une certaine décence devrait modérer l'enthousiasme prolétarien des auteurs qui s'hallucinent ouvriers d'usine. Les mêmes, il est vrai, se persuadent souvent qu'ils précipitent la révolution en supprimant les points-virgules. Les chieurs d'encre, parfois, font bon marché du sang des hommes.

L'administration ne nous considère plus comme membres des professions libérales — et nous devons au dévouement de quelques-uns d'entre nous d'être collectivement assimilés à des salariés et d'avoir ainsi accès aux prestations de la sécurité sociale. Notre reconnaissance ne peut nous voiler le salariat de demi-luxe qu'est le nôtre, dont la spécificité se réduit mal aux schémas classiques de l'emploi. Bien que l'écrivain ne produise pas la totalité de la marchandise chez lui — comme le fait l'artisan classique — il n'est pas astreint à un travail parcellaire — comme l'ouvrier. Ce dernier est payé à l'heure, l'ouvrier des lettres aux pièces (aux Etats-Unis, l'éditeur paye l'auteur de best-sellers au nombre de pages, sans lire). L'originalité du rapport de production unissant l'auteur à l'éditeur est son ambiguïté : c'est un rapport archaïque (artisanal : le salariat est exceptionnel chez les écrivains et les artistes), mais dont le produit obéit aux lois du mode de production capitaliste (taux de profit moyen, péréquation, etc.) et à celles, ultra-modernes, de la circulation marchande. Autre singularité de la branche : l' « employé » est payé après coup (on dit bien : « une avance ») en fonction du volume du profit qu'il procurera à son diffuseur. Le règlement après vente minimise les risques de l'éditeur et renforce la solidarité de l'auteur avec lui : chacun a intérêt à améliorer la position de l'autre sur le marché. Rares sont les branches de la production où l'on voit le producteur collaborer directement avec le patron dans le marketing du produit.

Quelle sorte de produit est un livre?

L'atypique du produit explique l'étrangeté du marketing. Le livre n'est pas une marchandise comme une autre : si je ressens le besoin de savourer *Charmes, Ouragan sur le Caine* me laissera sur ma faim. Chaque livre est unique, doublement : en tant que produit irremplaçable d'un travailleur irremplaçable d'abord; et aussi en ce qu'il ne donne lieu qu'à une consommation unique (même s'il s'agit d'une consommation de masse). Singularité qui défie la planification, limite l'industrialisation et autorise chez l'auteur comme chez l'éditeur tous les espoirs : chaque livre est un coup de dés, « tout peut arriver ». Pas d'études de marché, pas de recettes pour le best-seller : on peut conseiller un créneau, retenir un certain profil, privilégier une catégorie d'œuvres, déconseiller un certain style passé de mode ou un contenu idéologique, trop « dépassé », mais, pour cerné que soit le succès, l'impondérable passera toujours à travers les mailles. D'où, pour l'éditeur, la nécessité d'ouvrir au maximum son éventail en répartissant les risques de perte avec les chances de succès. La fabrication du livre peut se standardiser, mais il n'y a pas par définition de livre standard. L'individualité de l'objet, c'est celle de son auteur. Et c'est précisément cette singularité-là qu'achète l'éditeur à l'auteur, à travers son produit. D'un côté, l'auteur est avantagé : si sa force de travail était interchangeable comme celle de l'ouvrier (à qualification égale), il serait pour le coup un prolétaire. C'est parce qu'elle ne l'est pas qu'il jouit vis-à-vis de l'éditeur ou de l'exploitant d'une autonomie relative. De l'autre, le contrat qu'il passe avec son éditeur unit un homme à un autre plus qu'un vendeur de force de travail à un détenteur de moyens de production. Le rapport est valorisé personnellement parce que la loi de la valeur ne peut pas jouer dans son impersonnalité. Selon quel barème, l'achat? Comment fixer la valeur d'un manuscrit, d'un tableau, d'une chanson, d'un spectacle? Pas de « travail abstrait socialement nécessaire »; pas de « conditions moyennes de production », etc. Ce qui s'achète, en l'occurrence, c'est donc moins un produit que la personne du producteur. Le capital productif, c'est l'homme : on achète l'homme pour vendre son œuvre? Non. On achète l'œuvre pour vendre l'homme. Tel est le secret du marketing.

Qu'est-ce qui se vend dans un livre qui se vend?

Le déplacement du centre de gravité de la production vers la commercialisation propre à toutes les sphères de l'économie marchande se traduit dans l'édition par l'importance toute nouvelle des « *représentants* », qui constituent le premier jury du futur auteur — appelé à « défendre » son projet devant ceux qui auront à le « défendre » eux-mêmes devant les dépositaires. Il arrive que les représentants, en tant que porte-parole du public virtuel, de ses goûts et de ses demandes, amènent un auteur à changer de titre, de présentation, ou de conclusion. Cette glissade se traduit surtout dans le gonflement des budgets de publicité. Pourquoi ne voit-on pas dans les rues de publicité pour le pain ni d'affichettes, placards ou annonces pour telle ou telle laiterie? Parce que la demande de lait et de pain *préexiste* à l'offre. Le besoin de romans ou d'essais étant pour le moins plus diffus, il est sans cesse à réinventer; d'où l'insistance sur toutes les procédures du faire-savoir et la nécessité d'un « effort de promotion » intense du produit-livre, comme du produit-film, etc. Créer le besoin, le stimuler, le reproduire : conférences-débats, « rencontres » avec l'auteur, signatures dans les grands magasins, interviews, cocktails, manifs... C'est quand la valeur d'usage d'un produit est incertaine qu'il faut s'agripper à tout ce qui permet de le transformer en valeur d'échange : à cet égard, l'essai philosophique ou la création romanesque posent le même problème que le four automatique encastrable ou le coupé grand sport. En matière de « biens culturels » le marketing n'est pas un luxe mais une nécessité. Les prophètes qui ricanent à la seule idée qu'ils puissent être *aussi* de simples producteurs de marchandise, n'étant pas les derniers à s'y investir. Madame de Cambremer, encore : ceux qui minimisent le plus les mécanismes du marché ne sont pas les moins acharnés à maximiser leur marge nette.

Bleustein-Blanchet : « Vendre, qu'est-ce que c'est? C'est quelqu'un qui parle à quelqu'un[1]. » Vendre une pensée, c'est vendre un penseur qui interpelle l'acheteur, yeux dans les yeux. La crédibilité du produit est indexée sur la familiarité du producteur, sa sympathie personnelle, sa silhouette, son « glamour ». La mise en valeur d'un produit culturel se confond avec la mise en image de son producteur. Dans la transformation de tout ce qui est humain en source de bénéfices, la logique du profit n'a pas oublié le corps des serviteurs de l'Esprit. La barbarie capitaliste à visage humain fait du visage des hommes un capital. D'où l'importance pour les écrivains des apparitions télévisées et des reportages-photo, non seulement pour leurs effets immédiats sur la vente, mais comme tremplin indispensable pour une campagne prolongée à supports multiples. Un maquettiste publicitaire chargé de « promotionner » un livre s'arrache les cheveux s'il ne peut pas faire figurer dans son encart la tête de l'écrivain — c'est-à-dire si l'écrivain n'est pas passé à la télévision un nombre suffisant de fois pour que son effigie fonctionne comme une information à elle toute seule. Une information : ni vrai, ni faux — un signal. Que l'éternel désir de paraître soit devenu une nécessité fonctionnelle du marché a ainsi créé un nouveau terrain d'entente entre auteur et éditeur. Ce dernier l'escortera chez Pivot ou Paugam, le pomponnera et bichonnera avant sa montée sur le ring, au bord duquel on pourra le voir, mi-entraîneur mi-supporter, rouler de gros yeux jusqu'à la fin du match. Cette entente avec l'éditeur se paye d'une discorde supplémentaire avec tous les autres auteurs, car supports d'image et transporteurs de notoriété sont limités dans l'espace et le temps. On

---

1. *La rage de convaincre*, Laffont.

a déjà évoqué cette saumâtre rareté. Remarquons à présent que la concurrence sur le marché culturel se distingue de l'autre en ce qu'elle n'oppose pas des images de marque, mais des images personnelles; non pas des produits, mais les producteurs directement affrontés. A valeur égale, tous les produits ne se présentent pas sur le marché à conditions égales : on le savait déjà. La nouveauté consiste ici dans le caractère naïvement, impérieusement extra-culturel, des critères d'orientation de la demande de biens culturels. Le plaisir procuré par l'image et la parole d'un auteur détermine la valeur marchande d'un texte, bien plus que le plaisir procuré par le texte lui-même. C'est le visible qui valorise le lisible. On considérerait comme une innovation remarquable, dans le marché de la chaussure, que la demande de mocassins et de bottillons vienne à se régler sur la sympathie émanant de la personne de tel ou tel fabricant plutôt que sur la qualité et le prix des chaussures produites. C'est sans doute parce qu'un texte est censé porter l'empreinte d'une âme, elle-même déposée dans un corps avec son halo, son débit, ses tics — qu'il nous semble par contre aussi naturel d'entendre autour de nous : « Tu as vu un tel, hier soir? Quel écrivain fantastique! — Tu as lu son livre? — Non, mais quand il raconte une histoire, il est désopilant. » Ou bien : « Ça, c'est un philosophe! — Son argumentation t'a convaincu? — Non, c'est son regard... » Anecdotes, qui traduisent beaucoup plus qu'un simple changement d'orientation du marché culturel à un moment donné de son évolution (« les modes »), mais le *changement d'une culture sous l'effet de son propre marché.* Plus précisément : le façonnage du contenu même d'une culture par les nouvelles formes de réalisation des valeurs culturelles sur le marché. La production d'un nouveau type de production par un mode de consommation radicalement nouveau. Il ne servira à rien de répliquer aux téléconsommateurs que, si un écrivain ressent le besoin d'*écrire* des histoires, c'est précisément parce qu'il ne sait pas en raconter oralement, sans quoi il ne serait pas ce qu'il est mais chansonnier, bateleur, avocat et merveilleux convive. Non plus qu'un philosophe ne se juge à sa philosophie plutôt qu'à sa diction ou à la couleur de ses yeux, car en l'occurrence le marché — commandé par la télé — a provoqué une valse non pas des étiquettes mais des rayons et des produits. Au stand des « livres », voilà qu'on vous offre une

« tête » (et, le cas échéant, au rayon des belles têtes de fort méchants livres). Si les placards publicitaires achetés par les éditeurs aux supports imprimés se construisent désormais autour de la *photo de l'auteur*, telle que l'a fixée la télé, telle que votre magazine habituel l'a reproduite la semaine suivante, c'est que « la présence » à l'image, le timbre de la voix ou le grain de la peau comptent désormais plus, à l'heure des bilans littéraires, que la qualité de présence des textes ou la densité d'une écriture. Ce fascisme culturel, tout sourire, n'a pas de barbelés. Mais de la religion du sourire à la chasse au faciès la conséquence est bonne, car la seconde n'est jamais que le négatif de la première. La culture à visage humain partage avec le fascisme politique la réduction naturaliste : elle réduit l'intellectuel au physique, la personne à sa contingence, une conscience à un corps. Renversement d'une réduction contraire, spiritualiste et angélique, qui avait fait pendant plus de deux siècles de l'adjectif « intellectuel » un synonyme de « désincarné ». *Dictionnaire* de Furetière, 1690, article *intellectuel,lle, adj.* : « Qui est purement spirituel, qui n'a point de corps. Les Anges, les Bienheureux sont des substances intellectuelles. On dit aussi de l'âme qui raisonne que c'est une puissance intellectuelle. » Le travail est donc mâché pour la réédition de 1990. « Qui est purement visible, qui n'a point d'intériorité. Les vedettes, les présentateurs sont des substances intellectuelles. La puissance intellectuelle échoit aux corps qui s'exhibent. » D'un académisme l'autre ?

Quel est ce vivant qui ne peut vivre sans se vendre ?

C'est rarement un volontaire de la prostitution, et le racolage, s'il est son fort, n'est pas son idéal. Mais une nécessité. En interrogeant le producteur de livres *en tant que tel*, on faisait du tapineur contemporain une abstraction économique, car le même est aussi, dans sa vie matérielle, membre d'une équipe de rédaction, titulaire d'une charge d'enseignement, responsable dans une maison d'édition. Et la fébrilité du trottoir ne serait pas ce qu'elle est à présent si l'écrivain n'était pas devenu, peu ou prou, tout cela ensemble : sujet et objet de célébration, critique de romans et romancier en souffrance de critique, interviewer actuel et interviewé virtuel. Car il n'obtiendra ou ne maintiendra son poste d'intervieweur-vedette que s'il parviendra, de temps à autre, à devenir l'interviewé-vedette d'un autre intervieweur. Comme le directeur de collections ne pourra pas longtemps garder son poste, ou l'améliorer, s'il ne devient pas lui-même un auteur à succès. L'autorité de l'éditorialiste lui vient des livres qu'il publie, et le succès de ses livres du prestige de ses éditoriaux. Bref, dans ces chambres d'échos individuelles, chaque membre de la HI joue aux quatre coins avec lui-même, et, s'il s'arrête de courir un seul instant, tous les murs s'écroulent à la fois. Ce maelström existentiel fera vite tourner notre homme en toupie, jusqu'à ce qu'il atteigne son « niveau d'incompétence » propre, déclencheur du succès. Vertigineuse spirale : pour consolider les positions acquises, il lui faut préparer le succès de son prochain livre, donc déjeuner, coquetèler et colloquer sans désemparer; bref, étoffer ses actions personnelles dans le pool des producteurs-exploitants. En sorte qu'il lui reste de moins en moins de temps pour écrire et se consacrer à son travail. Or, plus bâclé s'annonce son livre, plus l'auteur devra forcer sur le déjeuner, coquetèle et colloque. L'écrivain (ou le théoricien, ou l'essayiste, etc.) s'appauvrit un peu plus à chaque tour de piste; mais l'homme public s'enrichit, et son renom augmente. En d'autres termes : « On se défend ». Il faut gagner son pain. Les écrivains d'avant-hier étaient rentés. Si Mauriac ou Gide essuyaient un échec de librairie, Malagar ou Cuverville assuraient la subsistance. Il y avait alors cloisonnement entre vie publique et travail créateur. Les auteurs d'hier, généralement professeurs de leur état, avaient un double métier : Julien Gracq peut survivre au silence qui entoure sa personne. Le traitement ou la carrière d'un enseignant de lycée qui produit des livres n'est pas indexé sur le chiffre de ses ventes ou l'épaisseur de son press-book. Aujourd'hui, cette « middle class » stoïque et provinciale n'est plus compétitive : il lui faut se soumettre aux impératifs de publicité ou se démettre sans protester. La place, ou plus exactement le marché culturel (qui, à supposer qu'il fût « ouvert », est de toute manière « fermé » par les media) est saturé par ces hommes-réseaux, à triple ou quadruple métier, condamnés à déchirer une maille pour ravauder en vitesse la voisine, et qui s'épuisent en navettes jusqu'à se ligoter dans leur propre filet. « Est-ce ainsi que les hommes vivent?... » Non, c'est ainsi qu'on les fait vivre, ceux-là; les forçant, pour survivre, à se défaire.

II. APPLICATIONS

La nouvelle économie de la production littéraire permettra sans doute un jour de faire l'économie du produit; cette épargne sur « la chose elle-même », inscrite dans le droit fil du remplacement de la pratique par la signalétique qui inspire toutes les sphères de l'activité sociale, substituera des modèles simulés d'animation culturelle aux aléas encore gênants de la « création »[1]. Le vieux principe stipulait : travail + nature = richesse. En l'occurrence : un être humain transforme une *richesse potentielle* (aptitudes personnelles) en *valeur* (un texte) moyennant une certaine dépense de sa force de travail (le *travail d'écriture*). Ainsi produit-il un bien (livre) dont la valeur d'usage propre sert de base à sa transformation ultérieure en valeur d'échange commerciale. L'expérience inverse ces théorèmes classiques. La valeur d'échange se construit désormais moins à partir de la valeur d'usage produite qu'à partir de la personne du producteur, et plus exactement de sa « surface sociale ». Quand un auteur apporte un texte à un éditeur, la transaction ne porte plus sur son texte mais sur son carnet d'adresses; ce dernier étant à la technologie médiatique ce que le brevet est au *know-how* dans la technologie industrielle : le détenteur du brevet est supposé maîtriser les moyens de sa mise en œuvre. En versant à l'auteur un à-valoir, l'éditeur ne paye pas le produit mais principalement les moyens de l'écouler, qu'il acquiert par contrat en même temps que le texte, et qui constitue le *capital social* de l'auteur. Et de même que le capital est du travail accumulé, le capital social incorporé dans l'avance représente la somme cumulée des déjeuners et dîners de l'auteur, des services rendus et des alliances nouées au sein de la haute intelligentsia. Le carnet d'adresses est la forme cristallisée de ce capital productif in-

1. *X* publie un livre, *y* répond par un article, *z* intervient dans le débat. Connaissant les lignes de produit en vigueur, l'état du marché idéologique et les profils de *x*, *y* et *z*, construisez vous-mêmes le scénario et montez le spectacle.

dustriel (ainsi des *fichiers* des journaux, partis, associations, etc., pour les entreprises de marketing), comme gage matériel du réseau immatériel de relations assurant à son détenteur une position différentielle dans la concurrence générale l'opposant à tous les autres auteurs. La situation de monopole dont le droit d'auteur était l'indice change donc d'objet : elle porte sur un réseau social plus que sur une productivité littéraire. Cette rente relationnelle deviendra chaque jour davantage l'élément discriminant au sein de la collectivité des producteurs culturels, et notamment du volume de leurs rétributions respectives. Comme le montre l'éventail des à-valoir en matière de manuscrit, qui est aujourd'hui de 1 à 500 [1]. Pour la même quantité de travail et à richesse potentielle égale, une éminence de la HI peut donc produire dix, cent ou cinq cents fois plus de valeur qu'un membre obscur de la BI.

C'est sa notoriété — dont les mass média constituent les moyens de production et de reproduction — qu'un auteur vend à l'éditeur, car c'est elle que ce dernier va devoir vendre au public. Et c'est pourquoi il n'est pas une seule personne célèbre dont on ne s'efforce aujourd'hui d'extraire un livre; l'important pour le marché est qu'il y ait de la vedette à la clef, peu importe que ce soit du crime, du football, du clergé, de la guerre, de l'écran, du porno, de la politique ou de la chanson. S'il s'agit d'un analphabète notoirement connu, on viendra « recueillir ses impressions » : un tiers de sa célébrité ira dans la poche du rewriter, un autre dans la sienne propre et le reste dans celle de l'éditeur. La dévalorisation du travail d'écriture, loin d'avoir provoqué une baisse de la valeur marchande de la production textuelle (ou du chiffre d'affaires des éditeurs), en hausse régulière, constitue l'effet de surface d'un transfert de la valeur sur la personnalité du scripteur. Elle va de pair avec le déclin (idéologique) des valeurs de vérité (« à bas l'idéologie! ») au bénéfice des valeurs (idéologiques par excellence) du vécu, du témoignage et du direct. Loin d'en enlever, le magnétophone rajoute de la valeur (marchande et idéologique) au produit : il en signe l'authenticité, en même temps qu'il accélère la réalisation marchande des autres produits par la rapidité de son obsolescence. Ce qu'un éditeur perd en frais lourds de stockage, cette

1. De 1 000 à 500 000 francs (nouveaux francs 1978).

rotation du capital le lui rend au décuple. Les « fast food »
ont autant valorisé l'industrie de la restauration aux yeux des
investisseurs que les « fast-writing » modernes l'industrie de
l'édition aux yeux des banques. Le vedettariat n'est pas seulement rentable pour la vedette, il est devenu la seule façon de
rentabiliser un investissement dans les meilleurs délais. Si les
non-vedettes ne payaient pas si cher leur obscurité (en manque
à gagner), la course au spot, à l'antenne et au micro ne serait
pas non plus ce qu'elle est devenue : la raison d'être des serviteurs de la Raison.

D'où une nouvelle conception du travail chez les intellectuels
avancés — la pratique a précédé le concept. Le travail productif de l'intellectuel n'est plus le « travail intellectuel » —
naïveté des temps anciens — mais la reproduction élargie de
ses relations sociales (avec la grande presse, en priorité), dont
la *sphère* plus ou moins étendue déterminera le *volume* de ses
gratifications (indissolublement en espèces et en prestige :
comme jadis la Révolution de 1789 pour le bloc des gauches,
la gratification en 1979 est un bloc). Rien ne se perd, tout se
crée, jour après jour. La valeur d'échange, qui n'attend pas le
nombre des années, les comptabilise toutes. Ainsi s'éclaire,
d'un rayon tout exotérique, un mystère dont l'ésotérisme a
découragé plus d'un néophyte : l'emploi du temps des premiers violons. Privilège du talent : répéter moins et jouer
mieux. Ou prérogative d'une position : travailler dix fois moins
que le vulgum et vendre dix fois plus? Ce qui frappe le plus
le spectateur, chez les penseurs de la culture-spectacle, c'est
le peu de temps qu'il leur reste pour *penser*, déduction faite
de leurs breakfasts de travail ou petits déjeuners radiophoniques, déjeuners, dîners, interviews, déclarations, déplacements,
téléphones, conférences de presse, débats télévisés, etc. Point
besoin d'être Rilke, ni même de lire ses *Lettres à un jeune
poète* pour savoir ce que la moindre trouée dans le bruit de
fond ambiant exige de solitude et de ruminations, sinon de
misère affective et sociale. Le plus humble des travailleurs
intellectuels fait chaque jour l'expérience d'une règle universelle dont la seule exception connue est celle des grands idéologues français contemporains; leur agenda ne peut se comparer qu'à celui d'un important homme d'affaires ou d'un responsable de parti politique. Aussi bien, comme ces derniers,
chacun d'eux travaille-t-il en équipe, avec un secrétariat et des

public-relations spécialisés, avec des moyens modernes (reprographie, vidéo, fichiers, etc.), avec une vie familiale difficile. Obtenir un « déjeuner » avec l'une de ces personnalités — sauf à représenter soi-même un grand organe d'opinion national ou étranger — suppose un délai minimum d'un mois — pour les amis — et pour le solliciteur banal un sourire amusé du secrétariat : « Nous croulons sous les engagements, désolé, rappelez donc à la fin du mois. » Ecroulement constructif — d'un capital social qui sera retrouvé intégralement à la sortie du prochain livre (lequel peut s'écrire en un mois, après onze mois de « contacts » et d' « interventions »). Ce qui ressemblera à une systématique perte de temps, du point de vue de l'*otium* traditionnel, est en réalité l'utilisation systématique d'un temps trop précieux pour se gaspiller dans l'isolelement. « Le poète travaille » — affichait Victor Hugo sur sa porte avant de dormir. Les créateurs d'aujourd'hui travaillent en téléphonant, car qui sait si d'une téléphonade au hasard ne peut naître un contact, un projet d'interview, le plan d'un plan de campagne? Travail productif encore que d'inviter un grand médiocrate à errer dans son manoir ou à goûter à l'eau bleue de sa piscine. De même qu'un Président de la République ou un simple député préparent dès leur entrée en fonctions leur réélection, qui ne fera que sanctionner, quatre ou sept ans plus tard, un travail de relations publiques programmé jour après jour, l'intellectuel électoral moderne, éligible ou pas, doit se considérer chaque jour, et surtout pendant les vacances, en campagne de promotion comme si son livre allait paraître le lendemain matin car lorsqu'il paraîtra un ou deux ans plus tard, l'auteur ne fera que toucher, d'un seul coup, les dividendes de ses prises de participation hebdomadaires (échos de presse, entrefilets de rappel, articles, critiques, etc.), et mensuelles (la polémique, l'événement, l'apparition télévisée). Dans cette perspective, chaque geste compte, et le plus furtif coup de téléphone à un ami est déjà un investissement à long terme. A la limite, la rédaction et publication d'un ouvrage quelconque passeront subrepticement au poste des faux frais de l'existence, ou plus exactement : l'œuvre, *moyen* d'amortir, à intervalles fixes, un capital social dont l'accumulation est devenue la *fin* réelle de l'individu. On rapporte qu'au lendemain de la guerre, René Char aurait dit à Camus — ou l'inverse : « Un auteur doit au public une œuvre et non pas sa personne. » Voilà la moins alimentaire des maximes : l'éthique de l'écriture a peut-être les mains pures, la nouvelle économie lui a coupé les mains.

Ce n'est pas parce que les décisions d'achat ne sont pas, encore moins en économie de marché qu'ailleurs, *planifiables* que l'on ne doit *préparer* le terrain de la décision. La course préventive à la notoriété est éliminatrice car c'est sur le terrain des images personnelles que s'opère la décision finale. Mais tous les concurrents ne peuvent pas gagner ensemble : si je veux arriver en force sur le marché, ma force sera faite de la faiblesse des autres. Les stratégies personnelles — à chacun de maximiser sa notoriété en intervenant le plus efficacement possible dans les média — s'annulent globalement les unes les autres. Personne ne le dit, tout le monde le sait, ce silence fait partie du jeu, qui est très vraisemblablement à somme nulle. En pénultième analyse — la dernière est d'ordre métaphysique — tous les écrivains sont concurrents entre eux parce que, si chaque livre a une valeur d'usage irremplaçable, il y a une demande limite, à un moment donné, pour un type donné de valeur d'usage. Implacable conséquence de la logique marchande : celui qui, dans un secteur productif donné, ne vend pas crée de la valeur marchande pour son voisin. A supposer que dix producteurs aient à se partager un marché où le volume d'achat soit limité à l'équivalent de 1 000 heures de travail, si deux d'entre eux vendent pour l'équivalent monétaire de 800 heures de travail, les huit restants auront à se partager l'équivalent de 200 heures. Ces derniers auront donc produit de la valeur pour les deux premiers — bien involontairement. Et s'ils ont le même « diffuseur », ce dernier n'aura pas à se plaindre : les « ringards » contribuent à la rentabilité des vedettes. A quoi l'on répondra que le marché littéraire n'est pas homogène, cloisonné qu'il est en clientèles spécifiques, inégales mais fidèles. Un roman ne concurrence pas un recueil de poésie, un essai d'anthropologie sociale ne menace pas une pièce de théâtre. « Le » public est un amalgame de publics potentiels, dont chacun n'est du reste pas superposable à un genre donné (Françoise Dorin n'empiète pas sur le territoire de Beckett, ni Henri Troyat sur celui d'Alain Jouffroy). Mais l'uniformisation du marché culturel par les mass média et l'unification croissante des supports sont précisément en voie de faire craquer ces cloisons en éliminant le protectionnisme des sous-marchés : un peu comme le Marché commun a liquidé les petites et moyennes entreprises de province, en cassant les prix et en standardisant les lignes de produit industriel. On ajoutera qu'il n'y a pas de limite préétablie à la demande de biens culturels; elle n'est pourtant pas absolument élastique. La capacité d'absorption du marché culturel a beau être en hausse — de façon variable selon les produits —, elle a néanmoins un plafond indépassable, qui lui est imposé de l'extérieur, par les conditions sociales et les revenus des consommateurs virtuels. Les statistiques ont enregistré, sous le poste *culture et loisirs*, une forte croissance de la « consommation culturelle », qui n'est devancée que par celle des dépenses d'*hygiène et santé* [1]. Raison de plus pour que s'accroissent les inégalités et rivalités entre producteurs.

L'individualisme absolu des créateurs ne les prédispose pas à saisir le jeu d'interconnexions qui règle leur carrière, puisque la logique des destins individuels ne s'appréhende qu'à l'échelle de la catégorie dans son ensemble. Or, pour le sujet-roi, la totalité est aussi farfelue qu'est répugnante sa propre objectivation sociologique ou historique. Prenons l'exemple du roman. Chaque romancier tend à se faire une image de sa carrière et de ses « collègues » où s'inscrit la réalité du marché romanesque, mais *renversée*, un peu comme sur l'écran de télévision la réalité du monde. Petit écran et gros enjeu : chacun sait que le succès commercial d'un roman, ou d'un livre en général, pivote aujourd'hui sur un Pivot et quelques autres. La demande d'ouvrages de fiction peut être tenue chaque année pour relativement stable. Sur quels ouvrages se portera-t-elle en 1979? Sur ceux dont les auteurs auront atteint, cette année-là, le maximum de visibilité sociale. Sur deux mille auteurs de romans publiés, et pour un marché solvable qu'on peut estimer à cent unités, cinq auront des prix et vingt seront invités à « Apostrophes »; les cinq premiers se trouvant au

---

1. En France, de 1959 à 1974 = + 264 %. Ce chiffre global recouvre beaucoup de disparités. Croissance nettement *au-dessous* de la moyenne pour les spectacles et journaux; nettement *au-dessus*, pour les appareils radio-photo-télé, disques et image/son; simplement *normale* pour les livres, gravures et reproductions.

premier rang puisque aussi bien un prix littéraire, c'est
d'abord pour l'écrivain couronné la garantie formelle de
« passer à la télé » plusieurs fois et de brancher les média périphériques sur sa tête, sa maison, sa petite fille et sa collection
de pots de moutarde. Comme instruments de canalisation de la
demande, les prix littéraires, qui dessinaient jadis un champ
homogène aux produits dont ils assuraient la promotion (un
jury est censé se déterminer sur une lecture et non sur un
spectacle, d'après la qualité d'un texte et non d'après l'*hexis*
d'un rédacteur), se sont subordonnés au nouveau mode de
réalisation de la valeur des biens littéraires — hétérogène
à la nature du produit et dont l'indépassable sauvagerie
n'admet plus de réplique. Cette subordination des belles-
lettres à l'audiovisuel a logiquement donné une nouvelle jeunesse à la procédure des « prix » de l'automne, dont l'efficacité commerciale a crû considérablement depuis vingt ans,
à ceci près que l'efficace en question ne leur appartient plus
en propre : il leur est prêté par le « régime média ».

La télé n'est pas en elle-même créatrice de valeur. Elle
n'intervient sur le marché (du roman, de l'électroménager ou
du parfum) que pour décider quelle valeur va ou non se
transformer en prix et se réaliser dans un échange. Elle ne
crée pas non plus le besoin social auquel doit nécessairement
correspondre toute valeur créée. Sans elle, la répartition de
la demande sociale se ferait de toute façon mais autrement.
C'est un excellent — aujourd'hui le plus performant de tous —
instrument de péréquation du taux de profit, mais sa fonction économique ne se distingue pas fondamentalement de
celle remplie par la criée sur les quais du Pirée, le porte-voix
sur le marché médiéval, ou la réclame dans la gazette de 1860.
La télé, qui manque singulièrement de romanesque, a néanmoins créé une nouvelle bévue romantique chez les romanciers eux-mêmes. Pour Jacques-Alphonse Dubout, il est évident
que sa présence à la droite de Pivot, vendredi dernier, a ajouté
de la valeur marchande à son roman. N'a-t-il pas constaté, dans
la semaine qui a suivi sa prestation, où il s'est révélé si spirituel, séduisant, insolent, pathétique, bouleversant, héroïque
en un mot, que sa vente est passée de 1 500 à 15 000 exemplaires, et que son nom a grimpé de sept places dans le palmarès des meilleures ventes de *L'Express*? Ce que le producteur individuel prend pour la plus tangible des évidences est

une illusion à l'échelon de la production dans son ensemble. Car cette valeur ajoutée est retranchée au roman d'Alphonse-Jacques Boudu. Dubout n'a pas tort de se féliciter de « ce merveilleux instrument de démocratisation » (*sic*) qu'est la télé. Il oublie simplement les *limites de l'élasticité de la demande solvable* et qu'au même moment Boudu, auteur d'un chef-d'œuvre insolite (publié pour comble aux Editeurs français réunis) mais professeur de collège à Carpentras, qui ne compte parmi ses relations aucun grand journaliste et se trouve de surcroît affligé d'un zézaiement doublé d'un strabisme, faisait à son insu et sans même bouger de chez lui une fort mauvaise affaire. Boudu sait qu'il ne fait pas bel effet, et devine parfois le fil théorique qui conduit de la télégénie à l'eugénisme; il a renoncé de bonne grâce à l'audiovisuel. Il n'a donc ressenti aucune jalousie à l'égard de Dubout — pas le moindre rapport — un autre monde. Mais les deux vivent dans le même monde raréfié — un monde de papiers négociables où chaque *best-seller* se dresse sur le corps inanimé d'une multitude d'invendus (ou *worst-sellers*). Boudu saluera sans arrière-pensée le triomphe de Dubout — sans penser que le triomphe de ce livre-ci est l'un de ceux qui a empêché la réussite du sien. Et Dubout, qui ne fait pas de politique, lui, et encore moins d'économie, pensera tout haut, sans penser à Boudu : « Sékomça. Suffit d'avoir du talent et un peu de chance pour être invité par Pivot. » Pensée fausse, comme toutes les pensées « naturelles ». Mais la présence toute « naturelle » de Jacques-Alphonse Dubout à l'écran a voilé aux yeux des principaux intéressés, des téléspectateurs et de Pivot lui-même, l'absence socialement déterminée de la compétition littéraire de Boudu Alphonse-Jacques.

III. COROLLAIRE

En résumé, le clivage entre les comportements et positions au sein de la société intellectuelle oppose deux univers. La basse intelligentsia vit et pense comme elle le fait parce que le problème de la réalisation marchande ne se pose simplement pas pour elle. Elle ne produit pas une marchandise mais une valeur d'usage non marchande, c'est-à-dire un service qui n'est pas soumis à concurrence puisque l'enseignement est (fondamentalement) monopole d'Etat. Cette opposition ne suffit pas à tout expliquer, mais sans elle rien ne s'expliquera. Un matérialiste sommaire ne reculera donc pas devant le sacrilège d'éclairer le fait que la BI veut de l'Etat par la raison qu'elle en vit, et que la HI veut de la « liberté » par la raison que le marché libre la fait vivre. On n'a pas automatiquement la pensée de ses revenus, mais, sur le long terme, l'expérience atteste qu'une attitude de pensée devient intenable lorsqu'elle ne cadre pas avec la façon de produire ses moyens de subsistance. Il n'est jamais aisé de penser autrement qu'on vit. Un intellectuel qui vit à droite et pense à gauche est un déchiré précaire. Il n'est pas étonnant qu'il y en ait de moins en moins. C'est-à-dire de plus en plus d'hommes et de femmes sincèrement convaincus que les mots de « droite » et de « gauche » n'ont pas de sens : il est plus économique de changer sa façon de penser que sa façon de vivre.

Thibaudet, en 1927, tout en convenant que la pente littéraire et la pente économique penchaient également vers la droite, distinguait la première de la seconde en ce que les écrivains, contrairement aux experts et conseillers économiques, peuvent suivre leur pente en la remontant. Le talent, de fait, se trouvait alors assez bien réparti. Sartre, en 1947, tout en reconnaissant que l'écrivain est nourri par les privilégiés, voyait en lui un traître à sa classe, en contradiction fonctionnelle avec ceux qui le font vivre : « Ainsi l'écrivain est-il un parasite de l' « élite » dirigeante. Mais, fonctionnellement, il va à l'encontre des intérêts de ceux qui le font vivre. Tel est le conflit originel qui définit sa condition [1]. » La conception sartrienne de la littérature comme négativité en acte, appel d'une liberté à une autre par dévoilement-dépassement des facticités communes au créateur et au lecteur, nous paraît éclairer plus la philosophie sartrienne du « cogito » fondateur que l'activité littéraire elle-même. Il n'en reste pas moins vrai que le talent en 1947 se trouvait, par la force des choses

---

1. *Qu'est-ce que la littérature?* Gallimard, Situations II, p. 129.

et de l'après-guerre, « à gauche » : les « collabos » n'avaient pas droit à la parole. Curieusement Sartre suggérait, en note, que l'extension de son public allait faire échapper l'écrivain à l'emprise des nantis, ceux qui peuvent mettre cinquante francs dans l'achat d'un volume. On ne peut s'empêcher de penser aux théoriciens socialistes du XIX° siècle, qui faisaient confiance à l'extension du suffrage universel pour soustraire l'Etat et les organes législatifs à l'emprise de la bourgeoisie dominante. En réalité, l'extension du public virtuel s'est accompagnée d'une formidable concentration des moyens d'accès à ce public, dans les mains et sous l'hégémonie de l' « élite dirigeante ». Rétrécissement spatial des canaux qui importe moins que la nature même des procédés de mise en valeur, intrinsèquement « bourgeoise », puisque fondée sur le triptyque instantanéité/individualité/visibilité, trépied du Grand Leurre Oppressif. Cinquante années après Thibaudet, trente années après Sartre, force est de se demander si la nouvelle économie du fait littéraire ne va pas rendre de plus en plus aléatoires et périlleuses les remontées de pente. Dès lors que les acheteurs deviennent, sans le savoir, les commanditaires des œuvres qu'ils achètent, que reste-t-il du conflit entre essence et existence, fonction et position de l'écrivain, évoqué naguère par Sartre? Dans le champ culturel (livre, théâtre, cinéma, enseignement, télé, etc.) comme dans tous les autres, la mise au poste de commande de l'instance économique n'est pas politiquement neutre : elle traduit en elle-même une domination politique et une position de classe. Est-ce un hasard si en 1978 la *vox populi* répète que le talent est passé de gauche à droite, c'est-à-dire qu'il n'y a plus gauche ni droite? Ceux que l'on n'ose plus appeler les collabos — les vaincus de 1947 — sont revenus en force, sous d'autres noms et d'autres banderoles. Sans doute la France est-elle entrée dans l'une des périodes les plus réactionnaires de son histoire, et sa haute intelligentsia, barométrique et plus « avant-garde » que jamais, a-t-elle précédé le mouvement avec une hardiesse qui lui vaut bien des honneurs. Mais il est temps de se demander si l'expression « intellectuel bourgeois », de stéréotype, n'est pas devenue tautologie. Quel miracle peut faire désormais réchapper l'intellectuel individuel à la nature historiquement déterminée de sa société, à la position géographique de son pays, à la place de son économie dans la divi-

sion internationale du travail — et à son propre système matériel de production, diffusion et promotion? Seulement un
accident, une volonté ou une morale. Les aventuriers, les
combattants et les apôtres ne seront jamais représentatifs que
d'eux-mêmes — du moins *ici* et *maintenant*. Et ils auront bien
assez de survivre au ridicule qui les frappe publiquement
d'interdit. En tout cas, s'il est vrai que seulement une analyse
des intercommunications planétaires réglant les transferts et
confiscations des flux de valeur au bénéfice de l'Occident industriel peut rendre compte du cours des choses européennes,
l'évolution de ceux qui ont, dans l'hexagone, vocation à déli-
rer jour après jour le cours du monde, de l'endroit où ils se
trouvent, paraît conforme aux remaniements de leur propre
polygone de sustentation. Elle ne s'y épuise pas, mais elle y
prend appui.

Et à la question : « Mais de qui donc parlez-vous ici? » il
faut répondre : « De ceux qui font aujourd'hui parler d'eux. »
Qui marquent notre actualité. Qu'importe, dira-t-on : puisque
ceux dont le discours intéressera demain se trouvent, aujour-
d'hui comme hier, *ailleurs*, dans les coulisses ou en troisième
place : précisons une bonne fois notre propos. S'atteler à une
esquisse d'histoire du présent expose nécessairement à des
bévues, qui seront demain, nous le savons, des injustices. Il
faut bien en effet, pour essayer de les comprendre, épouser
les « erreurs » de ce présent, c'est-à-dire les idées qu'il se fait
de lui-même, les images qu'il prélève sur son stock, les figures
qu'il exhausse. Il suffit de feuilleter pour chaque période les
albums et palmarès successifs du panthéon imaginaire français pour prendre acte une fois pour toutes que « marquant »
n'est pas un synonyme de « remarquable », mais l'antonyme
le plus sûr de « mémorable ». Les noms qui marquent une
époque font rire la suivante : les marques de respect des aînés
stimulent l'irrespect des fils, mais rien n'assure qu'à leur tour
leur rire ne fera pas rire les petits-fils un demi-siècle plus tard.
Aussi bien celui qui veut regarder son temps en face a-t-il
intérêt à ne pas trop regarder ses statues dans les yeux.
Convaincu qu'il n'est rien de plus amovible qu'un piédestal,
mais de la nécessité où toute société humaine se trouve d'ériger
des statues, il profitera de celles qui l'entourent pour découvrir ce qu'elles révèlent de la société où il vit. Il est difficile
à une époque de se voir vivre « en direct »? Justement. Si ses

médiateurs sont par excellence ses intellectuels, rien de mieux que de passer par ceux-ci pour arriver à celle-là, en retournant pour ainsi dire la médiation sur elle-même.

La réalité historique a rarement autant dégoûté « l'idéal-typus » national qu'aujourd'hui : en quoi il reste fidèle à l'histoire intellectuelle française, sucession d'années-zéro et de recommencements absolus. Il a décidé de faire table rase du matérialisme historique : son comportement pourrait servir d'illustration à un cours de dialectique pour les enfants de la communale, tant l'anti marxisme du moment ressemble à une leçon de choses marxiste. Il a choisi d'appeler dogmatisme le moindre symptôme de rigueur intellectuelle : ce qui est le meilleur moyen de reconduire les dogmatismes, dont seule une méthodique rigueur permettrait de sortir. Vieux jeu de l'être et du néant, éternel tourniquet de la mauvaise foi qui force grands chefs et petits-maîtres à être tout ce qu'ils ne sont pas pour n'être pas ce qu'ils sont. « L'intellectuel 1979 » exprime sa haine du peuple en déclarations d'amour à la plèbe; son mépris de la raison en refus de l'Etat, sous le nom de raison d'Etat. Son ralliement à la majorité, en exaltation des minorités. Son désir d'ordre, en appétit de désordres. Plus il cherche à s'échapper, mieux il se retrouve. Son discours doit s'entendre à l'envers car sa conscience met sa réalité à l'envers. Bref, sa conscience sociale et politique se résume en une pointilleuse dénégation de son être social. Mais c'est son être social qui détermine cette dénégation.

A vrai dire, le jeu est truqué — nos champions n'ont pas grand mérite. Car cet être social ne peut être lui-même sans se nier comme social. La recherche éperdue de la singularité est le destin collectif de l'Ordre, ratifiée et renforcée par un régime économique qui indexe la valeur marchande du produit sur la marginalité du producteur, et confond la course à la dissidence avec la course aux avantages. L'individualisation maximale garantit la socialisation maximale. Se détacher des autres constitue donc la condition d'appartenance au groupe. Le défaut de cohésion entre les individus — qui distingue l'intelligentsia des autres catégories sociales — est un mode d'être collectif. Cette cohésion négative rebondit à chaque étage, marquant notre profession, notre psyché, nos affinités électorales et électives, et aussi, plus simplement, notre malheur quotidien.

La HI répugne à l'organisation non seulement en se tenant hors partis et hors syndicats, mais en récusant même les tentatives autonomes de regroupement professionnel. En quoi elle n'a pas tort — de son point de vue : il n'est nullement de son intérêt de défendre en commun des intérêts fondamentalement antagonistes. *Escritor escritori lupus.* Les loups ne forment pas de syndicat, sauf à trouver des tigres en face. Les éditeurs, qui ne sont pas des agneaux, ont tout de même les griffes un peu courtes pour tenir leur rôle. Seraient-ils de francs et loyaux carnassiers que le problème du regroupement des loups resterait entier. Là où la concurrence est le plus grand diviseur commun, il ne peut y avoir d'issue heureuse aux essais d'organisation et de négociations « en corps » avec les autres corps de métier. Comment expliquer, sinon, l'échec récurrent des associations, unions et syndicats d'écrivains français? Une association ne peut subsister que sur la base d'intérêts sociaux déterminés, permettant à ses membres de s'unifier à partir d'un objectif commun. L'organisation des écrivains est donc anormale en tant que telle, et celles qui sont apparues chez nous sont de belles Aphrodites nées de l'écume. Elles jaillissent au sommet des vagues d'enthousiasme ou d'espérance extérieures à la profession (36, 44, 68, 78), qui les remportent avec elles. Quand la profession retourne à son inertie propre, elle retrouve sa désagrégation première. Pesanteur sur laquelle se brisent la lucidité, le dévouement et l'obstination des meilleurs (car chaque association, vivant des cotisations versées, vit dans la gêne et l'expédient). L'*Union des écrivains*, fondée le 21 mai 1968 (avec Bernard Pingaud, Roger Bordier, Guy de Bosschère, Guillevic), s'est donné par la suite un *comité de fonctionnement* élu, avec deux commissions professionnelle et idéologique, un bulletin, une déclaration et un but (« le but de l'Union est de se définir elle-même en définissant l'écrivain »), — les écrivains, eux, n'ont pas suivi au-delà des premières années. Le *Syndicat des écrivains de langue française* (S.E.L.F.), fondé le 20 décembre 1976 avec Marie Cardinal, Yves Navarre, Pierre-Jean Rémy et d'autres, s'est donné une commission exécutive, des statuts, un bulletin; mais comment l'avenir n'en serait-il pas incertain si les écrivains français ont déjà le plus grand mal à se représenter eux-mêmes auprès des instances administratives? La *Société des gens de lettres*, qui jouit d'un monopole de fait pour la représentation officielle de la corporation, à l'intérieur comme à l'extérieur des frontières, n'a pas deux milles sociétaires, et c'est principalement une caisse de perception et gestion de droits, de pensions et de secours [1]. Quant au *Centre national des lettres*, c'est un organisme agréé, dépendant du ministère de la Culture, dont les professionnels se servent de loin comme d'un ustensile, et qui ne doit sa permanence et son utilité qu'à ce salutaire éloignement. Ce que l'*Union des écrivains* a finalement obtenu — Sécurité sociale, unicité de la fonction, etc —, ce que le *SELF* a suscité — modulation de la passe, nouveau-contrat-type etc., la *SGDL* concrétisé, tous les auteurs en bénéficient mais ce travail, au mieux ils l'ont oublié, au pire ils le méprisent.

Notre espèce préfère l'autogestion des notoriétés individuelles à l'auto-organisation collective. Option rarement explicitée, traduite par la plupart en indifférence polie, sublimée par quelques-uns en une métaphysique de l'inégalité. En parfaite cohérence avec sa propre position de supériorité dans les rapports internes de forces (et aussi avec sa condition d'employé d'édition), Philippe Sollers par exemple, après avoir reproché au SELF « de présenter l'édition française exclusivement sous l'angle du rapport de forces », précisait ainsi sa pensée : « Rien ne se prête moins à un ensemble arithmétique, dominé par le signe =, que l'activité d'écriture. Il peut peut-être y avoir une égalité dans la distribution des biens matériels, mais certainement pas dans la sexualité par exemple, ni dans le langage. Je suis donc certain qu'un syndicat d'écrivains ne peut qu'engendrer une idéologie normative et répressive. Comme ce syndicat ne peut être que de gauche, il y ajoutera son poids normatif et répressif [2]... » Le seul mot de syndicat, ou d'union, sert ainsi de stimulus à un réflexe médullaire, le mépris du petit fonctionnaire « enrégimenté » propre à une profession libérale, redoublé en l'occurrence, en honneur aux périls du moment, par le fantasme des caporalisations éta-

1. Pour plus de précision : au 1ᵉʳ janvier 1977, 1 501 sociétaires; 2 187 adhérents et 1 817 stagiaires (rapport administratif 1976 de Jean Rousselot).
2. En réponse à Pierre-Jean Rémy, dans le *Magazine Littéraire* (mars 1976), sous un chapeau : « L'écrivain est-il comparable au chirurgien-dentiste? »

tiques. *Non pas : plutôt Hitler que le Front populaire. Mais : plutôt le marketing que le fonctionnariat.* L'intellectuel coalisé dérogerait à sa véritable fonction publique, qui est d'être traqué, battu et bâillonné, à défaut de quoi il ne pourrait être reçu à la table des princes ni trôner dans les lieux officiels. S'il n'est pas l'exclu de la horde, à quel titre s'en ferait-il écouter? Sa dignité est dans son indignité, et proposer à un écrivain de rentrer dans une association, dont il n'est pas le directeur, c'est demander à la plus choyée des exceptions de rentrer dans une morne moyenne. Le médiocre, c'est ce qui se ressemble, le terre-à-terre ce qui rassemble. Quand la haute intelligentsia française se met en comité, elle se dédouane en l'intitulant CIEL (Comité des Intellectuels pour l'Europe des Libertés [1]). Ni associatifs ni commutatifs, les trouble-fête, séparatistes par allégeance et mauvais esprit par devoir, ne tiennent le devant de la scène qu'en se persuadant qu'on n'a de cesse que de les en chasser. Ainsi se sont renversés, depuis dix ans, les indices de légitimité du discours dominant, qu'un Président qui ne commence pas son allocution par : « le séditieux qui vous parle », un académicien par : « le paria que je suis » ou un général par un éloge de l'insoumission, peuvent être sûrs de fatiguer d'emblée l'attention [2]. Le fait qu'il existe à l'étranger, notamment dans les pays nordiques, de solides syndicats d'écrivains, actifs et unifiés, s'explique avant tout par le défaut de gravitation politique de l'intelligentsia dans ces pays. C'est parce qu'un intellectuel allemand ne peut espérer compter ni sérieusement déranger qu'il se range dans un syndicat et se laissera additionner et décompter d'après le signe égal. Si la France ne peut pas faire pareil, ce n'est pas déficience mais trop-plein. Une voix qui pèse ne se compte pas. Une voix qui entend porter retentira mieux du fond d'un ghetto panoptique et lumineux que dans le brouhaha d'une réunion anonymement professionnelle.

Ainsi s'expliquera, sur la fin, l'antienne du début : il est faux que l'intelligentsia n'existe pas, mais ce qui est vrai c'est

1. La carte du Ciel et de ses constellations sera dressée en d'autres lieux (voir *Traité*).
2. On peut se demander, à cet égard, s'il est vraiment de bonne tactique de répéter aux « grands intellectuels » qu'on veut mobiliser qu'ils se trouvent au ban de la société (article de Roger Bordier, *Le Monde* 12/2/70: « L'écrivain français au ban de la société »). Cette flatterie ne peut que les remplir de joie, puisqu'au plus bas des bas-fonds pointe le pinacle espéré.

que le groupe des anti est l'anti groupe par excellence. Dans le « nous n'existons pas », le premier mot est la seule certitude : ça n'existe en tout cas pas comme un *nous*, mais comme une simple collection de *moi*. En quoi les moi ne trompent pas, ils sont les premiers persuadés de leur glorieuse anormalité, de leur irréductible chance. Ce qu'il y a eu d'aventure pour chaque individu dans l'accès à la haute intelligentsia escamote à ses yeux ce qu'il y a en elle d'institué. Un *titre* s'acquiert par nomination, mais une *position* sociale se conquiert sous le feu adverse et une *fonction* s'exerce au jour le jour. La *bataille* individuelle pour la promotion obscurcit le tableau d'un agencement stratégique s'imposant à tous les promus. Waterloo : Fabrice cherche encore le village sur la carte. Napoléon est mort en doutant de l'avoir trouvé.

Cette classe de surclassés qui se rêvent déclassés a donc fait de nécessité vertu et de son atomisme une idéologie. Rien de neuf à cet égard : Hegel faisait déjà de l'animal intellectuel l'emblème de l'individualisme absolu. Cette latence spécifique — l'idéologie *la plus probable* de notre espèce — variera selon les lieux et les époques. La configuration que nous avons appelée « libérale/libertaire » — qui n'est pas un ensemble cohérent de positions mais une somme contradictoire de négations — constitue sa forme de manifestation pour ainsi dire naturelle, dans la France des années soixante-dix [1]. C'est bien le moins qu'on puisse attendre de la classe préposée à la production des idées qu'elle commence par se servir elle-même. La HI, à laquelle il arrive de vendre de la confection, s'est ici habillée sur mesure, car ce tweed idéologique, où le miroitement des tons souligne le moelleux du tissu, avait de quoi séduire un groupe négatif dont l'unité interne est celle de l'archipel. Extensible, intachable et souple à souhait, ce tissu réconcilie les nécessités de la vie matérielle (le fil libéral) avec les points d'honneur de la vertu (le fil libertaire), le réel de l'économie des produits et la politique des images de marque, tout en assurant la meilleure circulation possible des individus dans l'espace amorphe et multivoque des media. La trame compte moins ici que les navettes qu'elle autorise. Car le trait le plus décisif de l'actuel syntagme libéral-liber-

---

1. Pour une brève mise en place de cette figure, voir *Contribution aux discours et cérémonies du dixième anniversaire* (Maspero, 1978).

taire, c'est le trait d'union : il assure la réversibilité des parcours, en maintenant l'homogénéité dans l'hétérogène. C'est-à-
dire la possibilité d'aller et venir entre *L'Idiot International*
et *Le Figaro-Magazine*, *L'Express* et *Libération*, *L'Observateur*
et *La Nouvelle Action Française*. A chacun d'inventer son itiné-
raire entre la case-Aron et la case-July : fantaisie des sauts-
impromptus; vertige des retournements de fortune. Aucun
coup n'est irrémédiable, aucun recul irréversible. Panachage
et repêchage assurent à tous les joueurs un numéro gagnant.

La communauté de ceux qui n'ont en commun que leurs
différences se trouve quotidiennement confrontée à un problème sans solution stable : comment me faire homologuer par
mes pairs comme un être hors pair? Comment m'imposer
comme exceptionnel dans un monde où l'exception est la règle
générale? Il n'est pas facile d'être collectivement unique. Les
membres de la famille résolvent au jour le jour cette ingrate
aporie, d'avoir à se ménager sans cesse de se manger les uns
les autres. Se ménager parce que chacun dépend de l'autre,
pour sa propre reconnaissance. Se manger parce que cette
reconnaissance elle-même suppose qu'autrui s'anéantisse
devant mon être, s'incline devant ma supériorité. Le « Règne
animal de l'Esprit » s'est donc inventé une forme particulière
de civilisation, qu'on pourrait appeler la politesse de la
méchanceté. Toutes les sociétés de pénurie sont de grands
réservoirs de cruauté, car la pauvreté engendre la dépendance
réciproque : chacun a besoin des autres pour satisfaire ses
besoins élémentaires. Cette humiliation latente crée spontanément sa compensation : la malveillance. Les hommes de culture
vivent chaque jour de cette « culture de pauvreté ». Errant
à travers Paris en état de manque et d'anxiété, ils promènent
avec eux ces ressentiments obliques, ces aigreurs mal épan-
chées. Aux aguets, sur la défensive, risquant un sourire furtif
au premier confrère qu'il croise, toujours partagé entre la
griffe et la caresse, le bond et l'esquive. En gardant toutefois
bonne figure. Son attaché de presse ne vient-il pas de lui rappeler qu'il devait « défendre son livre »? Belle expression, qui
tient pour évident qu'à peine paru et par le seul fait d'exister
un ouvrage est cerné, menacé de haine, assailli par l'envie. Il
a donc raison, notre homme, de contre-attaquer. Les plus
comblés laissent entrevoir des frustrations irraisonnées comme

s'ils n'étaient jamais assez loués, admirés, compris; comme
s'ils soupçonnaient chez les moindres quidams, et même chez
leurs amis les plus proches, des débiteurs un peu fourbes,
toujours prêts à s'esbigner au moment de payer leur dû.
C'est fatigant, le ressentiment à perpétuité. D'où ces jets de fiel
cathartiques, ces spasmes vipérins; ces esquintages préventifs,
qui reconstruisent l'identité personnelle. Impossible de s'apprécier soi-même sans déprécier le voisin. Un intellectuel digne
de ce nom se distingue par ceci qu'il ne dit que du mal de ses
confrères, et particulièrement de ses meilleurs amis. Ces petites
mises à mort symboliques lui servent de primes d'assurance-
vie. Chez nous, on s'anoblit en ravalant. La Bruyère n'est pas
ici à son affaire, mais Gurvitch ou Mauss : il s'agit en effet
d'un « phénomène social total », non d'un travers moral.

Ne dramatisons pas. Là où l'individualisme règne, le remède
est dans le mal. Le souci de conservation veille : on ne s'en-
tre-tue jamais pour de vrai. On n'aime pas attaquer de face,
ni de plein fouet. On égratigne en note, par allusion ou ricochet.
Le mal qu'on dit n'est pas censé faire mal, et personne n'attend
de nous que nous pensions réellement autant de bien d'un
ouvrage que nous en avons dit dans notre dernier hommage.
Ces complaisances et obligations ne tirent pas à conséquence.
On ne peut pas ruser avec un antagonisme, mais on peut
jouer de ses différences. La fédération des solitudes ne serait
pas possible si la société intellectuelle prenait trop au sérieux
ses zizanies et ses chicanes. La théâtralisation des différends;
l'emphase et l'hyperbole où baignent les relations personnelles;
cette hystérie du geste et du mot — voyons-y un moyen d'éluder
le *faire* dans le *dire* en circonscrivant un espace de jeu qui
garantira à chacun l'immunité en préservant la secrète connivence des acteurs. Le monde des affaires ne s'oblige pas aux
démonstrations d'amitié; celui de la politique pratique le
copinage mais connaît parfois la camaraderie ou le compa-
gnonnage. Le grand monde intellectuel ne marche qu'à l'amitié,
mais ce qu'il appelle de ce nom c'est de l'escompte. Plus
il y a d'amis, plus il y a d'encaisse et vice versa. De même
qu'un politicien voit le cercle de ses amis intimes s'élargir ou se
rétrécir selon le pourcentage de voix obtenu par son parti ou
la place qu'il occupe dans l'appareil d'Etat, les relations personnelles d'un membre de la HI augmentent ou diminuent avec

son « importance » (laquelle a ses échelles de mesure sensibles à l'œil et à l'oreille), donc avec son utilité sociale. Le téléphone de Maurice Clavel n'arrête pas de sonner, celui de Louis Althusser est beaucoup plus discret. Si le premier peut m'introduire dans nombre de sanctuaires, le second est resté un cul-de-sac médiatique : pas d'entrées à la télé, pas de page dans un hebdo, pas de créneau à la radio, une collection d'ouvrages théoriques dont les média protègent la clandestinité, et en trente années d'activité philosophique pas une seule interview à la presse française. A quoi Althusser peut-il donc me servir? C'est Clavel mon ami. Les hommes au sommet du pouvoir, qui n'est que l'endroit où la densité relationnelle est la plus forte, n'ont que des amis — du pouvoir. A condition qu'ils appellent « amitiés » leurs « relations », ils pourront se croire heureux. Les querelles du milieu sont aussi légendaires : scissions, brouilles, ruptures alimentent la chronique. La plupart équivalent à des demandes de renégociation des compromis existants et relèvent du forcing diplomatique ou de l'escalade graduée, lorsqu'un partenaire veut renforcer sa main. Mais *où il n'y a que des individus en cause, et non des valeurs, tout est négociable*, la partie n'a jamais de fin. Bienfaisant principe de conduite, que la non-correspondance entre les principes et la conduite, le dire et le faire. Et riche d'heureuses surprises : décrocher son téléphone et entendre la voix presque affectueuse d'un « ami » qui vous invite à dîner après vous avoir traîné la veille dans la boue par voie de presse — car il va de soi que c'était « pour s'amuser un peu ». Ou encore, rencontrer le soir dans la rue bras dessus bras dessous deux compères dont le premier, le matin même, vous confiait pis que pendre du second. Ou trouver la signature de tel autre en tête de ce même journal dont il vous expliquait la semaine précédente à quel point il était décidément infâme, ce dont seul un naïf aurait pu tirer la conclusion qu'il s'abstiendrait désormais d'y collaborer. Milieu plein de bruits et d'éclats, où le pompier est de mèche avec l'incendiaire, où les polémiques de la rentrée se préparent entre adversaires, posément, dès l'été. Tant il est vrai qu'une mauvaise polémique vaut dix fois mieux qu'une bonne pub. Où personne ne se doit à rien, parce que chacun se doit à tous. Où se dire « de gauche » n'empêche pas de frayer avec la droite, joignant ainsi l'honorable à l'utile, ni de s'échanger la casse et le séné par-dessus les cadavres des gogos d'antan qui y croyaient encore. Où il suffit du reste, pour être quoi que ce soit, de le dire ou de le faire dire. L'ethnographe aurait envie de se pincer — s'il n'était devenu lui-même, insensiblement, membre à part entière de cette étrange ethnie — dont les structures et les contraintes nous rongent les os à tous.

CONCLUSIONS

I. LES CYCLES DU MALHEUR

Nouvel *ethos* vraiment? Ou structure d'une conscience spécifique? « Cette individualité en soi réelle est d'abord encore une
individualité singulière et déterminée; elle se sait comme la
réalité absolue, et cette réalité absolue, selon le mode dans
lequel l'individualité en devient consciente, est en conséquence
la *réalité universelle abstraite* qui, privée de remplissement et
de contenu, est seulement la pensée vide de cette catégorie... »
Ainsi Hegel, dès la première position de son archétype d'animal,
introduisait-il la clef de ses avatars. L'individu se pose comme
l'absolu, en niant toute autre relation constitutive que celle
qui l'unit à lui-même. « Le rapport à un Autre, qui constituerait
la limitation de cette même conscience est *ici* supprimé... »
Où, ici? Dans cette figure de la conscience qui, comme toutes
les autres décrites par la *Phénoménologie*, n'est pas « une
histoire dans l'histoire mais une histoire qui rend possible
l'intelligibilité de l'Histoire »? Ou bien ici, en France, au
déclin du xxᵉ siècle, dans la conscience des figures intellectuelles du moment — le grand crâne collectif où chacun de
nous pense et vit? Tout ce qui vient d'être dit de l'intelligentsia
d'aujourd'hui n'a ajouté qu'une exégèse bavarde et marginale
aux vingt pages dans lesquelles Hegel « raconte » non pas un
échec mais une « *tromperie* » [1]. Il n'y a donc rien de plus à la

---

1. *Le règne animal de l'esprit et la tromperie, ou La chose même* : sous-
titre du passage en question (*Phénoménologie de l'esprit*, p. 324, t. I). Nous ne
dirons jamais assez notre dette à Roger Establet, dont le commentaire offre,
à notre connaissance, le plus lumineux des éclairages sur l'ensemble de la
Phénoménologie de l'esprit.

fin que dans le commencement, mais, pour le savoir, il fallait arriver au bout. Les mythes sont faits pour être répétés, et ce n'est pas notre faute si le mythe hégélien des animaux intellectuels était celui des origines, celles que l'on ne découvre, comme chacun sait, qu'à la fin de l'histoire, quand l'irrémédiable est accompli.

L'odyssée de l'intellectuel, cette vis sans fin, c'est une dialectique qui n'a finalement pas lieu : elle est pleine de renversements, mais comme une boule qui roule sur elle-même. Ses contradictions motrices, mais d'elles-mêmes, l'empêcheront à la fois de se retrouver lui-même, tel qu'il se veut en essence, et de se perdre une bonne fois, pour se refaire ailleurs. « L'individualité qui se sait elle-même réelle en soi et pour soi-même » a au départ son concept auprès d'elle. Mais cette singularité n'est encore qu'une généralité creuse, car rien d'objectif ne l'atteste. Ineffable, l'originalité ne serait que formelle. La singularité doit s'exprimer comme *différence* et opposition, par le biais d'une œuvre déterminée. C'est pourquoi l'intellectuel ne peut mettre paisiblement en pratique la maxime de Montaigne (« c'est une perfection absolue et comme divine de savoir jouir loyalement de son être »), car il veut la reconnaissance, qui n'est pas réconciliation mais réciprocité. Cellule close sur elle-même, la conscience attend de son œuvre le sens de sa propre définition, mais l'œuvre elle-même n'a de sens qu'en fonction des définitions qu'en donneront les autres. L'autarcie dès lors s'échappe, la cellule s'entrouvre. Il écrit à la fois pour ses pairs et contre eux. D'un côté, il est celui qui ne prend source qu'en lui-même. Sa conscience refuse les conditionnements extérieurs (qui bafouent son indépendance et enchaînent l'esprit), les principes (car l'individu est à lui-même son origine et sa fin, l'universel n'étant qu'apparence et mystification), les systèmes (qui dissolvent sa singularité dans l'impersonnel abstrait). De l'autre, l'altérité est sa racine; coupé d'autrui, il sèche sur pied, puisqu'il n'existe que par et pour son public. En somme, il se définirait à la fois comme un « être-pour-autrui » et un « être-contre-autrui ». Ce qui veut dire que les autres seront tour à tour son Enfer et son Paradis, et sa vie sociale un Purgatoire, constant va-et-vient entre les deux. Un jour, il se cloître, s'abîme en lui-même ou sort incognito; mais le même le lendemain s'empresse de répondre à une interview et ôte ses lunettes noires. Un jour, il survole épanoui un éreintement de son dernier ouvrage dans une revue spécialisée : cette incompréhension lui apparaît d'évidence comme la marque la plus claire de son génie. Une semaine plus tard, un mot désinvolte d'un inconnu le poignarde au cœur. Ce déchirement renvoie à une double et impossible postulation.

La production artistique (et intellectuelle en général) n'est pas *normalisable*, mais on peut se demander si tout projet créateur n'est pas comme tel, et à son insu, *normatif*. Sa particularité recèlerait une proposition universelle, à la fois actualisée et dissimulée par elle; proposition d'un ensemble de références et de valeurs implicitement valables pour tout homme en tant qu'homme et soumise à chaque lecteur, ou spectateur, ou auditeur, pour adoption immédiate et sans phrases. Proposition polie, voire désinvolte ou humoristique, mais secrètement impérieuse, peut-être beaucoup plus que ne le pense ou ne le voudrait l'auteur. L'œuvre écrite porte en elle une vision, l'œuvre plastique une idée du monde; et chaque vision ou idée du « monde », se posant spontanément et par définition comme totalité, emporte avec elle une demande tacite d'exclusivité. S'il n'y a qu'un monde et pas deux, il ne devrait y avoir en principe qu'une seule vision juste et « réelle » du monde « tel qu'il est vraiment », c'est-à-dire « tel qu'il est pour moi ». En ce sens, l'égocentrisme des créateurs intellectuels serait un impérialisme qui s'ignore, ou qui se pressent assez pour réduire le risque des confrontations avec autrui ou des abdications de souveraineté. Il donnerait à la concurrence économique son fondement ultime et comme transcendantal. Etant cela qui ne peut pas être dit ni pensé ni figuré mais ce sans quoi il n'y aurait pas de projet de diction, de pensée ou de figuration possible, cette forme a priori de la perception intellectuelle ferait du créateur un scandale pour le créateur, et de tout producteur symbolique un intolérable défi pour son confrère. Chacun a pu remarquer le nombre élevé de ceux qui, dans notre milieu, ressentent l'altérité comme une offense personnelle. Tel est le chiffre de l'échec, gravé au cœur d'une société sans cœur, où s'exprime l'esprit d'un corps social dépourvu d'esprit de corps.

Cette société en effet ne peut engendrer une communauté

réelle, car cette dernière n'est pour l'intellectuel qu'un moyen de se réaliser lui-même et d'atteindre à son concept. Le moi essentiel, en découvrant son inessentialité, se renvoie à un nous qui, inessentiel à son tour, le renvoie à lui-même. Comme un bouillon de culture où chaque microbe se nourrirait par destruction du microbe voisin, il n'y a pas totalité organique mais processus sans fin de détotalisation du tout par l'individu, lequel est retotalisé par un autre, et ainsi de suite. Chaque livre renvoie à d'autres livres qui détruiront les premiers et seront à leur tour détruits par d'autres. Un individualisme sans œuvres ni valeurs engendre un organisme sans organicité. « Société de commerce » qui peut prendre l'aspect d'un charmant cercle de famille. Mais cette famille des sans-famille ressemble à une copie de la société bourgeoise elle-même. « L'œuvre, dans *Le Règne animal de l'Esprit*, a le même sens que la marchandise dans l'économie libérale. Ici, la marchandise est dissoute en tant que produit concret d'un travail concret dans son équivalent monétaire, et là, les œuvres individuelles sont à la fois marchandise et monnaie [1] ». Elles valent moins par ce qu'elles sont — comme œuvres d'art, corpus de thèses ou substance textuelle — que pour ce qu'elles apportent à leur auteur en équivalence sociale (visibilité, notoriété, crédit, etc.) : elles sont des moyens de paiement dans la circulation générale des valeurs individuelles; c'est-à-dire, en dernière instance, des instruments de dévaluation réciproque. Les œuvres elles-mêmes s'anéantissent dans leur nécessité intrinsèque au bénéfice de leur position relative. La société médiatisée dévalue les paroles et surévalue les indices de la place et de l'instant — l'inflation du signalétique valant pour déflation du sémantique. Peu importe ce qui est dit, mais qui le dit, quand et où. En somme, la seule œuvre commune aux animaux intellectuels c'est la dissolution de toutes les œuvres, et de chacune d'entre elles par toutes les autres.

Peut-on briser, de l'intérieur, ces cercles du malheur? Dont l'ironie suprême vient peut-être qu'ils ne peuvent être décrits sans être reconduits, puisque celui qui énonce ses tours sera aussitôt soupçonné d'en jouer un autre. Ou de travestir quelques mauvais griefs en bons motifs. Le prodigieux agacement

---

1. Roger Establet, *op. cit.*, p. 112.

qu'ont inspiré ces pages au lecteur éventuel l'aura sans doute conduit à déplorer ici un discours de déguisement. Les meilleurs ennemis sont les ennemis intimes, et pourquoi présenter un autoportrait en caricature?

« Quant un intellectuel parle des intellectuels, écrit Maurice Duverger, il parle de lui. Il met au pluriel et à la troisième personne des pensées qui devraient s'écrire à la première personne du singulier. Comment le faire quand une succession de " je " paraîtrait insupportable? Elle serait en réalité plus modeste, car c'est un grand orgueil et une certaine lâcheté que de rapporter sur un autrui général et abstrait la responsabilité de ses propres idées. » On a déjà eu le temps de prendre la mesure de l'orgueil et de la lâcheté qui, l'un dans l'autre, nous ont convaincu de ne pas recourir à la première personne du singulier (puisqu'on aura fait le départ entre le « je » impersonnel d'un exposé des raisons et le « moi » confessionnel des expositions d'originalité). Dans l'ordre du discours, la référence au « moi » n'est pas seulement un attentat à la pudeur mais à la Raison. Nous avons préféré tous les risques à celui-ci — et d'abord le plus évident : qu'on nous accuse d'avoir trop de comptes à régler avec les intellectuels — avec nous-même — pour ne pas nous tromper gravement dans nos additions. Si, aux yeux du lecteur, régler et faire ses comptes sont une seule et même chose, on endossera bien volontiers ce soupçon. Unir les consciences sans amoindrir leur indépendance n'est pas une tâche facile, et l'histoire profane ne paraît guère disposée à honorer de bon gré le vieux contrat social rédigé par les philosophes. Malgré tout, le vaste monde recèle assez de ferveur, de cohérences et d'allant pour que ceux qui s'étaient laissés aller à mettre dans la société intellectuelle leur espoir de trouver un *je* qui fût un *nous*, et un *nous* qui fût un *je*, bouclent leur valise d'un cœur léger.

« Un jour, écrivait Nietzsche, nous subissons l'assaut de ce que les autres pensent de nous, et alors nous reconnaissons que c'est là ce qui est le plus fort. »

Que pourra l'assaillant contre une place vide?

II. NEUF PORTES SUR L'ENFER [1]

> *Jusqu'à présent, le progrès a toujours été conçu comme la promesse du mieux. Aujourd'hui, nous savons qu'il est aussi porteur de l'annonce d'une fin.*
>
> Milan Kundera.

1/ Technologie et idéologie ne sont pas en fonction inverse mais en proportion directe : plus complexe la première, plus simple la seconde, donc plus puissante. La nouvelle technologie de l'information démultiplie la puissance pratique des idéologies. L'essor des mass média fait, pour la première fois dans l'Histoire, directement de l'hommédia un homme de masse. Le déplacement de la production par la communication donne le pas aux fonctionnaires de la diffusion sur les opérateurs des choses. La prise de contrôle des travailleurs par les contrôleurs est en route. L'ère de l'intelligentsia commence.

2/ L'ère de l'intelligentsia sera celle de la plus grande inintelligence. En effet, il y a un rapport inverse entre la valeur informative d'un message et sa communicabilité. Plus une pensée est démonstrative, plus coûteuse est sa transmission et aléatoire sa réception. L'économie de la raison rend la raison antiéconomique. La sélection par le bas qu'opèrent les mass media au sein de la société intellectuelle est rigoureuse et sans

---

1. Ces thèses replacent l'analyse locale ici présentée dans le contexte théorique de la médiologie. Elles seront explicitées plus avant.

appel parce qu'elle obéit à une loi rigoureuse et sans appel. Les mass média assurent la socialisation maximale de la bêtise privée. Cette bêtise sociale pourra faire l'objet d'une attaque mathématique. Pour le reste, elle est inattaquable.

3/ L'information coûte. La théorie de l'information appelle « néguentropie » la dépense d'énergie inhérente à toute émission ou réception d'information. Il a ainsi été établi que « l'information croît comme le logarithme du nombre des états également probables ». On peut se demander si cette loi, qui a permis la mathématisation de la notion physique d'information, n'admet pas pour corollaire une *loi des rendements décroissants* qui présiderait aux développements technologiques de l'information sociale. On dirait alors que l'entropie ou la déperdition d'énergie croissent en proportion géométrique avec l'allongement des circuits et l'accroissement du volume des transmissions. En d'autres termes, l'exactitude de l'information deviendrait de plus en plus improbable à mesure que s'élargit la sphère informative. La mauvaise information chasse la bonne parce que *la vérité coûte de plus en plus cher.*

4/ La diminution des pages rédactionnelles dans la presse écrite; l'allongement régulier des tranches sportives et météorologiques dans les journaux d'information radio-télévisée; la croissante inexactitude des dépêches d'agence; la contraction de la critique littéraire en pastilles imprimées; l'évanouissement de la polémique théorique au profit de la signalisation idéologique : tous ces phénomènes d'involution sont commandés, au dire des professionnels, par le manque de place, de temps, d'argent et d'intérêt (des consommateurs). Ces « manques » apparaissent en fait comme les marques d'une tendance plus profonde qui rend prohibitifs les tarifs de la vérité. La vérité est un luxe que les sociétés riches pourront de moins en moins se permettre.

5/ La méthodique promotion des plus débiles ne serait qu'une expérience de sociologie amusante si elle ne traduisait pas un phénomène idéologique total plus grave : l'irrésistible remontée de l'irrationnel au sein même d'une civilisation fondée sur les applications pratiques des résultats du travail rationnel. L'évolution de l'humanité à chaque stade témoigne peut-être pour un rapport constant, en valeur relative, entre ses moyens de production délirante et ses capacités techniciennes, son volume d'illusion et son volume de puissance. Le soulèvement de l'irrationnel (dont sectes, mages, gourous et prophètes sont l'écume), ne dément pas cette loi. Les crans de la montée s'échelonnent en parallèle à l'élévation des seuils de scientificité appliquée, dont ils seraient l'effet compensatoire. Plus le monde objectif est « rationalisé », plus l'irrationnel investit le subjectif. La science ne peut améliorer ses performances sans perfectionner ipso facto celles de la non- et de l'anti-science; de même que le renforcement du maillage des individus par un encadrement social de plus en plus contraignant renforce leur volonté individualiste d'y échapper. « Idéologique » ne désigne donc pas ce qui s'oppose à « scientifique », mais cela qui le double et l'accompagne en chemin comme son ombre.

6/ S'il n'y a rien de nouveau, à cet égard, dans la période actuelle, serait-ce céder aux facilités du millénarisme que de se demander si les progrès techniques et scientifiques n'approchent pas le seul quantitatif déclencheur d'un bond *en arrière* dans le parcours civilisé? La demande d'irrationnel atteint une masse critique sous la poussée d'une rationalisation accélérée de l'environnement matériel et social, et ce au moment précis où l'activité intellectuelle se trouve soumise à la loi de l'offre et de la demande. S'il n'y a jamais eu de demande sociale d'abstraction logique, les sociétés occidentales abritaient jusqu'à présent ses maniaques du *logos* dans des espaces préservés. La crevaison des vieilles poches à savoir, d'une part, et le développement télématique et informatique, de l'autre, vont se liguer pour fournir une clientèle de masse au spiritualisme et à l'idéalisme, avec en prime un beau clergé de « traîtres ». Plus le monde est maîtrisé et modélisé, plus sa réalité objective s'estompe et s'éloigne des usagers. Tout au bout de la modernité se retrouveront Dieu et le Diable. Et les prêtres.

7/ L'avancée des sciences allonge et complique les procédures d'établissement du vrai; le développement des média rétrécit et primarise ses procédés d'administration. De ce

contraste naît une grande part du désenchantement d'aujour-
d'hui. Mais aussi, demain, la panique et le suicide.

8/ Si l'humanité se suicide un jour — ou jour après jour —,
d'un coup ou par petits paquets, ce sera en musique — guerre
atomique ou pas. « A chiffrement minimal, réception maximale » (Serres). La musique est une communication universelle parce qu'elle n'a rien à communiquer. Le transport d'une
image sonore est plus rentable que celui d'un signe, car il est
moins coûteux pour un appareil neuronique de recevoir une
image que de décrypter un signe. La musique de variétés non-
stop et tous-azimuts est donc notre avenir le plus probable et
le même mouvement qui remplit les dancings à disco, vide les
salles de conférences. Ce transfert à commande neurophysiolo-
gique, et ressortissant à une physique de l'univers, souligne
l'urgence d'un coup d'arrêt. En effet, Michel Serres, qui aime
la musique, peut expliquer pourquoi Johnny Hallyday domine
la scène des idées sociales. Johnny Hallyday, qui ne se l'explique pas, ne peut que détourner ses fans d'aller écouter Michel
Serres. Asymétrie classique mais grosse de dangers, passé un
certain écart.

9/ Les meilleures informations étant pour les media celles
qui communiquent le moins, c'est ce qui ne veut rien dire qui
s'entend le mieux. La toujours plus notable insignifiance de
nos programmes officiels illustre à sa manière cette règle
d'économie selon laquelle l'optimum de l'information (au sens
media) est le minimum de communication (au sens mathématique). L'apogée du règne musical recrée le bruit pur. La
courbe de l'information se referme sur elle-même et se mord
la queue : le serpent de mer est la vérité ultime du cercle des
media. A la fin, les origines.

*
**

Du point de vue de la pratique, deux voies semblent a priori
possibles pour échapper à la barbarie.

Si l'on juge que le progrès de l'humanité recommande de
boucler la boucle au plus vite pour recommencer « quelque

chose d'autre », on choisira de renchérir sur le vicieux, d'accélérer la circulation des faux bruits jusqu'au vertige, en éliminant jusqu'aux derniers soupçons des anciens critères de vérité et de réalité. Collaborer activement au délire, redemander toujours plus d'étonnement, bisser les mages, doubler chaque soir le nouveau du matin d'une nouvelle nouveauté. Bref, en rajouter. Telle serait la voie qu'on appellera du *décadentisme révolutionnaire*, réplique en temps de paix au défaitisme révolutionnaire de la Première Guerre mondiale. Pour sortir au plus vite du bas Moyen Age où nous fait régresser le galop médiatique, faire que le juke-box s'affole, crève les tympans et les cerveaux — jusqu'à se briser net, reconduisant ainsi les hommes à leur temps intérieur, au pied du mur et du silence. Ce serait l'âge du réel, à nouveau. Et s'il ressemblait à l'Age de pierre?

A la politique du Pire s'opposera celle du Bien, qui à l'endroit de la médiocratie environnante troquera les armes de la critique contre la critique des armes. Réflexe moral respectable, mais ponctuel et privé. L'action directe se justifie sans doute de l'aporie où se trouve coincée toute critique discursive des media : l'objet de la critique (dont le boycott est inscrit dans le libellé même) a la faculté matérielle de réduire son sujet à néant en le soustrayant à la circulation. Mais une question historique et collective n'admet de solution qu'historique et collective. La morale est le dernier recours des désespérés.

En l'occurrence, il serait déraisonnable de désespérer, car de deux choses l'une : si c'est le dernier recours, les premiers finiront bien par apparaître. S'ils se révèlent introuvables, cela finira bien par se savoir. Dans les deux cas, les étouffeurs n'auront pas le dernier mot.

TABLE DES MATIÈRES

AUX EDITIONS RAMSAY
Ouvrages publiés au 15 mai 1979

DOCUMENTS, ESSAIS, HISTOIRE

VENDANGES AMÈRES, Emmanuel Maffre-Baugé.
MA ROUTE ET MES COMBATS, André Bergeron.
LES FEMMES PRÉFÈRENT LES FEMMES, Elula Perrin.
TANT QU'IL Y AURA DES FEMMES, Elula Perrin.
78, SI LA GAUCHE L'EMPORTAIT, sous la direction de J.-F. Held.
DAME L'ÉCOLE, André Henri.
IL ÉTAIT PLUSIEURS « FOI », Monique Gilbert.
POUR QUELQUES CHRÉTIENS DE PLUS, Claude Gault.
DUEL ROUGE, François Missoffe.
MENDÈS FRANCE, Alain Gourdon.
PROPOS DE MAUVAIS GOÛT, Julien Cheverny.
LA LIBERTÉ TOMBÉE DU CIEL, Henri Deplante.
QUESTIONNAIRE POUR DEMAIN, Jean-Louis Servan-Schreiber.
LA GAUCHE PEUT SAUVER L'ENTREPRISE, Jean Matouk.
POUR UNE POIGNÉE DE BOUDIN, Serge Adam.
EUROPES, Jacques Huntzinger.
DOSSIER NÉO-NAZISME, Patrice Chairoff.
SOLUTIONS SOCIALISTES, Serge-Christophe Kolm.
20 H 07, 19 MARS 1978, LÉGISLATIVES : LA GAUCHE BATTUE, Frédéric Moreau.
CLUBINOSCOPE 78, Gérard Carreyrou, Richard Arzt et Martine Marcowith.
ET SI ON ALLAIT FAIRE UN TOUR JUSQU'A LA POINTE? Ou dix ans d'histoire des Français en vacances et en voyage, Jean-Francis Held.
L'ÉGLISE DÉCHIRÉE, Alain Woodrow.
LE PULL-OVER ROUGE, Gilles Perrault.
VINCENT MOULIA, LES PELOTONS DU GÉNÉRAL PÉTAIN, Pierre Durand, Préface d'Armand Lanoux.

CALINE, Serge Delarue.
ATTENTION CAMPAGNE! Franz-André Burguet.
LA VIE A BOUT DE BRAS, Michel Lardy.
TON AVENTURE, PEUPLE DE GAUCHE 1920-1979, Guy Perrimond.
LA BEAUTÉ DU MÉTIS, Guy Hocquenghem.
HISTOIRE DU SOLDAT, DE LA VIOLENCE ET DES POUVOIRS, Alexandre Sanguinetti.
L'ARME DU RIRE. L'HUMOUR DANS LES PAYS DE L'EST, Viloric Melor.
MÉMOIRES, Madame Campan, première femme de chambre de Marie-Antoinette.
DÉFI DU MONDE, CAMPAGNE D'EUROPE, Edgard Pisani.

COLLECTION « RELIEFS »

Philippe Ariès *présente :* LA CIVILITÉ PUÉRILE, Erasme.
André Fermigier *présente :* TROIS MAÎTRES, Alexandre Dumas.
Michel de Certeau *présente :* LES GRANDS NAVIGATEURS DU XVIII° SIÈCLE, Jules Verne.
Henri Guillemin *présente :* DE L'ABSOLUTISME ET DE LA LIBERTÉ, F. de Lamennais.
Dominique Fernandez *présente :* TRAITÉ DES EUNUQUES, Charles Ancillon.
Michel Tournier *présente :* ESSAI SUR LES FICTIONS, Germaine de Staël.
Gérard Guéguan *présente :* THÉORIE DE L'AMBITION, Hérault de Séchelles.

COLLECTION « LA VIE ANTÉRIEURE »

HENRI QUATRE, Gaston Bonheur.
CALLAS, UNE VIE, Pierre-Jean Rémy.
L'ENRAGÉ, Dominique Rolin.
CORTÉS OU LE COMBAT DES DIEUX, Jean Duché.
LES CINQ GIROUETTES, Jean-Louis Bory.

MÉMOIRES DE SAINT-SIMON

1-1691-1694, présenté par F. R. Bastide.
2-1695-1699, présenté par Ph. Erlanger.
3-1699-1702, présenté par le duc de Castries.
4-1702-1705, présenté par J. L. Curtis.
5-1705-1707, présenté par J. de Lacretelle.
6-1707-1709, présenté par Sainte-Beuve.
7-1709-1710, présenté par E. Le Roy Ladurie.
8-1710-1711, présenté par Hippolyte Taine.
9-1711-1713, présenté par Didier Martin.
10-1713-1714, présenté par Barbey d'Aurévilly.
11-1714-1715, présenté par André Maurois.
12-1715-1717, présenté par H. de Montherlant.
13-1717-1718, présenté par le duc de Lévis Mirepoix.

14-1718   présenté par René Girard.
15-1718-1720, présenté par Erik Orsenna.
16-1720-1721, présenté par J. C. L. de Sismondi.
17-1721-1723, présenté par Ph. Sollers.

ROMANS

DEVENIR CÉCILE, Lionel Rocheman.
FORTERESSE SOLITUDE, Pierre Barluet.
DE QUEL AMOUR BLESSÉ, Huguette Maure.
LE PRIX D'UNE MÈRE, Ferdinand Freed.
SI L'ON POUVAIT PARLER D'AMOUR ET RIRE ENCORE! Chantal Demaizière.
ALLIGATOR, Shelley Katz.
SOUVIENS-TOI, ELÉONORE! Caroline Babert.
ORCA, Arthur Herzog.
ENTRE DIEU ET DIABLE, Emmanuel Maffre-Baugé.
LA GUARDIA AIRPORT, Pierre de Plas.
CEREBRO, L. Frédefon, J. Davin.
LES JOURS TROP BLEUS, Pierre Dumoulin.
LE JUGEMENT DE POITIERS, Jean Demélier.
LE FILS-MÈRE, Gail Parent, traduction Erik Kahane.
LE DESSERT DE L'IGUANE, Alain Dubrieu.

COLLECTION « FUREURS DU TEMPS »

LA FRANCE A L'ABATTOIR, Pierre Bourgeade.

GUIDES PRATIQUES

OÙ JOUER AU TENNIS, Gilles Lambert, Michel Sutter.
BIEN MANGER PRÈS DES AUTOROUTES, Pierre Amalou.
BIEN VIVRE SA GROSSESSE, Pr. Yves Malinas.
GUIDE KRONENBOURG DE L'ALSACE AUTHENTIQUE, Jacques Legros.
LA CUISINE AUX FRUITS, Marc Giniès.

BEAUX LIVRES

ISRAEL, OMBRES ET LUMIÈRES, sous la direction de Joseph Kessel.
CHEFS-D'ŒUVRE DE LA PHOTO ÉROTIQUE,
ANTHOLOGIE DU VERS UNIQUE, Georges Schéhadé.
LA DERNIÈRE MODE, GAZETTE DU MONDE ET DE LA FAMILLE, Stéphane Mallarmé.
GUIDE PRÉCIEUX DES APHRODISIAQUES, Antoine Grenelle.

COLLECTION « SPECTACLE »

LE CENTRE POMPIDOU, UNE NOUVELLE CULTURE, Robert Bordaz.
LE CINÉMA ET MOI, Sacha Guitry, présenté par F. Truffaut.
LETTRES SUR LA DANSE, Noverre, présenté par Maurice Béjart.

COLLECTION « LES TÉMOINS DU SPORT »

FOOTBALL EN LIBERTÉ, Michel Hidalgo.
AVANTAGE FRANCE! F. Jauffret, Ch. Quidet.

RAMSAY « *image* »

INTRÉPIDE EUROPE, Chenez.
DES FOUS DE MER, Henri Bernard.
PATES ET RIZ, 230 FAÇONS DE LES ACCOMMODER, Elmo Coppi.

LA COMPOSITION, L'IMPRESSION ET LE BROCHAGE DE CE LIVRE
ONT ÉTÉ EFFECTUÉS PAR FIRMIN-DIDOT S.A.
POUR LE COMPTE DES ÉDITIONS RAMSAY
ACHEVÉ D'IMPRIMER LE 11 OCTOBRE 1979

Imprimé en France
Dépôt légal : 4ᵉ trimestre 1979
Nᵒ d'édition : 290 — Nᵒ d'impression : 5342